# HOE VERLIEFD MAG JE ZIJN?

Katarina von Bredow

# Hoe verliefd mag je zijn?

*Vertaling: Femke Blekkingh-Muller*

Lemniscaat 8 Rotterdam

De vertaalster ontving voor deze vertaling een werkbeurs van
de Stichting Fonds voor de Letteren

© Nederlandse vertaling Femke Blekkingh-Muller, 2006
Omslagfoto: Karel Zwaneveld
Nederlandse rechten Lemniscaat b.v. Rotterdam 2006
ISBN 90 5637 820 1
© Katarina von Bredow 2004
Oorspronkelijke titel: *Hur kär får man bli?*
First published by Rabén & Sjögren Bokförlag, Sweden, in 2004
Published by agreement with Pan Agency

Druk en bindwerk: Drukkerij C. Haasbeek b.v., Alphen aan den Rijn

*Dit boek is gedrukt op milieuvriendelijk, chloorvrij gebleekt en veroude-
ringsbestendig papier en geproduceerd in de Benelux waardoor onnodig
milieuverontreinigend transport is vermeden.*

*Sommige dingen zijn vanzelfsprekend.*
*Zo vanzelfsprekend dat je er niet eens over nadenkt.*
*Niet voordat je moet.*
*Zo was het met Adam en Frida.*

De nacht voor mijn eerste dag in de derde klas kon ik niet slapen. Waarom weet ik niet.

Het was niet zoiets als de eerste dag in de brugklas. Of de eerste dag op een nieuwe school. Gewoon weer een jaar middelbare school. Wel het laatste jaar onderbouw, maar dat was niet echt iets om van wakker te liggen. En toch lag ik te woelen en te draaien in mijn bed tot het laken als een verfrommelde rol onder me lag.

Tegen drieën besloot ik eruit te gaan voor een boterham en een glas melk. Tarzan keek verbaasd op van zijn kussen toen ik langsliep, maar hij kwam me niet achterna naar de keuken. Kennelijk bestond er zelfs voor hem een tijdstip dat hij het geen goed idee vond om op te staan. Op tafel lag een van Viktors stripboeken en ik bladerde er wat in terwijl ik mijn boterham at.

Beneden op straat was het doodstil en verlaten. Maar in het huis aan de overkant scheen achter twee ramen licht. Voor het ene waren groene gordijnen dichtgetrokken en ik bedacht dat er vast een vurige liefdesaffaire aan de gang was daar achter die gordijnen, een man en een vrouw die met elkaar vreeën in een bed met hoge uiteinden en gouden knoppen. Het andere raam stond wijdopen. Daar zat een man met donker haar en een bleek gezicht te roken. In de vensterbank stond een grote asbak. Af en toe tikte de man met een ongeduldige beweging zijn as af. Zodra zijn sigaret op was, stak hij een nieuwe op. Het zag er vastberaden uit. Alsof hij had besloten zich deze nacht kapot te roken. Misschien was het zijn droomvrouw die daar achter de gesloten gordijnen lag te vrijen, een verdieping hoger naar links.

Ik hoorde de deur van Viktors kamer opengaan. Hij sloop zachtjes naar de badkamer en deed het licht aan. Een bundel licht viel de gang in maar werd al snel smaller en verdween helemaal toen Viktor de deur achter zich dichttrok. Het was een poosje stil; toen trok hij door en kwam naar buiten. Hij leek even te aarzelen in de gang en keek toen voorzichtig om het hoekje van de keuken. Hij had slaaphaar.

'Hoi,' zei hij.

'Hoi.'

'Krijg ik ook een boterham?'

'Ik heb geen boterham gekregen,' zei ik met een knikje naar de koelkast. 'Ik heb er een gemáákt.'

Viktor liep naar de koelkast. Zijn verbleekte pyjamabroek met de blauwe ruimteschepen was slordig over zijn ene heup gehesen. Zijn schouders waren tijdens de zomer hoekiger geworden en zijn nek zag er dun en teer uit toen hij hem uitstrekte op zoek naar iets lekkers om op zijn brood te doen. Hij vond een plastic verpakking met cervelaatworst en terwijl hij zijn boterham smeerde keek ik weer naar de man aan de overkant van de straat. Hij had de volgende sigaret alweer op en frummelde in zijn sigarettenpakje. Het was wit met rood. Lucky Strike misschien. Of Marlboro. Wat zou hij een vieze adem hebben. En gele tanden van de nicotine. Niet zo gek dat die vrouw liever die ander had.

Toen Viktor aan de keukentafel ging zitten, draaide de rokende man net zijn hoofd om en keek me recht aan. Ik keek vlug naar Viktor.

'Waarom slaap jij niet?'

Hij haalde zijn schouders op en at zijn boterham met worst. Ik had best zin in nog een boterham, maar ik was te lui om er een klaar te maken. En werd je ook niet dik van nachtelijke boterhammen?

'Vond jij het leuk in groep acht?' vroeg hij na een poosje.

Ik lachte een beetje.

'Natuurlijk. Je bent de oudste van de school en je kunt die ukkies uit groep zes en zeven pesten zoveel je maar wilt.'

Viktor keek me verwijtend aan. Waarschijnlijk had hij nog nooit van zijn leven iemand gepest. Ik eerlijk gezegd ook niet. Niet zo erg tenminste.

'Ben je zenuwachtig?' vroeg ik.

'Neuh. Ik ben gewoon benieuwd. We krijgen een nieuwe juf. Eva is weg.'

'Jammer,' zei ik. 'Je vond haar toch leuk?'

Viktor knikte. Toen boog hij zich over de tafel en keek naar de strook donkere lucht die tussen de gevels van de huizen door te zien was.

'Weet je,' zei hij, 'dat er daar wormgaten kunnen zijn? Dat je daarin kunt kruipen en er dan op een hele andere plaats in het heelal weer uitkomt!'

'Waar heb je dat nou weer vandaan?' vroeg ik.

'Dat staat in een boek dat ik heb geleend in de bieb.'

'Een sciencefictionboek? Of fantasy?'

Viktor keek verongelijkt.

'Nee. Een wetenschappelijk boek over het heelal!'

Hij stond op en verdween naar zijn kamer, maar kwam meteen terug met een dik gebonden boek in zijn armen. Hier en daar staken witte strookjes papier tussen de bladzijden uit. Viktor sloeg het boek ergens in het midden open en las hardop voor. Ik begreep er niets van. Misschien luisterde ik ook niet zo heel erg goed. Toen hij klaar was, keek hij me met schitterende ogen aan.

'Snap je dat?' zei hij enthousiast. 'Vind je het niet ongelooflijk?'

Ik haalde een beetje beschaamd mijn schouders op.

'Ja, ongelooflijk. Maar ik geloof niet echt dat het iets voor mij is...'

Viktor deed het boek dicht en boog zich nog een keer over de tafel om naar de lucht te kunnen kijken. Alsof hij daarboven, schuin boven de supermarkt, een wormgat zou kunnen ontdekken als hij maar goed genoeg keek.

Ooit zal ik een echte mooie sterrenkijker voor je kopen, dacht ik. Ooit, als ik geld heb.

Een goede sterrenkijker kost een paar honderd euro. Misschien zou hij er niet zoveel aan hebben hier midden in de stad, waar je door al het licht bijna geen sterren kunt waarnemen. Maar ik wilde zo graag zien hoe Viktor het cadeau zou openmaken. Als je één keer Viktor een cadeautje had zien uitpakken dat hij heel graag wilde hebben, dan wilde je dat steeds opnieuw meemaken. Als we rijk zouden zijn, zou Viktor vast een heel verwend jongetje zijn. Zo eentje die alles krijgt wat hij wil hebben. Maar dat zijn we niet. Rijk, bedoel ik.

Toen Viktor acht werd, had ik een computerspelletje voor hem gekocht. *Age of Empires II.* Dat spelletje wilde hij het liefst van alles hebben, maar Kasper en Maria vonden het te duur en bovendien vonden ze dat Viktor nog te klein was voor zo'n ingewikkeld strategiespel, dat ook nog eens in het Engels was.

Het spel kostte bijna 30 euro, meer dan een maand zakgeld, en ik heb zeker een halfuur staan twijfelen in de winkel bij de verpakking met de drie koningen erop. Maar ik wist hoe Viktors gezicht eruit zou zien als hij het uitpakte, hoe het de hele kamer zou verlichten en hoe warm ik vanbinnen zou worden. Dus ik liep naar de kassa met het spel en telde langzaam mijn hele zakgeld voor een maand plus een groot deel van mijn spaargeld uit op de toonbank. De verkoopster veegde de briefjes zomaar, zonder enige vorm van ceremonieel, naar zich toe en toen ik haar vroeg of ze het wilde inpakken, deed ze dat slordig en met een vervelde uitdrukking op haar gezicht. Ik moest een paar tranen wegknipperen toen ik het pakje aannam en de winkel uitliep.

Het was misschien belachelijk van me, maar ik ging naar de

boekhandel en kocht een rol Harry Potter-cadeaupapier en goud en zwart inpaklint en toen ging ik snel naar huis, scheurde het papier van het cadeautje af en pakte het opnieuw in.

Toen we op de ochtend van zijn verjaardag met z'n allen zingend Viktors kamer binnengingen, had ik het cadeautje expres op mijn kamer laten liggen. Ik stond te kijken hoe hij twee boeken uitpakte en een blauwe trui en een goedkoper computerspelletje dat Maria waarschijnlijk had gekocht als pleister op de wonde, en ik liet hem geloven dat dat alle cadeautjes waren en hij bedankte heel erg voor alles, bladerde wat in een van de boeken en probeerde er niet teleurgesteld uit te zien. Ik liet hem zelfs een van de drie boterhammen van zijn ontbijt op bed opeten voordat ik eindelijk mijn cadeautje ging halen. De linten glansden in het licht van zijn bedlampje toen ik het aan Viktor gaf.

'Gefeliciteerd,' zei ik.

Viktor keek verbaasd naar het cadeautje, toen keek hij me aan en misschien zag hij het wel in mijn ogen of misschien waren mijn wangen wel helemaal rood, want hij begreep het. Of hij durfde het in elk geval bijna te hopen. Hij haalde de linten eraf, legde ze netjes naast zich neer en peuterde voorzichtig het plakband los. Heel langzaam maakte hij het cadeautje open; af en toe keek hij naar mij, alsof hij toch een beetje bang was om teleurgesteld te worden. Maar toen haalde hij het papier eraf en hield de verpakking met de drie koningen in zijn hand en het leek wel of de tijd even stilstond.

Toen Viktor opkeek, voelde ik een warme golf door me heen gaan en het duurde een hele tijd voordat ik de verbaasde blikken van Kasper en Maria zag. Toen werd ik vuurrood alsof ik op iets heel ergs was betrapt.

Daar dacht ik aan toen we in de keuken zaten, de nacht voor mijn eerste dag in de derde, en ik wilde dat ik hem een sterrenkijker kon geven voor zijn twaalfde verjaardag. Een echte.

In het huis tegenover ons stak de eenzame man nog een sigaret op. Achter de groene gordijnen was het licht uitgedaan. Misschien bleef hij bij haar slapen, een verdieping hoger naar links.

De laatste nacht van de zomervakantie. Ik keek op de klok. Tien over halfvier. Nu zouden Frida en haar familie wel weer thuis zijn. Ze kwamen meestal pas een paar uur voordat ze écht moesten beginnen terug. Ik had zin om te bellen, maar ik beheerste me. Ik kon beter proberen te slapen zodat het tenminste een keer morgen zou worden.

Maria had aan het begin van de zomer een dunne turkooizen katoenen top gekocht. Ik had hem haar maar één keer zien dragen en ik wist zeker dat hij geweldig zou staan bij mijn spijkerbroek, dus toen zij onder de douche stond, glipte ik hun slaapkamer binnen en zocht hem in haar la. Voor de spiegel in mijn kamer constateerde ik tevreden dat hij precies zo goed stond als ik had gehoopt.

Kasper en Viktor zaten al aan het ontbijt. Viktor had het dikke boek over het heelal opengeslagen naast zijn bord en Kasper smeerde neuriënd leverpastei op zijn boterham.

'Ja ja,' zei hij vrolijk toen ik aan tafel ging zitten. 'Vandaag begint deze jongedame aan haar laatste jaar onderbouw! Hoe voelt dat?'

'Niet zo bijzonder,' loog ik.

Maria kwam gestresst de keuken binnenstormen met alleen een donkerblauwe rok en een witte bh aan.

'Ik snap niet waar...'

Ze zweeg en keek naar mij.

'O, Katrina... je mag hem echt best lenen, maar... ik was nou net vandaag van plan om hem zélf aan te trekken.'

Ik voelde me betrapt. Ik had niet gedacht dat ze zou merken dat de top weg was, laat staan dat ze er iets van zou zeggen. Dat was niets voor haar. Ze hield meestal stijf haar mond dicht als er ook maar een conflict leek te dreigen.

'Dat staat zo'n mager skelet als jij toch niet!' zei ik geïrriteerd. 'Doe gewoon die rode aan die je altijd aanhebt.'

'Waar hebben jullie het over?' vroeg Kasper verward.

Maria legde haar hand op mijn schouder. Ik kromp onwille-keurig ineen bij die aanraking. Wie dacht ze wel dat ze was?

'Katrina… Ik heb een lunchafspraak. Het is belangrijk. Kun je hem niet een andere keer lenen? Je mag hem zelfs hebben, als ik hem vandaag maar aan mag.'

'Als je zo flauw bent dat je hem niet wilt uitlenen, dan mag je hem houden tot je dood neervalt.'

Viktor keek op uit zijn ruimteboek.

'Doen jullie een soort stripteasewedstrijd of zo?'

Mannen begrijpen nooit iets als je het ze niet uitlegt. Het maakt niet uit of ze elf zijn of drieënveertig.

Maria raapte de dunne turkooizen top op en liep de keuken uit.

Kasper keek me aan.

'Wat doen jullie in godsnaam?'

'Niets,' zei ik.

Toen stond ik op en ging naar mijn kamer om de blauw met wit gestreepte top te halen die ik in het voorjaar samen met Frida had gekocht. Die stond ook goed bij mijn spijkerbroek. Het was alleen leuk geweest als ik iets nieuws aan had gekund naar school.

Vreemd genoeg was ik niet zo heel erg moe, al had ik maar een paar uur geslapen. Stel je voor dat ik al die saaie ochtenden die me deze herfst te wachten stonden, zo wakker zou zijn. Ik borstelde mijn haar nog een keer voor de spiegel, met stevige lange halen. Soms had ik zin om het af te knippen, om er iets heel anders mee te doen. Ik had het nu al járen lang. Maar als het pas geborsteld was en glanzend over mijn schouders viel, was ik altijd bang dat ik het zou missen. Mijn neus was misschien een beetje te groot en mijn mond te breed, maar mijn haar was in elk geval heel mooi. Wie weet hoe het eruit zou zien als ik het kort liet knippen? Frida stonden alle kapsels goed. Maar ik was heel anders dan zij.

In de keuken was Maria helemaal aan de andere kant van de tafel gaan zitten. Viktor had zijn cornflakes op, maar hij bleef rustig zitten lezen in het boek alsof de school maar moest wachten tot alle gaten en tunnels van het heelal nauwkeurig waren onderzocht. Kasper had het over een foto-opdracht buiten die ze die ochtend zouden hebben en Maria knikte zwijgend terwijl ze in haar theekopje roerde. Ik zag dat ik het mis had gehad. De turkooizen top stond haar heel goed. De dunne stof sloot mooi en zacht rond haar smalle schouders en haar hals was lang en wit onder haar losjes opgestoken haar.

Het was al vijf over acht. Ik smeerde een boterham voor onderweg.

Zoals altijd was er een bijeenkomst in de aula. De brugklasmeisjes waren opgemaakt en op hun mooist aangekleed. Dunne hemdjes zaten strak om hun borsten en hun haar was pas gewassen en zat net zoals in de bladen. Hier en daar was tussen een topje en een broek een bruinverbrande buik te zien. En hier en daar een navelpiercing. Volgend jaar zou Viktor tussen de brugklassertjes zitten. Mijn grote kleine broertje Viktor. Maar dan zou ik niet meer in dit gebouw zitten, dan zat ik in de bovenbouwafdeling. Een akelig gevoel borrelde in me op bij die gedachte, maar ik verdrong het snel weer.

Helemaal achterin zag ik Frida en de anderen. Rachel had haar haar geblondeerd en het kort en rommelig laten knippen. Het stond haar niet echt leuk. Haar gezicht zag er een beetje breed uit, bijna grof. Maar waarschijnlijk wilde ze eruitzien zoals Frida er in het voorjaar had uitgezien. Naast haar stond Ellen met haar ravenzwarte haar in twee lange vlechten en een rode fluwelen stip op haar voorhoofd. Ellen was geadopteerd uit India. Melkchocolade huid en glanzend zwarte ogen. Precies het tegenovergestelde van Frida.

Het was alleen jammer voor Rachel dat Frida haar haar in de zomervakantie had laten groeien. Ze zag er bijna schattig uit met een plastic prinsessendiadeem in haar blonde krullen en een romantisch lila katoenen jurkje aan. Frida stond echt álles. Sommige mensen hebben dat. Ze lachte en zwaaide toen ze me zag.

Als ik een jongen was, zou ik verliefd worden op Frida, dat weet ik zeker. Je wordt vrolijk van haar. Vrolijk en warm. Ze omhelsde me en ik omhelsde haar en snoof de bekende geur van appelshampoo en Pleasures op. Twee lange maanden waren voorbijgegaan sinds ze met haar familie naar hun vakantiehuis in de Provence was vertrokken. Twee maanden zonder een enkel telefoongesprek. We hadden wel een paar keer geschreven, maar Frida houdt eigenlijk niet van schrijven, dus haar brieven waren niet lang en veel waren het er ook niet. Maar ik had gehoord dat Ellen alleen een kaart had gekregen en Rachel helemaal niets. Ik wil niet flauw doen. Er is niets mis met Ellen en Rachel. Maar ik vind het fijn om te merken dat Frida en ik toch iets speciaals met elkaar hebben. Wij samen.

'Hoe gaat-ie?' vroeg Frida.

'Goed,' zei ik. 'Maar ik had het niet erg gevonden als de vakantie nog een week langer had geduurd.'

Dat meende ik en toch ook weer niet. Want nóg een week vakantie had nóg een week zonder Frida betekend. Maar nog een week vrij als Frida weer thuis was, dat was fijn geweest. Dat bedoelde ik. Maar dat begreep ze wel.

De rector kwam het podium op en heette ons allemaal welkom in het nieuwe schooljaar met de bekende woorden over vriendschap en studieresultaten. Hij was al bijna dertig jaar rector op deze school en hij dacht zeker dat het een ouderwetse Engelse kostschool was of zo. Ik denk niet dat hij besefte dat er ook nog een leven buiten de school bestond, dat we 's middags allemaal naar huis gingen en verschillende levens leidden samen met heel andere mensen. Ik dacht wel eens dat hij zelf op school woonde. Dat hij 's avonds een stretcher uit zijn bruine kast haalde en die opmaakte in het kantoor. Ik kan me niet herinneren dat ik hem ooit buiten het schoolterrein heb gezien.

De nieuwe conrector, een jonge vrouw met rood haar die waarschijnlijk nog niet eens geboren was toen de rector hier al rector was, las voor naar welke lokalen alle tweede en derde klassen moesten gaan en vroeg de brugklassers om in de aula te blijven om te horen in welke klas ze waren ingedeeld.

We liepen met de stroom mee naar buiten en staken het geasfalteerde plein over naar het hoofdgebouw. Frida bleef nog even in de zon staan. Het was warm.

'Je hebt gelijk,' zei ze. 'Nog een week extra had helemaal geen kwaad gekund.'

Ik vroeg me af of ze hetzelfde bedoelde als ik of dat ze bedoelde dat ze nog wel een week in Frankrijk had willen blijven, maar ik had geen tijd om er nog langer over na te denken, want Frida rommelde in haar tas en haalde een klein pakje tevoorschijn.

'Hier,' zei ze. 'Voor jou.'

Het papier was donkerblauw en er zat een rood doosje in. In het doosje zat iets wat er in eerste instantie uitzag als een ijspegel aan een zilveren kettinkje.

'Bergkristal,' legde Frida uit. 'Heb ik in Frankrijk gekocht. Eén voor jou en één voor mezelf.'

Mijn blik ging onwillekeurig naar haar hals, maar daar hing de zilveren slang die ze vorig jaar tijdens haar vakantie in Griekenland had gekocht. Ze legde haar hand erop.

'Ik heb hem vandaag niet om,' legde ze glimlachend uit, 'want dan had je het al gezien.'

Ik haalde het kristal uit het doosje en hield het in het licht.

'Mooi,' zei ik. 'Heel mooi... Bedankt.'

'Ze zeggen dat het een heleboel genezende kracht bezit,' zei Frida. 'En je kunt het ook als pendel gebruiken en er dingen aan vragen.'

'Geloof jij daarin?'

Ze haalde haar schouders op.

'Ik weet het niet. Maar het is toch mooi.'

Frida pakte het kettinkje uit mijn hand en deed het bij me om. Vlak voordat ik het koele kristal op mijn huid voelde, schitterde het zonlicht er even in.

'Morgen doe ik de mijne ook om,' zei Frida. 'Dan hebben we een vriendschapskettinkje, net als hartsvriendinnen op de basisschool.'

Ik lachte. Het klonk een beetje gemaakt, maar ik wilde niet dat ze zou zien hoe belachelijk blij ik was. Ik straalde misschien wel net zo als Viktor toen hij *Age of Empires* kreeg.

Terwijl we daar in de zon stonden, was het schoolplein bijna helemaal leeggelopen en we moesten ons haasten, de trappen op naar lokaal B19. De klas was al in het klaslokaal verdwenen toen wij half rennend aankwamen door de gang, maar Alfred zag ons en hield de deur voor ons open. We hadden de leukste mentor van de school. Hij kon heel streng en direct zijn, maar hij was bijna nooit onrechtvaardig. Als wij aardig tegen hem deden, dan deed hij aardig tegen ons.

Het lokaal baadde in het zonlicht en het raam stond wijd open.

'Waar bleven jullie nou?' fluisterde Ellen toen we aan de tafel achter haar en Rachel gingen zitten.

'We hebben ons verstopt achter de conciërgeloge en hebben ons verloofd!' fluisterde Frida terug.

Ellen en Rachel grinnikten.

Ik raakte met mijn vingertoppen het kristal aan. Het was bijna waar.

Toen werd er op de deur geklopt.

Alfred had net een hap lucht genomen om iets te zeggen. Nu liet hij de lucht weer ontsnappen en liep naar de deur om hem open te doen.

'Is dit 3D?' vroeg iemand in de gang.

Ik dacht dat het de stem van een volwassen man was. Ik dacht dat het een jonge invaller was en dat Alfred misschien weg zou gaan of iets anders vreselijks.

'Jazeker,' zei Alfred. 'En ben jij dan misschien Adam?'

'Ja. Ik wist niet waar ik heen moest.'

'Kom binnen. Welkom!'

Alfred deed een stap opzij en liet een lange jongen in een versleten spijkerbroek en een volkomen verbleekt T-shirt de klas in. Zijn haar was kortgeknipt in zijn nek, maar boven op zijn hoofd was het langer en het stond alle kanten op alsof hij net door de storm had gelopen.

Alfred wendde zich tot de klas.

'Dit is Adam Axelsson,' zei hij, 'hij komt vanaf vandaag in deze klas. Wees aardig en help hem de weg te vinden in alle hoeken en gaten van onze school.'

'Ik weet wel een hoekje dat ik hem zou willen laten zien...' fluisterde Frida in mijn oor.

Ellen, aan de tafel voor ons, had kennelijk gehoord wat ze zei, want ze kreeg een enorme giechelbui. Frida kreeg een kleur en glimlachte vriendelijk naar Alfred, die vragend onze kant op keek.

'We zullen er wel voor zorgen dat hij niet verdwaalt,' zei ze.

Adam keek ook onze kant op en gedurende een honderdste van een seconde ontmoette ik zijn blik. Die vloog naar binnen via mijn pupillen en suisde even door mijn hoofd voordat hij verderging. Ik keek een beetje verward naar Frida, maar Frida keek naar Adam. De blik was nu van haar. Heel even was hij alleen van haar.

'Ga maar ergens zitten,' zei Alfred met een hand op Adams schouder. 'Ben je hier pas komen wonen?'

Adam knikte.

'Eigenlijk nog niet eens echt,' zei hij, terwijl hij langs de rijen naar de lege tafel achter Andreas liep. 'De verhuiswagen komt morgen pas.'

De stem van een volwassen man in een lang, slank tienerlijf. Maar hij zag er ouder uit dan de andere jongens. Als ik hem in de stad was tegengekomen, had ik gedacht dat hij in de vierde of de vijfde zou zitten.

Alfred schraapte zijn keel en alle ogen gingen met lichte tegenzin van de nieuweling naar de lerarentafel voor in het lokaal.

'Welkom allemaal,' begon Alfred. 'Goed om jullie weer te zien; jullie zijn bruin geworden en jullie zien er een beetje volwassener uit, vind ik. Ik hoop dat jullie een hele fijne vakantie hebben gehad. Ik wilde meteen maar het belangrijkste onderwerp van dit jaar bespreken... het Project!'

Hij onderbrak zichzelf en legde Adam uit: 'We hebben iets speciaals in deze klas. We werken elk schooljaar aan een project. Het wordt groots opgezet en iedereen doet eraan mee en tegen de kerstvakantie wordt het gepresenteerd. In de brugklas hebben we een film gemaakt, in de tweede een novellebundel en dit jaar...'

Alfred wendde zich weer tot de rest van de klas.

'Heeft iemand een voorstel?'

Eigenlijk wisten we dat die vraag niet zo serieus was bedoeld. Hij had vast al besloten wat het project voor dit najaar zou worden. Maar Anton waagde toch een poging.

'Kunnen we niet nog een keer een film maken?' vroeg hij.

'Anton, wat ben je toch een genie!' kreunde Frida.

'Ja!' zei Andreas. 'We kunnen een heel ander soort film maken!'

'Een liefdesfilm,' stelde Rachel voor.

'Met heel veel seks!' riep Sebastian.

Alfred kon een glimlach niet onderdrukken.

'Afgezien van die laatste bijdrage, zitten jullie op het goede spoor!' zei hij.

'Is dit een raadspelletje of een oefening in inspraak en democratie?' vroeg Frida plagerig.

'Beide,' antwoordde Alfred snel. 'Als jullie een beter voorstel hebben dan het mijne, kan ik van idee veranderen.'

'Ja hoor,' zei Rachel terwijl het geroezemoes in het lokaal toenam.

'Democratie betekent toch niet dat degene die het *beste* voorstel heeft gelijk krijgt?' zei Andreas. 'Het betekent toch gewoon dat hoe meer mensen het met elkaar eens zijn, hoe meer gelijk ze krijgen!'

'Dan stemmen we over de seks!' riep Sebastian. 'Hoeveel mensen vinden dat...'

'Kappen nou, Sebbe!' onderbrak Frida hem.

Ik draaide mijn hoofd om en keek voorzichtig naar Adam. Als je midden in een discussie deze klas binnenviel, moest je zo ongeveer het gevoel krijgen dat je onder een trein was gekomen. Maar Adam was niet weggedoken onder zijn tafel. Hij zag er misschien wel licht verbijsterd uit. Zijn mond stond een klein beetje open, maar het leek wel of daarachter een glimlach verborgen lag.

Alfred hief zijn beide handen op en de klas kalmeerde.

'Oké, genoeg democratie voor vandaag,' zei hij. 'Ik heb besloten dat we een toneelstuk gaan instuderen. Een toneelstuk dat we tijdens het kerstfeest in de aula gaan opvoeren!'

'Ik ben het kindje Jezus!' riep Sebbe en hij oogstte luid gelach van alle kanten.

'Nee,' zei Alfred, 'ik dacht niet echt aan iets bijbels, maar aan iets moderners... zoals Shakespeare bijvoorbeeld!'

'Ontzettend modern,' grinnikte Frida.

'Ja, wel vergeleken met de Bijbel. Wat vinden jullie van King Lear? Of Macbeth? Of Hamlet misschien? We zouden ook een van de komedies met persoonsverwisselingen kunnen kiezen, die zijn ook grappig.'

'Romeo en Julia,' stelde Ellen voor.

'Ja, echt een coole, grappige komedie,' zei Andreas.

'Hebben niet al miljoenen klassen Romeo en Julia gespeeld sinds die film "Shakespeare in love"?' vroeg Alfred.

'Dan doen wij een homoversie,' zei Anton. 'Romeo en George!'

Luid gelach. Alfred lachte ook.

'Leuk,' zei hij. 'Goed idee. Bijna beter dan het mijne zelfs. Maar ik had bedacht dat we de originele tekst zouden gebruiken, dus Shakespeares eigen taal. En dan is het misschien extra moeilijk om iets te veranderen in de tekst. Het is de bedoeling dat dit een onderdeel wordt van de Engelse lessen, met oefeningen in de juiste uitspraak en zo.'

'Ja hoor,' zei Andreas. 'En dan ga je naar Londen en praat je Shakespeare-Engels en dan begrijpt niemand een reet van wat je zegt.'

Maar Alfred luisterde niet. Zijn blik was afgedwaald naar het raam en hing besluiteloos in de lucht, ergens boven de daken van de huizen.

'Eigenlijk helemaal niet zo'n gek idee,' mompelde hij.

Toen draaide hij zich weer om naar de klas.

'Het wordt Romeo en Julia,' zei hij. 'Dankzij die film kent bijna iedereen het verhaal en dan vervelen we het publiek tenminste niet tijdens het kerstfeest. Als we Macbeth in de originele taal zouden opvoeren, zouden ze het misschien moeilijk kunnen volgen. Wat vinden jullie? Zijn we het erover eens dat we Romeo en Julia gaan opvoeren?'

Sebbe haalde zijn schouders op.

'Veel meer seks dan dat kun je bij Shakespeare waarschijnlijk niet verwachten?'

'Dan is het bij deze besloten,' zei Alfred. 'En dan wil ik voorstellen dat we Adam de ene hoofdrol geven. Dan kan hij iedereen goed leren kennen.'

Adam keek een beetje verschrikt, maar hij herstelde zich snel.

'Nou, dan ben ik blij dat het geen "Romeo en George" is geworden,' zei hij.

Een van de leuke dingen van in de derde zitten, was het café. Café Garfield was opgericht door een groepje derdeklassers toen wij in de brugklas zaten en we hadden twee jaar lang verlangend naar de beschilderde ramen van het café gekeken, dat alleen toegankelijk was voor de derdeklassers zelf. Nu mochten wij het overnemen. Alle derde klassen moesten het café twee keer een maand lang runnen, één maand in de herfst en één maand in het voorjaar. 3A mocht beginnen en de eerste dag was het tijdens de grote pauze stampvol in het café. Het was in het oude lokaal van de conciërges, naast de administratie. De conciërges hadden nu hun eigen gebouwtje naast het grote gebouw waarin de aula en de kantine waren. Daarvandaan konden ze zowel de onderbouw als de bovenbouw in de gaten houden, dus daar waren ze waarschijnlijk heel blij mee.

De oude conciërgeloge, die nu dus café Garfield heette, bestond uit drie ruimtes. Een gecombineerde keuken en personeelsruimte, een ruimte met een bar en een paar tafeltjes en een derde ruimte met alleen maar tafeltjes. En dan was er ook nog een klein halletje. De muren en ramen waren beschilderd door een graffitikunstenaar die zich Spam noemde maar eigenlijk Sven Johansson heette. Het was de broer van een meisje uit het jaar dat Garfield had opgericht. Je kon van buiten niet naar binnen kijken en degenen die naar binnen of naar buiten gingen, zorgden dat ze de deuren zorgvuldig achter zich dichtdeden. Toen we in de brugklas en in de tweede zaten, hadden we nooit méér van Garfield te zien gekregen dan af en toe een glimp van het halletje, dus nu we, na een genadige blik van Richard Ljungberg uit 3 A, die de deur bewaakte met hetzelfde gevoel voor drama als waarmee hij zelf het jaar ervoor was geweigerd, over de drempel stapten, gaf dat best een beetje een plechtig gevoel.

Iedereen was er natuurlijk. Dat leek tenminste wel zo. Een tafeltje kon je wel vergeten en het kostte Frida de grootste moeite om bij de bar te komen om voor ons allebei een chocolademuffin te kopen. Toen stonden we dicht tegen elkaar aangedrukt en zwetend in een hoekje vlak bij de ingang en keken zo goed en zo kwaad als het ging rond in het zo veelbesproken Garfield van de derdeklassers, dat nu dus van ons was.

'Die nieuwe jongen heeft het waarschijnlijk nog niet gevonden,' zei Frida.

'Wat een mooie tafels,' zei ik. 'Ik dacht dat ze oude schooltafels zouden hebben of zo.'

Aan het plafond hingen een paar discobollen uit de jaren zeventig, en langs de muren waren zilverkleurige kabels gespannen waaraan halogeenspotjes hingen die om en om op het plafond en op de muurschilderingen waren gericht.

'Denk je dat Alfred ons wil laten stemmen over wie Julia mag zijn?' vroeg Frida.

Ik keek haar een beetje wazig aan. Hoe kon ze nou alleen maar aan Engels denken, nu we voor het eerst voet mochten zetten op de geheime grond van Garfield?

'Geen idee,' zei ik. 'Hoezo?'

Ze glimlachte even.

'Ik vroeg me gewoon af of ik nu vast een verkiezingscampagne moet beginnen. Jij stemt toch op mij hè?'

'Iedereen stemt natuurlijk op jou als jij dat wilt. Maar waarom dan?'

'Hallo! Ben je er niet helemaal bij of zo? Die Adam gaat Romeo spelen! Als dat geen mooie gelegenheid is om hem "alle hoeken en gaten van de school te laten zien", of hoe zei Alfred het ook alweer.'

Ik moest opeens zo hard lachen dat er een kruimeltje van de chocolademuffin in mijn keel schoot en ik moest hoesten. Toen ik naar adem hapte, schoot er nog meer kleverige massa in mijn luchtpijp en ik hoestte tot de tranen over mijn wangen rolden. Frida bonkte zo hard op mijn rug dat het wel leek of de chocolademuffin er door mijn neus weer uit zou komen.

Precies op dat moment kwam Adam binnen samen met Anton en Sebbe.

'Wat is er met jou aan de hand?' vroeg Anton.

Tussen de tranen en de lachaanvallen door hapte ik nog steeds naar lucht en ik kon niet antwoorden, maar Frida glimlachte.

'We oefenen voor een toneelstuk. We zijn net bij het moment waarop Sneeuwwitje een stukje appel in haar keel krijgt. Wie moet trouwens George spelen, vinden jullie? Of nee, Julia bedoel ik?'

Ze richtte haar vraag aan Adam, maar ze werd opzij geduwd door nieuwe bezoekers die naar binnen probeerden te komen.

'Shit, wat is het hier vol!' zei Sebbe, over alle mensen heen kijkend die zich tussen ons en de bar verdrongen.

Anton knikte en groef een paar seconden in zijn zak, voordat hij twee euro tevoorschijn haalde.

'Ik ben benieuwd wat alles kost.'

'Het is heel goedkoop,' zei Frida. 'Ze hebben ook broodjes.'

Ik veegde onder mijn ogen en over mijn wangen, waar de mascara vast in lange vegen overheen was gelopen. Eigenlijk had ik nooit make-up op als ik naar school ging, maar net vandaag had ik een beetje bruine eyeliner en wat mascara opgedaan. Opeens voelde ik een hand op mijn arm.

'Gaat het?'

Ik keek op, recht in Adams donkergrijze ogen, en ik voelde dat ik rood werd.

'Ja hoor, best, bedankt...' mompelde ik. 'Ik verslikte me gewoon.'

'Dat is helemaal niet zo "gewoon",' zei Adam. 'Je kunt er dood aan gaan. Eigenlijk is het heel gek dat mensen dat zeggen over iets wat best gevaarlijk kan zijn. Je zou nooit zeggen dat je "gewoon een beetje leukemie hebt" of zo.'

Opeens lachte hij breed – ik wist niet zeker of hij me in de maling nam. Maar hij had mooie ogen. Ze hadden de kleur van onweerswolken met de glinstering van waterdruppels. Misschien was het helemaal zo gek nog niet van Frida dat ze Julia wilde zijn.

Sebbe, Anton en Adam baanden zich een weg naar de bar en Frida sloeg haar arm om mijn schouders.

'Goh, wat gaaf,' zei ze glimlachend. 'Echt ontzettend lief van je dat je je precies op het moment dat hij binnenkomt verslikte, zodat ze bleven staan om met ons te praten. Ze moesten jou een medaille geven voor vriendin van het jaar.'

Mijn vingers voelden aan het bergkristal dat aan het zilveren kettinkje om mijn hals hing.

'Die heb ik toch ook gekregen.'

'O ja, natuurlijk. Zullen we naar buiten gaan? Ik zweet helemaal.'

Ik wierp een blik in de richting van de bar die schuilging achter een muur van luidruchtige derdeklassers.

'Misschien komen ze nog terug,' zei ik.

'Ja, maar het moet natuurlijk niet lijken alsof we op ze staan te wachten,' zei Frida.

'Nee, natuurlijk niet.'

'En het is trouwens ook niet zo lekker als alle "hoekjes en gaatjes" nat zijn van het zweet.'

Ik lachte weer, dit keer zonder me te verslikken in de chocoladesmurrie, en we gingen de gang op waar het koel en prettig aanvoelde, hoewel aardig wat mensen zich voor de ingang van Garfield verdrongen.

'Het wordt vast wel rustiger over een paar dagen, als iedereen het gezien heeft,' zei ik.

'En al zijn geld heeft uitgegeven,' zei Frida.

We liepen door de glazen deuren naar buiten, het plein op. Ellen en Rachel zaten aan de zuidkant van het gebouw op een bankje in de zon. Frida en ik gingen bij hen zitten.

'Zijn jullie niet geweest?' vroeg ik.

Ellen schudde haar hoofd.

'Het zag er zo druk uit. Zijn jullie binnen geweest?'

'Hm. Het is mooi. Leuk ingericht en zo. Maar stampvol.'

'Ik ga later wel eens kijken,' zei Rachel.

Ze keek naar Frida en voelde aan haar korte kapsel.

'Het stond je leuker toen je het wat langer had,' zei Frida.

Ik wist niet zeker of ze het aardig bedoelde of een beetje vals.

'Maar dit is ook leuk,' voegde ze er toen aan toe, terwijl ze haar gezicht naar de zon draaide.

Op haar oogleden lag een zachtpaarse schaduw en ze lachte met haar mond dicht naar het licht. Ik vroeg me af waar ze aan dacht. Mijn hoestaanval misschien. Of Adam.

'Wat vonden jullie van die nieuwe jongen?' vroeg Ellen, alsof ze mijn gedachten kon lezen. 'Meende je dat serieus... wat je zei?'

Ze giechelde een beetje verlegen.

'Hij is echt een lekker ding,' zei Frida rustig.

'Maar hij heeft wel lelijke kleren,' zei Rachel.

'Dat vind ik niet,' zei Frida.

'Dat is liefde,' zei Ellen.

'Op het eerste gezicht,' zei Frida.

En toen zongen we: 'When I first set my eyes on youuuu...' voor Frida en we lachten. Frida glimlachte even en de zon scheen op haar haar. Het was zo felblond dat het bijna pijn deed aan je ogen.

Je voelde het meteen als je het huis binnenkwam. Het leek wel of de lucht er vol van was.

Kasper en Maria waren allebei thuis, terwijl het pas drie uur was. Ze zaten elk aan een kant van de keukentafel en je zag al van verre dat ze het ergens niet over eens waren.

Viktor lag op bed in zijn kamer en keek naar het plafond.

De enige die er totaal niet somber uitzag, was Tarzan. Ik aaide hem zo goed en zo kwaad als het ging terwijl hij zijn 'welkom-thuis-dansje' deed en toen ging ik op de rand van Viktors bed zitten.

'Waar hebben Kasper en Maria ruzie over?'

Viktors blik week geen millimeter van zijn plek. Het leek wel of hij daarboven het meest interessante vliegenpoepje van de hele wereld had gevonden en de rest van zijn leven zou gebruiken om het te bestuderen.

'Weet ik niet.'

'Hoe was je eerste dag in groep acht?'

'Wel oké.'

Ik keek hem met half dichtgeknepen ogen aan. Probeerde te zien wat er allemaal gebeurde achter zijn voorhoofd. Het lukte niet.

'Er is een nieuwe jongen bij ons in de klas gekomen,' zei ik.

'O,' zei Viktor ongeïnteresseerd.

Maar toen maakte zijn blik zich los van het plafond en richtte zich opeens op mij.

'Vind je hem leuk?'

Ik glimlachte.

'Nee, eh... Ik bedoel, hij leek me wel aardig... Wat is er met Kasper en Maria?'

'Ik weet het niet, dat zei ik toch.'

Hij keek weer naar het plafond. Ik zuchtte, stond op en ging naar de keuken. Het leek wel of ik werd tegengehouden, alsof de lucht dik en stroperig was geworden rondom die twee die aan tafel zaten.

'Ik ben opeens een vreemde in mijn eigen huis,' zei ik. 'Niemand weet iets, niemand zegt iets. Wat is er met jullie aan de hand?'

Ik had de vraag aan Kasper gericht, maar hij knikte alleen maar naar de overkant van de tafel.

'Dat moet je aan Maria vragen,' zei hij.

'Dat moet je aan Kasper vragen,' zei Maria.

'Kappen nou!!' zei ik.

Maria keek me aan. Haar blik was donker, alsof ze zich moest verdedigen.

'Ik heb een nieuwe baan aangeboden gekregen,' zei ze. 'Een hele leuke, goedbetaalde, interessante baan. En nu wil Kasper dat ik nee zeg en voor niets in de studio blijf werken.'

'Je werkt niet voor niets,' zei Kasper. 'Je krijgt ervoor betaald.'

'Niet vergeleken bij wat ik bij Sörgrens ga verdienen.'

'Maar dat is toch anders!'

'Ja, dat is precies wat ik zeg!'

Kasper zuchtte en keek me aan.

'Ze weet dat ik geen geld heb om iemand anders in dienst te nemen. En dat ik het in m'n eentje niet red in de studio.'

'Je redde je toch ook voordat ik kwam,' wierp Maria tegen.

'Ja, dat was toen. Toen had ik nog niet zoveel werk. Ik heb jou gevraagd om voor me te komen werken toen ik zoveel werk kreeg dat ik het niet meer in mijn eentje aankon. En jij was er maar al te blij mee. Ook al betaalde het niet zo goed!'

Maria vloog overeind.

'Ja, maar ik was verliefd op je!'

'Ben je dat nu niet meer dan?'

Maria staarde hem een paar seconden aan, toen pakte ze haar tas die over de stoelleuning hing en liep nijdig de gang in. Vlak daarna sloeg de voordeur achter haar dicht.

Mijn eerste impuls verbaasde me en ik schrok ervan. Ik wilde de keukenstoel waarop ze net nog had gezeten pakken en hem met volle kracht achter haar aan naar de deur slingeren. Ik begreep niet waar al die woede vandaan kwam. Ik had er immers niets mee te maken. Het ging toch niet om mij. En toch moest ik naar adem happen om die plotseling oplaaiende woede onder controle te krijgen en te proberen na te denken. Denken, denken. Maar alles was één groot vraagteken waarop ik het antwoord niet wist, een vraag waarop alle antwoorden fout waren. Ik voelde een onrust door mijn hele lijf gaan. Kasper en Maria hadden nooit ruzie. Niet echt tenminste.

Ik bleef staan en keek naar Kaspers ontzette gezicht en ik probeerde mezelf eraan te herinneren dat ik al jaren hoopte dat ze uit elkaar zouden gaan, dat Kasper eindelijk zou begrijpen dat Maria hier helemaal nooit had moeten komen wonen. Maar dat lukte niet echt. Ik was eraan gewend geraakt dat ze er was. Misschien was ik haar zelfs wel aardig gaan vinden. Er was zonder dat ik het had gemerkt iets gebeurd en ik vond het niet leuk om dat nu te merken.

Kasper strekte zijn rug en wendde zich tot mij.

'Hrm... eh, hoe was het op school?'

'O, goed hoor,' zei ik en ik hoorde dat ik precies als Viktor klonk.

Misschien keek ik verwijtend, want Kasper spreidde zijn armen en stond op van de stoel.

'Ik moet heel veel goede opdrachten weigeren als ik haar niet meer heb!' verdedigde hij zich. 'Dat wordt een ramp. Als je als fotostudio nee zegt tegen bruidsparen, raak je onmiddellijk je klanten kwijt! En ze vindt het toch leuk om bij me te werken. Dat zei ze tenminste altijd.'

Toen nam zijn vaderlijke kant het over en hij aaide me over mijn wang.

'Maar maak jij je daar nou maar geen zorgen over. Zullen we Viktor roepen en even een pizza gaan eten of zo?'

Dat is mijn vader Kasper in een notendop. Als het leven moeilijk wordt, ga je gewoon naar de pizzeria.

'Ik heb geen honger,' zei ik. 'Ik ga naar buiten met Tarzan.'

'O ja,' zei Kasper en hij zag er opeens weer terneergeslagen uit. 'Die was ik vergeten.'

Tarzan had vast iets gehoord over naar buiten gaan, want hij stond ongeduldig met zijn voorpoten te trappelen in de deuropening.

'Hoezo vergeten?' vroeg ik. 'Maria heeft hem tussen de middag toch uitgelaten?'

'Ik weet het niet. Ze heeft geluncht met die Sörensen... of Sörgren, of hoe die vent ook heet...'

'Wat is het voor baan?'

'Bij een reclamebureau,' snoof Kasper. 'Zoiets doms. Dat is toch niets voor Maria.'

'Het klinkt perfect,' zei ik.

Toen ging ik naar de gang en trok mijn schoenen weer aan. En terwijl ik Tarzan zijn riem omdeed en de trappen afliep, probeerde ik te bedenken wat ik eigenlijk bedoelde. Perfect voor wie?

Het is verboden om je hond los te laten lopen in het park, maar er was geen mens te zien onder de grote kastanjebomen in het Videbergspark, dus ik liet Tarzan toch los. Een hond moet af en toe eens lekker kunnen rennen, zeker zo'n energiek beest als Tarzan. Hij was zeven en leek nog steeds een jonge hond, een vrolijke bundel spieren die heel veel beweging nodig had. Eigenlijk helemaal de verkeerde hond om in een bovenwoning te hebben. Ik ging op een bankje vlak bij het riviertje zitten en keek naar hem terwijl hij wild over het grasveld heen en weer rende om de springerigheid in zijn poten kwijt te raken. Af en toe stak hij een grindpad over en dan spoot het grind omhoog onder zijn poten.

Terwijl ik zo naar Tarzan zat te kijken, schoten er heel andere beelden door mijn hoofd. Deeltjes van herinneringen, korte, ongeordende filmfragmenten uit mijn archief. Zoals die novemberdag, nu bijna zes jaar geleden, dat Maria bij ons aanbelde en voor de deur stond met een versleten, bruine weekendtas in haar hand, en Kasper die haar lang omhelsde en ons vertelde dat dit Maria was en dat ze een tijdje bij ons zou komen wonen. Ze zag er zo jong uit. Hoogstens half zo oud als Kasper, dat dacht ik toen.

We wisten niets.

We wisten niet dat hij iemand had aangenomen in de studio, we wisten niet dat hij een relatie had, we wisten helemaal niets. En daar stond ze ineens en ze zou 'een tijdje bij ons komen wonen'. Ik was negen en Viktor zes en onze moeder was drie jaar daarvoor weggegaan en wij hadden helemaal niet begrepen dat dat voorgoed was. Ze zou 'een tijdje in Brussel gaan wonen' had Kasper gezegd.

Dat was het vervelende van Kasper, bedacht ik terwijl Tarzan langs zoefde, tegen de helling op, naar de weg. Hij legde nooit iets uit. Maar ik wist niet of hij niet dúrfde te vertellen hoe het echt zat of dat hij het zelf ook niet wist. Hij stelde gewoon voor dat we naar de pizzeria gingen.

Het was bijna fijn als hij eens een enkel keertje heel duidelijk was. Zoals die keer, ongeveer vier jaar geleden, toen we nog gemener tegen Maria waren geweest dan anders en hij haar huilend op de bank had aangetroffen toen hij 's avonds thuiskwam.

Toen had hij ons echt flink op ons donder gegeven. En als iemand die zelden boos is, je opeens op je kop geeft, is dat echt heel effectief. We waren niet meer gemeen tegen Maria. Bijna niet meer tenminste. We negeerden Maria. We deden net alsof ze er niet was. En dat was misschien ook niet zo aardig, maar ze kon ons er niet op pakken, ze kon er niet over klikken tegen Kasper.

Tarzan kwam de helling weer afrennen, zijn tong als een stropdas uit zijn mond. De vaart was er nu een beetje uit en na een omweggetje langs de waterkant, waar hij een paar flinke slokken van het bruine water nam, kwam hij naar me toe en ging met een tevreden zucht aan mijn voeten liggen.

Ik maakte zijn riem niet vast. Nog niet. Het was fijn om zo te zitten en te weten dat hij uit vrije wil bij me was komen liggen. Niet omdat ik hem had geroepen en had gezegd dat hij daar moest gaan liggen. Niet omdat ik hem vasthield aan een ketting om zijn nek, maar omdat we vrienden waren. Maar misschien was dat wel een romantische wens. Waarschijnlijk ging hij daar liggen omdat hij wist dat hij, als hij vriendjes met mij bleef, een plek om te wonen had en te eten kreeg. En dat hij af en toe door het park mocht rennen. Ik vroeg me af of Maria hem wel eens los liet rennen. Misschien wel. Ik wist niet zoveel van Maria.

Eigenlijk was het alweer een paar jaar geleden dat er iets begon te veranderen. Dat was toen Maria me had geholpen met mijn haar. Onbenullig misschien, maar toch. Dat was precies twee jaar geleden trouwens, toen ik naar de brugklas ging. Ik stond die ochtend voor de spiegel en probeerde mijn haar in te vlechten. Het lukte helemaal niet. Het raakte in de knoop en het wilde niet blijven zitten. De avond ervoor had ik op televisie een meisje gezien dat er heel mooi uitzag met zo'n vlecht en ze leek best een beetje op mij. Mooier natuurlijk, dat zijn ze altijd in films, maar toch leek ze wel wat op mij. Ongeveer hetzelfde type. Dus ik had bedacht dat zo'n vlecht me wel zou staan. Maar ik was nooit erg goed geweest in kapsels maken bij mezelf en ik denk dat ik ook een beetje zenuwachtig was. Een nieuwe school, nieuwe leraren, nieuwe regels. Ik dacht dat alles anders zou zijn. Dat viel natuurlijk allemaal wel mee, maar dat wist ik nog niet toen ik in de hal stond te worstelen met mijn haar en het koude zweet me uitbrak. Toen kwam Maria. Opeens zag ik haar links achter me in de spiegel.

'Heel mooi!' zei ze.

'Laat me met rust!' snauwde ik zonder me om te draaien. 'Denk je dat ik achterlijk ben of zo?!'

Ze glimlachte even.

'Ik bedoel niet dat je vlecht mooi is, het is moeilijk om je eigen haar mooi in te vlechten, maar ik denk dat het je heel mooi zal staan. Zal ik je helpen?'

Dat was een verleidelijk aanbod, dat moest ik toegeven. Ik keek haar aarzelend aan, wachtte op een verdere poging om me over te halen, waardoor ik makkelijker nee zou kunnen zeggen, maar die kwam niet. En ik bedacht dat ik de vlecht er altijd weer uit kon halen als hij lelijk was en daarmee meteen Maria kon afstraffen voor haar bemoeizucht. Als de vlecht zó mooi zou worden dat ik hem wilde inhouden, liep ik wel de kans dat ik mijn gezicht een beetje zou verliezen, maar misschien was dat het wel waard.

'Oké dan,' mompelde ik. 'Als je denkt dat jij het kunt.'

Ze trok een keukenstoel naar ons toe en ik ging erop zitten en zei niets, ik voelde alleen hoe haar warme, lange vingers mijn hals en mijn slapen aanraakten terwijl ze mijn haar verdeelde met de kam en het invlocht tot de door mij zo vurig gewenste vlecht. Het kostte me de grootste moeite om onverschillig te blijven onder haar aanraking, om die niet dieper tot me door te laten dringen; hij was zacht en licht maar toch indringend. Ik voelde dat de vlecht goed werd, dat kon ik voelen terwijl ze bezig was. Het ging zo doelgericht en snel. Ik was eigenlijk van plan geweest om alleen maar zwijgend op de stoel te blijven zitten, maar ik moest het wel vragen: 'Ben je kapster of zo?'

Het klonk onaardig, hoewel het niet zo was bedoeld. Ze aarzelde even, toen zei ze: 'Ja, inderdaad.'

'Waarom heb je dat nooit gezegd?'

'Jullie hebben het nooit gevraagd.'

Haar stem klonk een beetje stijfjes. Verdrietig misschien. Heel even voelde ik een felle steek door me heen gaan, maar toen wist ik de zaak weer om te draaien.

'Dan hoefde je ons natuurlijk niet gratis te knippen,' zei ik kattig.

'Ja, zo is er altijd wel wat,' zei Maria.

Toen zeiden we niets meer. Ik schaamde me, hoewel ik dat niet wilde, en de vlecht werd heel mooi. Hij stond heel goed bij mijn gezicht, mijn hele houding werd er beter door. Misschien strekte ik me zelfs wel een beetje extra uit toen ik mezelf in de spiegel bekeek.

Frida vond het ook heel mooi. Ze wilde dat zij ook een privé-kapster had, zei ze.

'Typisch Maria om daar niets over te zeggen,' mompelde ik. 'Maar ze hoeft mijn haar echt niet vaker te doen als ze het zo vervelend vindt.'

Frida sloeg haar ogen ten hemel. Dat deed ze altijd als ze vond dat ik flauw of dom deed.

Frida, ja.

Opeens verlangde ik zo hevig naar haar dat mijn handen niet wilden meewerken toen ik de riem aan Tarzans halsband wilde vastmaken om naar huis te rennen, naar de telefoon.

Het huis was leeg; Kasper en Viktor waren vast naar de pizzeria. Frida had haar moeder beloofd dat ze die middag thuis zou blijven om te helpen met uitpakken en wassen en zo. Maar even bellen, dat zou toch wel mogen, dacht ik terwijl mijn vinger de voorkeuzetoets van de telefoon in de hal indrukte. M1 voor Frida.

Frida's moeder Helene nam na twee keer overgaan op. Ze had een aparte, hese stem, als een oude nachtclubzangeres die te veel sigarenrook had ingeademd en te veel whisky had gedronken.

'Met Lundström.'

'Hallo,' zei ik, 'met Katrina.'

'Nee maar, hallo Katrina! Dat is lang geleden! Hoe is het met je?'

'Goed. Is Frida thuis?'

Het was niet zo beleefd van me om niet te vragen hoe ze het in Frankrijk hadden gehad, of tenminste hoe het met haar ging, maar ik moest met Frida praten, en wel meteen.

'Een momentje,' zei Helene. 'Ze is naar de kelder om de was in de machine te doen, dus het kan wel even duren. Wil je wachten of zal ik vragen of ze je terugbelt?'

'Nee,' zei ik vlug. 'Of ja, bedoel ik, ik wacht wel even.'

Terwijl ik wachtte, draaide ik aan de knop van de la van het telefoontafeltje. Ik draaide en draaide, totdat hij losging. De moer viel in de la en rolde een paar keer rond. Ik klemde de hoorn tussen mijn oor en mijn schouder en schroefde hem er weer op. Ik stelde me voor hoe Frida de keldertrap opliep; haar voorhoofd glom en haar wangen waren rood van de warmte van het washok. Ik weet precies hoe het ruikt in de kelder bij Frida. De geur van wasmiddel, de vochtige warmte en iets metaligs. Ze zou nu toch wel bijna boven zijn? In mijn fantasie bedacht ze eerst nog dat ze was vergeten de wasmachine aan te zetten, draaide zich om, liep weer naar beneden om dat alsnog te doen en toen weer de trap op, langzamer dit keer. Toen hoorde ik eindelijk geruis in de hoorn en haar stem drong door in mijn oor alsof ze vlak naast me zat.

'Hoi!'

'Hoi! Wordt je moeder nu niet boos?'

'Nee, joh, geen probleem. De wasmachine wast echt niet sneller als ik erbij ga staan kijken. Hoe is het?'

'Ik weet het niet. Er is iets aan de hand.'

En toen vertelde ik van Kasper en Maria en Frida luisterde, ik
hoorde dat ze luisterde naar ieder woord dat ik zei. Dat is zo fijn
van Frida. Niemand kan zo goed luisteren als zij. Af en toe zei ze
'mm' of 'jemig' maar verder onderbrak ze me niet, ze zei niets
voordat ik klaar was en wachtte totdat zij iets zou zeggen.

'Vervelend,' zei ze toen. 'Maar als hij haar alleen maar
gebruikt als goedkope arbeidskracht en niet kan accepteren dat
zij iets anders wil gaan doen, dan is hij gewoon een seksist die
vrouwen minderwaardig vindt.'

Frida's woorden maakten dat mijn woede weer oplaaide,
dezelfde woede die een stoel achter Maria aan had willen gooien
toen ze wegging. Net zo plotseling als de vorige keer schoot de
razernij door mijn lijf en ik moest me beheersen en even rustig
ademhalen voordat ik iets zei.

'Maar als hij het nou niet redt in zijn eentje in de studio?' zei
ik toen.

'Ja, dat is natuurlijk vervelend voor hem. Maar dat is toch *zijn*
probleem, of niet soms? Dan moet hij dat gewoon regelen. Eigenlijk zou hij blij moeten zijn voor haar. Dat vind ik tenminste.'

Ik hoorde dat ze gelijk had. In principe. Ik wist dat ik hetzelfde had gevonden als het om iemand anders was gegaan.
Maar dit ging niet om iemand anders, dit ging om ons en voor
mij voelde het alsof Maria ons liet zitten, alsof ze Kasper in de
steek liet. Het leek wel of ik uit twee personen bestond, een die
het ene vond en een andere die precies het tegenovergestelde
vond. Hoe gespleten kun je zijn?

'Maria is aardig,' zei Frida, alsof ze wist wat ik dacht.

Dat had ze wel eens eerder gezegd. Ik denk dat ze vond dat ik
dat nooit had begrepen.

'Ja,' zei ik met tegenzin. 'Dat is ze ook wel. Je went in ieder geval aan haar. Dat ze er is. Ze hoort er zo langzamerhand toch een beetje bij.'

'Dus je zou het vervelend vinden als ze wegging?' zei Frida. Heel even klonk haar stem een beetje plagerig.

'Misschien,' zei ik serieus, en het was gek om dat te zeggen, en als het iemand anders was geweest dan Frida, had ik het nooit kunnen toegeven.

'Weet je wat?' zei Frida. 'Ik zal mijn moeder vragen of ik niet even een uurtje weg mag, dan kunnen we een warme chocolademelk gaan drinken met alles erop en eraan. Oké?'

'Alles erop en eraan' betekende met slagroom en een roombroodje met heel veel poedersuiker. Het enige dat hielp in acute noodsituaties. Het leek wel of ik al kon voelen hoe de warme drank zich door mijn hele lichaam verspreidde.

'Ja,' zei ik.

Twee minuten later liep ik de trap weer af.

Terwijl ik rende, tikte het kristal ritmisch tegen mijn hals en ik bedacht dat Frida degene was die een medaille had moeten krijgen.

Waarom vatte ik dit zo serieus op? Maria zou toch wel terugkomen, alles zou gewoon weer net als altijd zijn en ik zou me gewoon weer honderden keren aan haar kunnen ergeren.

Maar de volgende ochtend zat Kasper alleen aan de ontbijttafel.
Hij zag er bleek en oud uit. Hij zag er helemaal niet uit als
Kasper. Meer als Olof Kaspersson, zoals hij eigenlijk heet. Ik
werd weer boos. Razend. Van mij mocht Maria haar reclame-
baantje houden en naar de noordpool verhuizen. Wij hadden
haar niet nodig, ze moest zich niets verbeelden. Wij hadden niemand nodig.

'Waar is Viktor?' vroeg ik.

'Weet ik niet.'

'Hoezo "weet ik niet"?!'

Kasper knipperde verward met zijn ogen. 'Hij slaapt nog denk
ik. Heeft hij geen wekker? Maakt Maria hem altijd wakker?'

'Jíj bent toch zijn vader, of niet soms?'

Ik ging naar Viktors kamer.

Hij sliep niet. Hij lag in bed en keek naar het raam. Hij keek
net zo vreemd als gisteren. Stel je voor dat hij gek aan het worden was. Kinderen kunnen psychische problemen krijgen van
ruzie binnen het gezin, dat had ik gehoord.

'Wat doe je?' vroeg ik. 'Het is al heel laat.'

'Ik kom,' zei Viktor, maar hij bewoog zich niet.

Ik ging op de rand van zijn bed zitten.

'Vind je het vervelend?'

Hij draaide zijn hoofd naar me toe.

'Hoezo vervelend?'

'Dat van Kasper en Maria.'

'Hoezo dan? Wat is er dan met ze?'

Hij zag er oprecht verbaasd uit.

'Ze hebben toch ruzie,' zei ik. 'Over die nieuwe baan van Maria. Daar hadden ze ruzie over gisteren.'

'O,' zei Viktor.

Ik keek hem aarzelend aan. Het leek zo vanzelfsprekend dat het door de ruzie kwam dat hij zo afwezig en raar deed. Maar opeens begreep ik dat hij misschien wel nadacht over iets in het heelal of zo. Viktor denkt altijd. Soms ben ik bang dat het gevaarlijk is om zoveel na te denken. Dat hij zich zó ver weg denkt dat hij niet meer weet hoe hij terug moet komen, of hoe moet ik het zeggen.

'Kom op nou, opstaan,' zei ik. 'Het is al over halfacht.'

Viktor kwam met een zucht overeind.

'Ja, ja...'

Ik ging weer naar de keuken. Misschien had Viktor gewoon het gevoel dat het gevaarlijk was om weg te gaan en alles onbewaakt achter te laten. Want dat was wel gebleken. Toen ik gisteren was weggegaan had ik een huis achtergelaten waar alles net als anders was, en toen ik een paar uur later terugkwam, viel alles opeens uiteen.


Op school was alles godzijdank net als anders. Behalve dan dat Adam er was.

In de kleine pauze ging Frida naar de lerarenkamer en vroeg of ze Alfred even kon spreken. Ik stond naast haar en vroeg me af wat ze van plan was.

'Niets laten merken hoor,' fluisterde ze tegen mij toen Alfred kwam aanlopen.

'Wat kan ik voor jullie doen?' vroeg Alfred.

'Ik wil je een geheim vertellen,' zei Frida. 'Want we kunnen jou toch wel vertrouwen, hè?'

Alfred kon zijn trots maar nauwelijks verbergen toen hij met een serieus gezicht knikte.

'Ja, natuurlijk, je kunt mij alles vertellen.'

Frida liet haar stem zakken.

'Het is niets ergs of zo, maar... ik wil eigenlijk graag actrice worden. Een echte actrice dus, in het theater. De grote rollen in de oude stukken spelen, Ophelia en Electra en zo.'

'Dat is nogal een verschil,' zei Alfred glimlachend. 'Tussen Ophelia en Electra, bedoel ik.'

Frida was even van haar stuk gebracht, maar ze herstelde zich snel.

'Ja, maar dat is toch juist belangrijk als je een groot actrice wilt zijn? Dat je zulke totaal verschillende rollen even goed kunt spelen.'

'Zeker,' zei Alfred. 'Waar wil je eigenlijk naartoe?'

Frida keek hem recht in de ogen met een fantastisch hulpzoekende uitdrukking op haar gezicht.

'Ik wil zó graag Julia spelen,' fluisterde ze.

Hier had ik eigenlijk tot bloedens toe op mijn wangen moeten bijten om geen lachaanval te krijgen, maar ik was zo onder de indruk van Frida's voorstelling dat ik zelfs geen glimlach hoefde te onderdrukken. Niet op dat moment.

'Aha,' zei Alfred. 'Dat begrijp ik. Maar dat kan ík natuurlijk niet zomaar beslissen...'

'Je hebt toch ook zomaar besloten wie Romeo gaat spelen,' zei Frida. 'Zonder dat je ook maar íets van hem wist. Misschien is hij wel heel slecht.'

'Ja, eh, maar ik vond het belangrijk om hem bij de groep te betrekken.'

Frida zuchtte.

'Ik begrijp het... Maar als je dan niet kunt beslissen of ik Julia mag zijn, kunnen we er dan niet over stemmen? Als oefening in democratie of zo.'

'Ja eh, ja best, als je denkt dat dat je zal helpen, best.'

Frida glimlachte rustig.

'Nou, dan moet ik gewoon maar hopen.'

Alfred gaf haar een klopje op haar schouder.

'Oké, ik zal voor je duimen.'

Toen we wegliepen kwam de lach als een vulkaanuitbarsting uit mijn binnenste omhoog borrelen en Frida sleurde me mee naar de toiletten zodat ik niet zou exploderen terwijl we nog binnen gehoorsafstand van de lerarenkamer waren.

'Hou op met dat gehinnik!' zei ze. 'We moeten snel zijn! Jij en Rachel en Ellen moeten me helpen. We hebben meteen na de grote pauze Engels!'

Ik probeerde weer bij mijn positieven te komen.

'Zo ingewikkeld is het toch niet,' zei ik. 'We moeten gewoon aan iedereen vertellen dat jij graag Julia wilt spelen en dan stemt iedereen op jou, dat snap je toch wel?'

Frida schudde fanatiek haar hoofd.

'Dat kan toch niet! Denk nou eens na! Wie hoort het dan ook en zal meteen begrijpen dat ik hem leuk vind? En als hij het zelf niet begrijpt, dan zal Sebbe of een van die andere idioten het hem binnen de kortste keren wel vertellen. En dat is nou juist niet de bedoeling!'

Ik begreep het. Ze had gelijk, zoals altijd.

'Nee nee, ik snap het. Maar wat moeten we dan doen?'

'Jullie moeten met zoveel mogelijk mensen praten. Jullie zeggen alleen dat jullie hebben gehoord dat er gestemd gaat worden over wie Julia gaat spelen...'

'... en zou dat niet écht iets voor Frida zijn?' vulde ik aan.

'Precies,' zei Frida.

'Ik denk dat jíj beter bij dat reclamebureau kunt gaan werken,' zei ik.

Opeens zag Frida er ongerust uit.

'Vind je dat ik je niet genoeg steun?' vroeg ze.

Ik keek haar niet-begrijpend aan.

'Hoe bedoel je?'

'Ik bedoel dat ik alleen maar bezig ben met Adam en die rol en zo, net nu er bij jou thuis problemen zijn?'

Ik schudde mijn hoofd en lachte.

'Dat is juist hartstikke goed,' zei ik. 'Ik heb niet eens tijd om aan Kasper en Maria te denken. Maar bedankt. Dat je het vroeg bedoel ik, je bent echt geweldig.'

Ik omhelsde haar en zij omhelsde mij en terwijl ik werd gehuld in de geur van appelshampoo bedacht ik dat ik alles voor haar wilde doen. Echt álles. Dat gevoel trok als een borrelende blijdschap door me heen, een blijdschap die de onrust wegdrukte.

Onze taak had niet gemakkelijker kunnen zijn. Iedereen vond Frida perfect voor de rol van Julia. Tijdens de pauze liepen we schijnbaar willekeurig naar verschillende klasgenoten toe en vertelden dat we hadden gehoord dat er gestemd zou worden. Ellen en Rachel spraken ook met een paar jongens. Dat deed ik niet. Ik wist zeker dat die toch wel op Frida zouden stemmen.

Toen we de trappen naar het lokaal opliepen, liep Adam een paar meter voor me. Ik keek stiekem naar zijn rug en vroeg me af hoe hij zou reageren als hij wist wat hij vandaag allemaal teweeg had gebracht. Zijn rug was tenger en op de een of andere manier kwetsbaar en toen ik naar zijn nek keek, ging er een lichte trilling door mijn hand, ik kreeg zin om te onderzoeken hoe die nek zou voelen onder mijn hand. Sommige jongensnekken hebben dat effect, ze zien er als het ware uitnodigend uit. Dat van zijn rug was een beetje vreemd, want hij was eigenlijk helemaal niet tenger. Slank, ja, dat wel, maar lang en met vrij brede schouders. Een beetje hoekig misschien, maar niet tenger. Behalve zijn rug dan.

Wat zou hij ervan vinden als Frida werd gekozen als Julia? Dat hij geluk had natuurlijk, dat hij het mooiste meisje van de klas als tegenspeelster kreeg in het bekendste liefdesdrama ter wereld. Het mooiste meisje van de klas en de mooiste jongen van de klas, beter kon toch niet? We waren de gang in gelopen en ik keek voorzichtig nog een keer naar Adam. Was hij dat?

De mooiste jongen van de klas? Die gedachte was eigenlijk als vanzelf gekomen. Hij paste in elk geval heel goed bij Frida. Qua uiterlijk tenminste. Anton was ook niet echt lelijk en Andreas had hele lieve ogen, maar naast Frida zouden ze toch afsteken als wrattenzwijnen.

Voor het eerst voelde ik een lichte steek door me heen gaan. Stel je voor dat alles zou gaan zoals zij wilde, en dat Adam en Frida heel erg verliefd zouden worden en altijd en eeuwig bij elkaar zouden zijn. Hoeveel tijd zou Frida dan nog voor mij hebben?

Ik denk wel eens dat Frida precies weet wat ik denk. Dat ze al mijn gedachten glashelder en duidelijk hoort in haar hoofd. Want precies op het moment dat ik dat dacht, pakte ze mijn hand en kneep er even zachtjes in. Het kan best zijn dat ze alleen steun zocht voor het komende uur, maar zo voelde het niet. We stonden midden in het gedrang om lokaal B22 binnen te gaan en ze kneep even in mijn hand en ik werd helemaal rustig vanbinnen. Natuurlijk zou Frida mij niet in de steek laten vanwege een jongen, zelfs niet als die jongen een nek had die je wilde aanraken en een rug waar je een arm omheen wilde leggen om hem te beschermen tegen alles wat van achteren zou kunnen komen.

Alfred kuchte vanachter zijn tafel voor in de klas en hij keek even naar Frida terwijl we gingen zitten. Nadenkend. Misschien zelfs teder.

'Nou,' zei hij toen. 'Aangezien we al een Romeo hebben, is het misschien goed dat we beginnen met het kiezen van een Julia. Dan kunnen we daarna de tekst wat beter bekijken en de kleinere rollen uitdelen, toch?'

Hij pauzeerde even, alsof hij op antwoord wachtte, maar net als alle leraren was hij gewend dat hij dat niet kreeg en ging hij gewoon verder.

'Omdat het eerlijk moet gaan, is het denk ik goed als we erover stemmen. Ik stuur briefjes rond, jullie mogen vijf minuten nadenken, geen discussies, gewoon zelf nadenken, dan schrijf je de naam op van degene die volgens jou Julia moet spelen, vouw je het papiertje dubbel en stopt het in…'

Alfred stopte en keek rond.

'… Sebastians pet!' zei hij toen.

Sebbe trok met een vertwijfeld gebaar zijn pet nog verder over zijn ogen.

'Neee…'

'Jawel,' zei Alfred. 'De andere leraren vinden het toch niet goed dat je een pet op hebt tijdens de les, dus je moet hem maar eens afdoen.'

Langzaam, begeleid door het triomfantelijke gefluit van zijn klasgenoten, deed Sebbe de pet af en gaf hem aan Alfred.

De briefjes werden uitgedeeld, het waren strookjes die uit een notitieblok waren gescheurd. Frida keek niet om zich heen, ze stak haar pen in haar mond en deed alsof ze nadacht boven haar lege papiertje, maar vanuit haar ooghoeken zag ze vast dat de meeste mensen in de klas meteen een korte naam op hun briefje schreven, want er vormde zich een piepklein glimlachje rond de rode gel-pen. Zo klein dat misschien alleen ik het kon zien.

Ik schreef met duidelijke blokletters 'Frida' op mijn briefje en vouwde het twee keer dubbel. Toen hoefden we alleen nog te wachten tot Alfred rondging met de donkerblauwe pet. Iedereen wist zeker dat Frida zou winnen. Maar alleen Rachel, Ellen en ik wisten dat Frida dat óók wist.

Er werden tweeëndertig stemmen geteld. Twee blanco stemmen, een op Tove, zevenentwintig op Frida en toen opeens een stem op míj! En toen nog een!

'Katrina!' las Alfred luid en duidelijk voor vanachter zijn tafel en ik voelde dat mijn wangen vuurrood werden terwijl ik onwillekeurig de klas rondkeek.

Ik had het idee dat iedereen naar me keek, bijna beschuldigend, alsof ik Frida had verraden door twee stemmen te krijgen.

Maar Frida glimlachte naar me.

'Ik heb op jou gestemd,' fluisterde ze. 'Ik ben benieuwd wie die andere is.'

Heel even dacht ik aan Adam, heel kort maar, een gedachte licht als een fladderende vlindervleugel, we hadden immers geen van allen met hem gepraat en hij kon toch niet weten hoe het zat, hij wist natuurlijk niet dat het vanzelfsprekend was dat Frida de rol van Julia zou krijgen, maar nog datzelfde ogenblik begreep ik hoe dom het was om te denken dat hij daarom op mij zou stemmen.

'Oké,' zei Alfred. 'Dan heeft Romeo zijn Julia gekregen. Het lijkt me dat er geen twijfel over bestaat dat Frida de rol krijgt.'

Adam keek vluchtig naar Frida en glimlachte even. Frida glimlachte precies verlegen genoeg terug en ik voelde dat ik warm werd vanbinnen. Natuurlijk had hij op Frida gestemd. Alles was zoals het moest zijn.

'Nu deel ik de tekst uit,' ging Alfred verder. 'Jullie moeten voor maandag de eerste twintig bladzijden lezen. Maak maar aantekeningen bij de stukjes die je moeilijk vindt en schrijf de woorden die je misschien niet in de woordenlijst kunt vinden op, dan kunnen we die bespreken.'

Toen we even later het lokaal uitliepen, werd me duidelijk van wie die andere stem was geweest, want Andreas liep achter me toen we de deur door gingen en hij zei: 'Ik vind dat jij beter was geweest.'

Ik keek hem verbaasd aan en hij glimlachte even naar me voordat hij snel langs me heen liep en Sebbe inhaalde in de gang.

Toen ik thuiskwam zat Maria op de trap.

Ze zat op een van de treden tussen de tweede en de derde verdieping en het eerste dat ik me afvroeg was of ze op weg was naar boven of naar beneden. Naar binnen of naar buiten. Naar huis of weg. Ik bleef staan op de overloop onder haar, en ze keek verschrikt naar me. Of betrapt, misschien. Ze was bleek, haar ogen waren rood en haar hazelnootbruine haar zat een beetje door de war, zoals het ook wel eens zat als ze zich verslapen had en zonder ontbijt de deur uit rende.

Ze houdt van hem, dacht ik. Ze houdt van Kasper.

Dat was denk ik de allereerste keer dat ik nadacht over Maria's gevoelens. Ik probeerde de gedachte te verdringen, maar hij wilde niet weggaan.

Maria haalde diep adem op haar traptrede vlak boven me.

'Ik dacht...' begon ze, maar toen wist ze het niet meer.

Ze zuchtte en streek met een hand door haar haar in een onhandige poging om het een beetje glad te strijken.

'Ik dacht dat er nog niemand thuis zou zijn,' zei ze toen.

'Hoe lang zit je hier al?' vroeg ik om maar iets te zeggen.

Ze haalde haar schouders op en stond op.

'Ik wilde alleen even wat spullen halen,' zei ze en ze liep voor me uit naar de vierde verdieping.

Ik stond een paar seconden te aarzelen. Eerst wilde ik haar roepen, toen wilde ik me gewoon omdraaien en naar buiten lopen en net doen alsof ik helemaal niet was thuisgekomen, maar toen moest ik haar toch achterna gaan. Toen ik ze eenmaal liet gaan, renden mijn benen bijna de trap op. Eenmaal boven was ik buiten adem alsof ik haar kilometers lang had achtervolgd. Mijn hart bonkte en ik wrong me langs Tarzan en zijn begroetingsritueel heen.

Maria rommelde in de kast in hun slaapkamer. Ze haalde er kleren uit. Niet al haar kleren. Gewoon van alles wat. Betekende dat iets? Op het bed lag haar reistas. De versleten bruine tas die ze bij zich had gehad toen ze zes jaar geleden bij ons was gekomen. Waar was hij al die tijd geweest? Ik probeerde na te denken, maar mijn gedachten bleven steken bij die tas, die open tas op het bed. Had hij daar al eens eerder gelegen? Had ik haar al eens eerder zien pakken, precies hetzelfde, in dezelfde kamer? Maar het was de verkeerde tas – ja toch? Alles duizelde en tolde in mijn hoofd. Ik liep bijna over van de woorden en vragen en gevoelens die door me heen raasden, maar mijn mond voelde droog en strak aan. Ik stond zwijgend toe te kijken hoe Maria met driftige bewegingen inpakte. Tarzans begroetingsritueel was afgelopen en hij ging dicht tegen mijn been aan staan en keek verbaasd van mij naar Maria en weer terug. De vraagtekens bleven maar rondtollen, het leek wel of ze door de hele kamer vlogen en blind tegen de muren en de meubels aan botsten.

Het duurde een eeuwigheid tot Maria opeens haar rug rechtte en me aankeek. Haar ogen waren anders. Glanzender. Verdrietiger. Bozer ook misschien.

'Ben je nou nóg niet tevreden?' vroeg ze. 'Jezus, ik ga toch weg, is dat dan nóg niet genoeg?!'

Eerst begreep ik het niet. Het duurde een paar seconden voordat ik begreep dat ze ervan uitging dat ik wilde dat ze wegging, dat ze ervan overtuigd was dat ik daarop had gewacht, vanaf het moment dat ze was gekomen, en dat ze dacht dat ik nu mijn overwinning vierde en dat ik ervan genoot om te zien hoe ze haar oude tas inpakte. Ik begreep dat het haar allemaal te veel was geworden, dat ze alleen nog maar kon denken aan alles wat ik haar had aangedaan, alle gemene dingen, alle kilte, alle rottigheid die ik zes jaar lang over haar had uitgestort. Opeens zag ik dat ze daar helemaal van doortrokken was, dat het zich in al haar vezels had verspreid en dat het haar steeds hoger was gaan zitten. Ook al die dingen waar ik eigenlijk niets mee bedoelde, wat ik eigenlijk uit een soort gewoonte had gedaan. Ik vond haar eigenlijk al een hele tijd niet meer vreselijk, maar ik begreep opeens dat zij dat niet wist, dat zij een open wond had waar ik van tijd tot tijd mijn zout in wreef, een paar korreltjes tegelijk, niet meer dan dat, maar wel steeds weer opnieuw. Zes jaar lang.

Dat het haar gewoon te veel was geworden.

Als je lullig tegen iemand hebt gedaan en je beseft opeens dat je haar verdriet hebt gedaan, kun je natuurlijk sorry zeggen en haar misschien een knuffel geven of zo, maar dit was te veel. Het leek wel een muur, een onwaarschijnlijk hoge muur die voor me oprees en ik kon er niet omheen.

Ze zag er klein uit zoals ze daar stond naast het bed met de geopende tas erop. Ik zag dat ze ondanks haar woede maar nauwelijks haar tranen kon bedwingen. Toch kon ik niet naar haar toe lopen en haar omhelzen. Het was te laat. Zo voelde het tenminste.

Toen bedacht ik dat ik waarschijnlijk toch maar een klein onbeduidend onderdeeltje in het hele verhaal was. Dat Kasper en zijn studio en die nieuwe baan het belangrijkst waren. Als ik een lief en aardig kind was geweest van wie ze had kunnen houden, zou het nu veel moeilijker voor haar zijn geweest om weg te gaan.

Ik had genoeg tijd om dat allemaal bedenken voordat ik eindelijk ophield met staren en naar mijn kamer ging en de deur hard achter me dichtsloeg.

Eerst bleef ik gewoon midden in mijn kamer staan terwijl alles steeds maar opnieuw door mijn hoofd tolde, waardoor ik niet kon denken of in staat was iets te doen, maar toen lukte het me om de afstandsbediening van mijn cd-speler te pakken. De cd van Portishead zat er nog in en ik zette het volume zo hoog dat het geluid mijn hele kamer vulde en tegen de muren weerkaatste. Frida's gezicht dook op in mijn hoofd en het tollen werd iets minder zodat ik op mijn bed kon gaan liggen. Mijn vingers voelden aan het kristal dat ik van haar had gekregen. Ja, het bezat vast een kracht. Er zat een klein stukje van Frida's kracht in, dat voelde ik.

Ik luisterde de hele cd af, van het eerste tot het laatste nummer, en toen de muziek was afgelopen, was Maria weg.

Toen deed ik Tarzan zijn riem om en we liepen zo snel we konden de trappen af en de straat uit naar het Videbergspark. De hele weg liep ik in mijn hoofd te schelden en te tieren op Maria, iedere harde stap op het asfalt was een hartgrondige vloek, maar toen ik bij de kastanjeboom was, brandden mijn ogen van de tranen en kon ik ze niet meer tegenhouden.

Eigenlijk was ze nooit gemeen tegen mij geweest. Nooit een kwaad woord. Altijd vriendelijk. Zelfs als ik haar provoceerde, werd ze niet boos; dan zweeg ze gewoon en ontweek me. Té aardig. Kruiperig zelfs. Berekenend. Ze wilde natuurlijk vriendjes worden.

Dat dacht ik. Ik richtte iedere gedachte die ik maar kon verzinnen tegen haar, maar de herinnering aan haar warme vingers toen ze mijn haar invlocht brandde in mijn keel en op mijn wangen, het schrijnde en brandde als een schaafwond en er kwamen nog meer tranen. Ik zou Kasper niet vertellen dat ik Maria had gezien, ik zou doen alsof ik niet wist dat ze was geweest. Ik zou doen alsof ze helemaal nooit in ons huis was geweest. Het was veel beter geweest als ze helemaal nooit was gekomen, dat had ik eigenlijk altijd al geweten.

Tarzan mocht niet los. Ik liep snel en lang en trok ongeduldig aan zijn riem als hij wilde blijven staan om ergens aan te snuffelen. Stilstaan deed nog meer pijn. Dan leek het of de pijn me inhaalde.

Toen ik weer naar binnen ging, zag ik de sleutel op de mat in de gang liggen. Ze moest hem door de brievenbus hebben gegooid toen ze wegging, hoewel ik hem niet had gezien toen ik met Tarzan naar buiten was gegaan. Maria's sleutel.

Ik raakte hem niet aan. Ik pakte mijn tas, aaide Tarzan even en ging weer weg. Frida wachtte vast al op me. Zij was de enige op de hele wereld aan wie ik het kon vertellen.

Op de stoepen van de villawijk lagen rode en geelgroene appels die uit de bomen waren gevallen en het rook vaag naar herfst hoewel het nog pas augustus was. Frida zat op haar hurken op de oprit, ze repareerde de ketting van haar fiets. Vroeger fietsten we vaak, maar mijn oude versleten fiets was in het voorjaar gestolen dus nu zat er niets anders op dan lopen. Of samen op Frida's oude, handbeschilderde fiets.

Opeens schitterde de middagzon in het kristal aan de ketting om Frida's hals, alsof het een signaal gaf dat ik eraan kwam. Ik bleef op een paar meter afstand staan. Frida kwam overeind, veegde haar handen af aan een oude lap en keek me onderzoekend aan. De wind blies een blonde haarlok voor haar linkeroog en ze streek hem opzij.

'Tijd voor warme chocolademelk?'

Ik knikte.

Even later zat ik op Frida's bagagedrager en zoefden we door de villawijk.

'Mijn moeder zit bij de Weight Watchers!' schreeuwde Frida tegen de wind in. 'Ze telt "punten" bij alles wat ze eet. Ik ben benieuwd hoeveel punten warme chocolademelk met roombroodjes is!'

'Ik denk een miljoen of zo!' antwoordde ik tegen haar rug.

'Maar als het crisis is, is daar even niets aan te doen!' zei Frida.

Maar toen we elk met een witte beker dampend warme chocolademelk en een roombroodje voor onze neus zaten, hadden we het niet eens zoveel over Maria. Ik kon niet goed uitleggen waar ik over wilde praten, het leek wel of ik het zelf niet goed wist, alsof alles wat ik zei maar *ongeveer* was wat ik eigenlijk wilde zeggen. Ik vertelde dat Maria was geweest en wat ze had gezegd. Frida vond het zielig voor haar en dat irriteerde mij, want ik wilde om de een of andere merkwaardige reden dat ze míj zielig zou vinden terwijl ik degene was die zich rot had gedragen. Ik had het gevoel dat me iets werd verweten, hoewel Frida me helemaal nergens van beschuldigde. Ze zei dat het vooral Kaspers schuld was, maar ik had toch het gevoel dat ze het mij verweet.

Misschien was dit wel te veel om met iemand anders te kunnen delen, zelfs als die iemand Frida was. Ik weet eigenlijk niet wat ze had kunnen zeggen dat niet verkeerd zou hebben geklonken, dus na een poosje hielden we op over Maria. In plaats daarvan praatten we heel lang over Adam en wat Romeo en Julia eigenlijk *deden* in het stuk. En over Andreas en dat hij op mij had gestemd.

'Hij is vast verliefd op je,' zei Frida. 'Dat denk ik eigenlijk al een hele tijd. Jij vindt hem toch ook leuk? Je vond toch dat hij van die lieve ogen had?'

Ik probeerde te voelen, maar het lukte niet echt. Ik was te vol vanbinnen. Inderdaad, Andreas had lieve ogen, maar ik had het gevoel dat dat niets met mij te maken had, ik kon het er nu even niet bij hebben.

'Het klinkt natuurlijk een beetje idioot,' zei Frida, 'maar het zou toch best leuk zijn als we allebei tegelijk een vriendje kregen en samen dingen konden gaan doen, met z'n vieren bedoel ik. Snap je?'

Ik knikte. Ja, dat snapte ik. En weer voelde ik die onrust in mijn buik. De angst om Frida kwijt te raken. Maar ze zát hier toch. En ze zei toch net dat ze een manier wilde vinden om tegelijkertijd met mij en met Adam samen te zijn. Met behulp van Andreas. Hm. Nou, het had erger gekund.

'En waarom denk je dat hij verliefd op me is?' vroeg ik.

Frida boog zich over de tafel, alsof iemand te midden van al het geroezemoes in het café zou kunnen horen wat we zeiden. Er zat nog wat poedersuiker op haar bovenlip.

'Heb je dat dan niet gemerkt voor de zomervakantie?' vroeg ze. 'Op Rachels feest bijvoorbeeld? Andreas kwam steeds toevallig naast jou terecht. En hij heeft pizza voor ons gehaald, weet je nog? En hij vroeg of we de muziek leuk vonden en zo. Weet je dat niet meer?'

'Jawel,' zei ik. 'Maar ik dacht dat hij verliefd op jóu was.'

Frida schudde haar hoofd en glimlachte.

'Kennelijk niet, hè?'

Zelfs als ik iets niet met Frida kon bespreken, kon ze me dus toch helpen. Want als ik me helemaal op Andreas concentreerde, verdween Maria een beetje naar de achtergrond; ze werd als het ware de coulissen in gedrukt, waar ze als een donkere schaduw bleef hangen.

Maria was toch ook Kaspers probleem. Dat was toch zo?

Het is vreemd hoe snel iets binnen in je tot rust kan komen. Ik bedoel niet dat het verdwijnt, niet dat je het vergeet, maar dat het rustig wordt.

Kaspers gezicht werd grauwer en het leek wel wat meer ingevallen en hij was een beetje warrig. Alsof hij de weg kwijt was. Hij vergat dingen, hij keek verwonderd bij heel gewone dagelijkse dingen, alsof hij ze niet begreep. Zo stelde ik me iemand die net door zijn geliefde was verlaten helemaal niet voor. Maar hij was mijn vader en als hij op bed had liggen huilen of zich bewusteloos had gezopen voor de televisie of wat ze dan ook deden in films, had ik dat heel vervelend gevonden. Misschien was dit wel wat er in de werkelijkheid gebeurde. Ik probeerde me te herinneren hoe hij eruit had gezien toen mijn moeder wegging, maar ik wist het niet meer. Misschien kwam dat doordat ik toen niet had begrepen dat ze voorgoed wegging. Misschien had Kasper dat ook niet begrepen.

Ik droeg de herinnering aan die middag dat Maria thuis was geweest als een stille, loodzware klomp bij me. Of misschien was het eerder een grote ronde kogel die nu even stillag, maar ieder moment kon gaan rollen. Vooral als ik Kaspers blik ontmoette en die verloren uitdrukking op zijn gezicht zag. Dan was het net of ik hem Maria had afgenomen, alsof het allemaal mijn schuld was, en dan helde het over in mijn binnenste zodat ik dacht dat de kogel als een bowlingbal over een baan zou komen aanrollen en alles kapot zou maken, dat alle kegels zouden omvallen in een vernietigende strike.

Viktor deed raar. Ik dacht dat hij misschien begon te puberen, dat hij een tiener aan het worden was en dat hij daarom zo weinig zei en 's morgens zijn bed niet uit wilde komen. Misschien gold dat ook wel voor mij. Dat ik aan het puberen was, bedoel ik. Maar ik weet het niet. De puberteit lijkt me toch meer iets waar jongens last van hebben.

Gelukkig was Tarzan er nog. Hij was gewoon zoals altijd. Ik maakte lange wandelingen met hem en deed net of alles precies was zoals het hoorde te zijn. Maar soms, als we thuis waren, zat hij alert naar de deur te kijken telkens als hij iemand hoorde in het trappenhuis, alsof hij op haar wachtte. Ik kon hem wel slaan als hij dat deed, zo boos werd ik ervan. Hij maakte iedereen verdrietig. Door hem keek Kasper ook naar de deur, met vlugge waakzame ogen die meteen weer terugzonken in zijn gezicht als hij hoorde dat de voetstappen doorliepen naar de vijfde verdieping, of als al op de derde een sleutel in het slot werd gestoken.

Soms moest ik aan haar denken, hoewel ik dat helemaal niet wilde. Het leek wel een soort straf die ik mezelf oplegde. Ik moest eerst een kwartier of een halfuur op mijn bed liggen en aan haar denken voordat ik Portishead keihard aanzette om haar weg te jagen, terug in die kogel.

Ik kwam erachter dat ik haar eigenlijk helemaal niet kende. Dat ik nauwelijks met haar had gepraat, nooit meer dan het strikt noodzakelijke had gezegd en nooit had geluisterd als zij probeerde met mij te praten. Ik wist niet eens of ze echt had geprobeerd om met me te praten. Ik wist ook niet hoe oud ze was, hoewel ze minstens vijf keer jarig was geweest terwijl ze bij ons woonde. Maar ik wist hoe haar handen voelden als ze mijn hals en mijn wangen aanraakten.

Iedere keer dat ik aan haar dacht, eindigde ik op hetzelfde punt. Maria die die laatste ochtend in de dunne turquoise top aan de keukentafel zat.

Het was zo typerend. Ik had tegen haar gezegd dat ze er te mager voor was, maar toen ik zag dat ik ongelijk had, dat hij haar eigenlijk heel goed stond, had ik niet eens overwogen om dat tegen haar te zeggen. Waarom had ik niets gezegd? Dan had ik me nu veel beter gevoeld.

Alsof die ene keer iets had uitgemaakt.

Ik dacht niet aan onze ontmoeting daarna. Ik dacht niet aan de tas op het bed. Dan werd alles wazig, precies op dat moment, als ik alles haarscherp en glashelder voor me zag, werd het onscherp en wazig. Als ik daaraan dacht, zou de kogel gaan rollen. Je kunt niet door een wervelstorm lopen en tegelijkertijd een zware kogel in evenwicht houden in je binnenste, dat gaat gewoon niet.

Op school waren we begonnen met repeteren. We hadden het hele stuk doorgenomen, alles vertaald, verschillende interpretaties van de tekst besproken en alle rollen verdeeld. Eerst dachten we dat we dat rare Engels nooit zouden begrijpen, maar na een tijdje kreeg je als het ware door hoe ze praatten. Maar we waren het er allemaal over eens dat ze veel te veel praatten. Alfred vond het goed dat we een paar van de lange monologen wat inkortten.

Ik moest Lady Capulet spelen. Julia's moeder dus. Dat was heel raar. Maar Andreas kreeg de rol van Mercutio, Romeo's vriend, wat natuurlijk heel goed paste in Frida's plannen.

Tove zou Julia's voedster spelen. Dat vond Frida niet echt leuk, ze had gewild dat ík die rol kreeg. De voedster was immers degene aan wie Julia al haar geheimen toevertrouwde.

De eerste repetitie was heel melig. Romeo en Julia lazen hun tekst voor uit de tekstmap en ze waren zo verlegen dat iedereen moest lachen en flauwe opmerkingen maakte. Adam werd rood en ik keek naar Frida en dacht dat zij waarschijnlijk alleen maar *speelde* dat ze verlegen was, dat ze eigenlijk best tevreden was en dat de repetities eigenlijk al een toneelstuk op zich vormden, een stuk waarvoor Frida de rollen had geschreven en waarvan alleen zij de handeling kende. Dat werd voor mij nog duidelijker toen

Alfred zei dat ze wat meer hun best moesten doen en Frida antwoordde dat het waarschijnlijk kwam doordat ze elkaar nog niet zo goed kenden.

'Want Adam is natuurlijk nieuw en daarom is het een beetje moeilijk,' legde ze uit. 'Maar we kunnen vanmiddag wel bij mij thuis repeteren, dan leren we elkaar wat beter kennen en dan kunnen we misschien... nou ja, dan kunnen we het stuk misschien beter tot zijn recht laten komen bedoel ik.'

'Fantastisch,' zei Alfred. 'Als jullie hier in je vrije tijd aan willen werken, dan vind ik dat natuurlijk geweldig. Is dat oké wat jou betreft, Adam?'

Adam knikte.

'Ja, oké, dat is goed.'

Ik ontmoette Frida's blik een fractie van een seconde en ik zag de blijdschap die erin lag.

Ik was ook blij, echt wel. Natuurlijk was ik blij. Maar het gaf me ook een beetje een leeg gevoel. Een beetje leeg en een beetje onrustig. Ik dacht dat Frida na de les vast even rustig met Adam wilde praten, om af te spreken hoe laat en zo, dus ik wachtte niet op haar maar liep de trap af naar onze kluisjes. Ik was echt niet van plan om hun voor de voeten te lopen. Er knaagde een rat in mijn buik toen ik mijn kluisje opendeed en mijn boeken erin legde. Misschien liepen Adam en Frida morgen al innig gearmd hier door de gangen. Waar moest ik dan lopen? Tien passen achter hen?

Nog vijf minuten tot de volgende les. Ik dook nog verder in mijn kluisje en vroeg me af waar ik mijn wiskundeboeken had gelaten. Toen zag ik de benen die naast me bleven staan. Een legergroene broek. Andreas. Ik kwam verbaasd overeind en hij wierp een onrustige blik over zijn schouder voordat hij me aankeek.

'Ik heb ongeveer honderdduizend regels tekst,' zei hij.

Ik wist niet wat hij wilde dat ik zou antwoorden, dus ik zei niets. Hij beet even op zijn onderlip en ademde diep in door zijn neus.

'Misschien kun jij... ik bedoel, misschien kunnen we elkaar een beetje helpen. Misschien kun je me overhoren bedoel ik. Als je dat wilt, natuurlijk.'

De rat in mijn buik viel flauw. Hij lag heel stil op zijn rug met zo'n grappig getekend kronkeltje boven zijn kop zoals wanneer iemand flauwvalt in een strip.

'Best,' zei ik. 'Dat wil ik wel. Ik ken mijn tekst ook nog niet zo goed. Maar ik heb natuurlijk niet zoveel. Niet zoveel als jij tenminste.'

Het klonk een beetje flauw en ik voelde mijn wangen heet worden. Ik ben hopeloos. Er hoeft maar íets te gebeuren of ik word vuurrood. Maar Andreas leek het niet te zien.

'Mooi,' zei hij. 'Ik bedoel, als Romeo en Julia stiekem gaan oefenen, dan...'

Hij lachte en liep weg.

'Wanneer?!' riep ik hem achterna.

Het was waarschijnlijk door de hele school te horen.

Andreas draaide zich om. Hij was nog maar drie meter van me vandaan.

'Vanavond moet ik naar training,' zei hij. 'Maar morgen misschien?'

'Ja,' zei ik. 'Oké. Wat voor training?'

Terwijl ik het zei, bedacht ik dat je dat eigenlijk niet kon vragen, dat het stom klonk. Maar ik vroeg het me echt af.

'IJshockey,' zei Andreas.

'Midden in de zomer?'

Bravo. Nóg stommer. Als hij hierna nog steeds met me wilde repeteren moest hij wel héél erg verliefd zijn.

'In de ijshal,' zei hij. 'Vanavond is de eerste training na de zomerstop. Ik mag de eerste training niet missen, dat kan gewoon niet.'

'Mag ik komen kijken?' vroeg ik.

Ik was echt niet goed bij mijn hoofd. Volkomen gestoord. Ik kon niet eens schaatsen en ik wist niet eens wat boven en onder was van een hockeystick. Maar Frida zou met Adam repeteren en ik wilde niet alleen thuiszitten in die rare grauwe stemming die in ons huis hing sinds Maria weg was.

Andreas keek verbaasd, maar blij. Hij was misschien ook niet helemaal goed bij zijn hoofd.

'Natuurlijk. Als je dat wilt. We beginnen om vijf uur.'

'Ik zie wel,' zei ik. 'Misschien kom ik wel even. Ik heb vanmiddag toch niets te doen.'

Dat laatste voegde ik eraan toe om het een beetje af te zwakken. Maar het was ook waar.

Frida kwam aanhollen door de gang, ze hapte al naar lucht om iets te zeggen, toen ze Andreas zag en zich inhield. Ze had blosjes op haar wangen en haar ogen glansden en ik zag dat ze bijna barstte van verlangen om met me te praten en ik voelde blijdschap en warmte in me opwellen als een vloedgolf, en de rat, die toch al bewusteloos was, verdronk. Verderop in de gang, halverwege de trap en de kluisjes, liepen Rachel en Ellen. Ze had bij hen kunnen blijven staan, maar ze was naar mij toe gekomen.

Andreas wierp een snelle blik op Frida en knikte toen naar me.

'Oké,' zei hij. 'Tot straks dan.'

'Hm,' zei ik.

Toen liep hij weg. Frida pakte mijn arm.

'Waar was je nou opeens?! Je mag niet zomaar weglopen! Wat wilde Andreas? Is het niet ongelooflijk! Adam komt om een uur of vier! Begrijp je dat wel? Wat moet ik aantrekken? O, ik ga dóód!'

Ze begroef haar gezicht in mijn hals en ik sloeg mijn armen om haar heen en lachte.

'Rustig maar,' zei ik. 'Het lukt je echt wel. Bovendien staat alles je geweldig, dus het maakt helemaal niet uit wat je aantrekt, al zijn het oude lompen.'

Frida liet me los en deed een stap naar achteren.

'We moeten naar buiten. Ik moet lucht hebben. Dit is gewoon té veel. Kom, we gaan even de stad in.'

'Maar wiskunde dan?'

Ze spreidde haar armen.

'Wie kan er nou aan wiskunde denken?'

En dat was natuurlijk waar. Wie dacht er op dit moment nou aan wiskunde? Ik deed mijn kluisje dicht en liep met Frida mee naar buiten.

In de schaduw was het herfstig koud, maar in de zon was het nog steeds zomer. Frida had een bruine stretchbroek aan en een okergele tuniek. Ze had een hele lange, dunne, bruin met wit gestreepte sjaal een paar keer om haar hals gewikkeld, maar hij kwam nog steeds tot op haar dijen. Ik had zelf een lichtblauw strak T-shirtje aan en een blauwe broek die ik had gekocht omdat Frida hem zo mooi vond. En dat was hij misschien ook wel. Maar eigenlijk hield ik niet van die lage heupbroeken. Ik had steeds het gevoel dat ze afzakten.

Toen we onder de bomen in de Lasarettstraat liepen, had ik het koud in mijn dunne T-shirt, maar aan de zonzijde van de Storstraat was het heerlijk warm.

'Nou?' zei Frida. 'Ga je nog wat vertellen of niet?'

'Vertellen?' vroeg ik verward, want ik dacht alleen maar aan Adams bezoek aan Frida en ik begreep niet wat ze bedoelde.

'Andreas!' hielp Frida me ongeduldig herinneren.

'O ja... Eh, nou, ik ga hem zijn teksten overhoren. Hij kwam gewoon naar me toe en vroeg of we elkaar zouden helpen.'

'Perfect!'

'En ik ga misschien naar hem kijken vanmiddag, dan heeft hij ijshockeytraining.'

Frida sperde haar ogen wijdopen.

'IJshockey? Jij? Ben je dan zó verliefd op hem?'

Ik lachte.

'Nee, ik weet niet. Het ging misschien een beetje snel allemaal. Ik dacht gewoon dat ik net zo goed even daar langs kon gaan omdat jij toch... nou ja, je weet wel.'

Meteen kreeg Frida een gekwelde uitdrukking op haar gezicht en ze pakte mijn arm met twee handen stevig vast.

'O, ik ga dóód!' zei ze. 'Wat moet ik in godsnaam aantrekken?'

'Hou gewoon aan wat je nu aanhebt, dan lijk je niet zo happig.' Ze keek ongerust naar haar kleren.

'Is er iets mis met deze kleren?'

'Nee! Ik bedoel, als je je niet omkleedt voordat hij komt, dan lijkt het net of het je niet zoveel uitmaakt.'

Ze knikte ernstig.

'Je hebt gelijk,' zei ze. 'Je hebt helemaal gelijk. Ik kan niet normaal denken. Zag je hoe rood hij werd bij Engels? Zóóó schattig! Maar verder lijkt hij me niet echt verlegen of zo.'

'Ik denk dat iedereen wel rood zou worden als hij dat soort liefdesteksten moet voorlezen terwijl Sebbe zijn commentaar erdoorheen roept,' zei ik.

Frida bleef opeens staan en wees naar de overkant van de straat, naar de etalage van de kringloopwinkel.

'Kijk nou! Een echte Julia-jurk!'

De etalagepop midden in de etalage had een vergeelde bruidsjurk aan. Het zag er tenminste uit als een bruidsjurk. De etalagepop had geen hoofd. Misschien heb je dat niet als je trouwt.

'Kom!'

Frida sleurde me mee naar de overkant van de straat, zodat een Volvo boos toeterend voor ons op de rem moest gaan staan.

Vijf minuten later stond Frida voor het pashokje in de vergeelde jurk met zijde en kant en allerlei tierelantijntjes. Ze zag eruit als een plaatje. Of als een droom van iemand die ooit had bestaan, van wie ooit iemand had gehouden, maar hij had haar nooit gekregen en ik kreeg bijna een brok in mijn keel als ik naar haar keek.

'Mooi hè?' fluisterde Frida.

'Hebben jullie een themafeest of zo?' vroeg de verkoopster vriendelijk.

Frida staarde haar even aan, eerst alleen verontwaardigd, maar toen bijna meewarig.

'Ik ga Julia spelen,' zei ze. 'Shakespeares Julia. Romeo's Julia. Snap je?'

De verkoopster knikte.

'Aha, natuurlijk. Nou, daar is die jurk dan misschien wel geschikt voor.'

'Ja... maar veertig euro...!' zei Frida.

'Dat is niet duur voor een bruidsjurk,' zei de verkoopster.

'Hij is hartstikke oud en helemaal geel,' zei Frida. 'Daar wil toch niemand meer in trouwen.'

De verkoopster haalde onwillig haar schouders op.

'Dertig dan?' zei ze.

Frida draaide rond voor de grote passpiegel. Haar blonde haren streken langs de huid van haar schouders en hals. Ik voelde een steek vanbinnen als ik naar haar keek en ik bedacht dat Adam haar niet waard was. Niemand was haar waard.

'Oké dan,' zei Frida. 'Dertig. Wil je hem opzij hangen, dan kom ik hem vanmiddag halen.'

De verkoopster knikte en Frida knipoogde naar me voordat ze het pashokje weer inging.

Ik kon geen woord uitbrengen totdat we weer op straat stonden en Frida er weer gewoon uitzag.

'Spotgoedkoop!' zei Frida toen. 'Wat een jurk!'

'Je gaat hem toch niet aantrekken als hij komt?' zei ik.

'Nee,' zei ze, 'natuurlijk niet! Maar wel tijdens de generale op school!'

'Moet hij echt smelten tot er alleen nog maar een klein plasje van hem over is?' vroeg ik.

Frida glimlachte.

'Ja,' zei ze. 'Als dat zou kunnen.'

Ik stond voor mijn kast en probeerde te bedenken wat je aan moest als je naar een ijshockeytraining ging kijken, toen Kasper op de deur van mijn kamer klopte en binnenkwam.

'Waarom klop je als je toch niet wacht tot ik antwoord?' vroeg ik.

'Ik wil even met je praten,' zei hij. 'Ik heb een zakelijk voorstel.'

Ik draaide me om.

'Wat?'

'Een zakelijk voorstel,' herhaalde hij. 'Je bent toch bijna volwassen.'

'Doe even normaal,' zei ik.

'Sorry,' zei Kasper. 'Het is voor een vader ook niet makkelijk. Je weet gewoon niet zo goed wat je moet.'

'Waar heb je het over?'

'Wat je moet zeggen tegen een jongedame die je dochter is. Maria wist dat soort dingen wel. Maar het is nu eenmaal zoals het is.'

Ik wees op mijn bureaustoel.

'Ga maar even zitten,' zei ik. 'Wat is er?'

Hij keek naar de geopende kast en de trui die ik in mijn hand hield.

'Ga je weg?'

'Ja.'

'Met Frida?'

'Nee.'

'O...'

Kasper zag er nog verwarder uit dan anders. Hij ging op de stoel zitten. Ik hield van hem. Mijn vadertje. Mijn gekke vader. Kut-Maria. Ze had hem echt heel erg pijn gedaan. Ik wilde hem vertellen dat Maria er helemaal geen idee van had hoe ze met mij om moest gaan, maar ik wist niet of hij daar vrolijker van zou worden. Misschien bereikte ik wel het tegenovergestelde.

'Je had een zakelijk voorstel,' herinnerde ik hem.

Kasper keek opgelucht.

'O ja. Nou, ik vroeg me af of je bij mij in de studio wilt komen werken. In de weekends bedoel ik en misschien af en toe een doordeweekse middag, als je vroeg uit school bent. Je krijgt hetzelfde per uur als Maria kreeg.'

'Wat moet ik dan doen?'

'Me helpen met mijn apparatuur, de achtergronden klaarzetten in de studio, foto's spoelen en drogen, de telefoon aannemen... van alles.'

Misschien was het wel een goed idee. Het zou het een beetje makkelijker maken voor Kasper en het zou minder leeg zijn voor mij als Frida iets met Adam kreeg.

'Mag ik er even over nadenken?' vroeg ik.

'Ja, natuurlijk. Maar niet te lang. Je kunt ook een tijdje op proef komen om te kijken of je het leuk vindt en daarna beslissen. Het is nu even crisis. Net voordat Maria... nou ja, voor dat gedoe met Maria, hebben we alle ouders in de omgeving die een kind van elf maanden hebben, een uitnodiging gestuurd om hun kind voor de eerste verjaardag te laten fotograferen tegen een speciale prijs. En nu wordt er aan één stuk door gebeld.'

Ik knikte.

'Oké. Ik begrijp het. Is het goed als ik dit weekend begin?'

'Absoluut. Ja, prima. Dan kan ik zaterdag en zondag tien kinderen inplannen. Geweldig.'

Hij stond op om te gaan, maar bleef toen weer staan.

'Ga je iets bijzonders doen?' vroeg hij. 'Iets leuks? Soms heb ik het gevoel dat ik te weinig van je weet, alsof we elkaar niet echt kennen.'

Ik kon het niet laten. Het was een té mooie kans.

'Ik ga naar een ijshockeytraining,' zei ik.

Kasper staarde me een paar seconden aan, woelde even door zijn grijzende krullen, stopte toen zijn hand in zijn zak en schraapte zijn keel.

'Wat zei ik nou,' zei hij. 'Wat zei ik nou net. Ik weet niets van mijn kinderen. Ik wist helemaal niet dat jij geïnteresseerd was in sport... daar had ik geen idee van. IJshockeytraining? Hoe lang zit je daar al op?'

Ik probeerde een goed antwoord te vinden, maar slaagde er niet in, dus ik glimlachte naar hem.

'Ik ga alleen maar kijken,' zei ik. 'Naar de training van iemand die ik ken.'

Kasper zag er gerustgesteld uit. Hij glimlachte even.

'Je maakte me aan het schrikken,' zei hij.

'Dat was ook de bedoeling.'

Naderhand wist ik niet precies waar hij nou eigenlijk zo van geschrokken was. Dat hij zo weinig van ons af wist of dat ik zou ijshockeyen. Misschien maakte het ook niet uit. Ik hield de trui voor me en keek in de spiegel. Hij was precies sportief genoeg, leek me.

Misschien moest ik trouwens maar helemaal niet gaan. Wat moest ik daar eigenlijk? In mijn eentje! Als Frida tenminste nog mee was gegaan. Maar dan waren we natuurlijk iets heel anders gaan doen.

Ik keek naar de klok. Vijf voor vier. Nu belde Adam bijna aan bij de deur van het witte huis aan de Skördeweg. Ik zag Frida voor me terwijl ze haar gezicht bestudeerde in de spiegel in hun grote badkamer, hoe ze een klein beetje oogschaduw aanbracht en op haar lippen beet om ze wat meer kleur te geven. Een zenuwachtige blik op de klok. Nog vier minuten.

Zou hij precies op tijd zijn? Misschien stond Adam om de hoek van de Rydweg uit het zicht te wachten tot het laat genoeg zou zijn om het laatste stukje te lopen zonder dat hij gênant vroeg zou zijn. Welke jongen zou niet uit zijn dak gaan als Frida liefdesscènes met hem wilde repeteren op haar kamer? ·

Ik zuchtte en ging op mijn bed zitten. Met iemand afspreken om liefdesscènes te repeteren was toch iets heel anders dan in een ijshal gaan zitten kijken naar iemand die een puck over het ijs heen en weer mept.

Ik had vier grote kussens. Een blauw kussen, een oranje, een geel en een groen. Die had Viktor voor me gemaakt bij handvaardigheid, hoewel de handvaardigheidjuf had gezegd dat hij daar veel te veel vulling voor nodig zou hebben. Het waren mijn denkkussens. Ze waren perfect om jezelf in te begraven als je moest nadenken.

Ik weet niet precies waarover ik nadacht. Er ontspon zich een soort film in mijn hoofd, bijna alsof ik sliep en droomde. Het draaide allemaal om Frida en Adam. Ik zag ze voor me in Frida's kamer, hoorde wat ze zeiden en zag wat ze deden. Maar toen schoot ik opeens overeind en keek naar de klok. Kwart voor vijf! Natuurlijk moest ik naar Andreas' training gaan kijken. Hij had er zo blij uitgezien toen ik het vroeg. Hij wilde dat ik zou komen.

Ik trok mijn trui aan, borstelde mijn haar en rende de gang in. Net toen ik mijn hand op de deurknop van de voordeur legde, stak Viktor zijn hoofd om de hoek van zijn kamer.

'Katrina?'

Ik draaide me gestresst om.

'Ja.'

'Denk jij dat...' Hij aarzelde. 'Denk jij dat je te veel kunt lezen? Dat het stom is of zo?'

Er lag iets hulpeloos en vragends in zijn blik. Hij vroeg het zich echt af. Het was lang geleden dat hij met mij ergens over wilde praten, ik voelde me heen en weer geslingerd tussen de ijshal en Viktor terwijl de klok onverstoorbaar de seconden aftelde tot vijf uur.

'Nee,' zei ik. 'Maar ik denk niet dat er veel jongens zijn die zoveel lezen als jij. Jij wordt vast slimmer dan al die anderen. Je zult alles weten.'

Hij keek me vol twijfel aan.

'Is er iets gebeurd?' vroeg ik.

Viktor haalde zijn schouders op.

Ik keek weer naar de klok. Acht voor.

'Eh, Viktor,' zei ik, 'ik moet weg. We hebben het er later nog wel over.'

Wat het ook was dat Viktor zo bezighield, het moest maar even wachten. Het was een heel eind naar de ijshal en ik had geen fiets, dus ik moest flink doorlopen als ik er wilde aankomen voordat de training was afgelopen. Hoe lang zouden ze trainen? Een uur? Twee uur?

Ik was blij dat ik een trui had aangetrokken, want donkere wolken hadden zich boven de stad samengepakt en de zon was nergens meer te zien. Toen ik half rennend langs het gezondheidscentrum en de apotheek liep, bedacht ik dat ik ook een jas had moeten aantrekken, want uit de wolken begon een fijne regen te vallen en de stoep en mijn haar werden nat en na een tijdje mijn trui ook. Ik zag er niet bepaald verpletterend uit toen ik om tien over halfzes koud en nat de ijshal binnenstapte, maar ik was er tenminste.

Het geluid van de ijspiste drong door tot in de grote garderobe waar ik het natte haar uit mijn ogen veegde en wat water uit mijn trui probeerde te wringen. Het waren ongewone geluiden, echoënde kreten, gebonk en knallen en af en toe een fluitsignaal. Heel even wilde ik me omdraaien en weggaan. Maar toen bedacht ik dat ik, nu ik helemaal hiernaartoe was gelopen door de regen, toch op zijn minst even naar binnen kon gaan, dus ik trok mijn trui weer aan en liep door de klapdeuren naar de ijsbaan. We hadden een paar gymlessen gehad hier in de ijshal en daar had ik me ook doorheen weten te worstelen, dus helemaal onbekend was het ook weer niet voor me.

Op het ijs racete een groep jongens met helmen en rode shirts heen en weer. Sommigen hadden een brede gele band over hun shirt en ik nam aan dat ze in twee teams waren verdeeld. Ik kon niet zien wie van hen Andreas was. De trainer was lang en mager. Hij had een zwart windjack aan en een fluitje in zijn mond. Het was koud.

Ik ging op een bank vlak bij de rand zitten en probeerde mezelf een beetje warm te krijgen door mijn armen om me heen te slaan. De trainer blies op zijn fluitje en het spel stopte.

'Jullie moeten samen de aanval opbouwen! Je bent een team! Denk aan je medespelers! Als je als kippen zonder kop gaat rondracen zodra de verdediging openbreekt, lukt het niet!'

Een van de helmen kwam naar me toe en toen hij bij me was, zag ik Andreas' ogen achter het vizier. Bezwete lokken haar plakten op zijn voorhoofd.

'Ik dacht dat je niet meer zou komen,' zei hij. 'Regent het?'

Ik knikte.

'Of dacht je dat ik de douches even had geprobeerd?'

Het was mijn bedoeling om een grapje te maken, maar het klonk eigenlijk vooral pinnig.

'Mijn groene trui ligt in de kleedkamer op de bank helemaal in de hoek,' zei Andreas. 'Die mag je wel even lenen. Er is daar nu toch niemand.'

'Andreas!' riep de trainer. 'Ga je nog meedoen of ga je met meisjes flirten?'

De jongens die om hem heen stonden, lachten.

'Tot zo,' zei Andreas vlug en hij ging het ijs weer op.

Maar ik vond niet dat hij er verlegen uitzag. Eerder trots. En de manier waarop hij naar de andere spelers toe schaatste had ook iets stoers. Maar dat kan ik me ook verbeeld hebben. Ik stond op en liep de trap af naar de herenkleedkamer, ik keek voorzichtig naar binnen en liep toen door de geur van zweet, zeep en kleren naar de bank waar de trui lag. Ik herkende hem. Hij had hem een paar keer aangehad op school. Ik voelde me een beetje opgewonden toen ik hem over mijn hoofd trok en nog opgewondener toen ik de hal inliep en daar met die trui aan ging zitten. Wie mij zag moest wel denken dat ik Andreas' vriendinnetje was. Als er tenminste iemand naar me keek.

Op het ijs gingen ze er weer vol tegenaan en ik probeerde een tijdje uit te vinden achter welke helm Andreas verstopt zat. Dat lukte niet echt. Ik wist niet eens zeker of hij een gele band om had gehad. Na een tijdje dwaalden mijn gedachten af. Ik vroeg me af of Adam nog bij Frida zou zijn. Stel je voor dat hij weer naar huis was en ze me nu probeerde te bellen om verslag uit te brengen. Wat deed ik hier dan nog?

Ik keek gestresst naar de klok. Vijf over zes. Hoe lang zouden ze eigenlijk nog doorgaan daar op het ijs?

Maar als alles ging zoals het moest gaan, zou Adam nog wel even bij Frida blijven. Ze zou vast pas later op de avond bellen, hield ik mezelf voor. Bovendien wist ze dat ik naar de ijshockey-training zou gaan kijken.

Ik móest genoeg geld voor een mobieltje bij elkaar zien te krijgen. Anton en ik waren de enigen van de klas die nog geen mobieltje hadden. Misschien zou ik er een kunnen kopen als ik in de studio ging werken. Kasper had gezegd dat ik hetzelfde per uur zou krijgen als Maria. Hoeveel zou dat zijn?

Andreas' trui was warm. Ik had hem stom genoeg over mijn eigen natte trui heen aangetrokken. Het zou veel spannender zijn geweest als ik alleen mijn T-shirt tussen mezelf en Andreas' trui had gehad. En lekkerder. Maar ik wilde niet dat hij zou zien wat ik deed, dus ik liep de trappen weer af, terug door de klapdeuren naar de kleedkamer. Daar trok ik snel de twee truien uit en één weer aan, de groene van Andreas. Ik wilde net weer naar buiten gaan toen de deur werd opengegooid en het hele hockeyteam onder luid gepraat, gelach en lawaai binnenstroomde. Ik werd natuurlijk vuurrood, tot diep in mijn hals.

'Eh, Andreas! Je vriendinnetje is hier!' schreeuwde iemand. 'Gaan jullie samen douchen of zo?'

'Ik wilde alleen even...' begon ik, maar niemand luisterde.

Iedereen riep en joelde toen Andreas naar me toe liep.

'Ik was mijn trui vergeten,' loog ik ongelukkig.

'Het geeft niks, joh,' zei Andreas. 'Wacht gewoon maar even buiten. Ik kom zo.'

'Ik ga hier echt niet voor de deur staan wachten tot iedereen naar buiten komt en me uitlacht,' zei ik.

'Ze zijn gewoon jaloers,' zei Andreas. 'Laat ze maar. Of lach hén uit.'

Ik vond hem lief. Opeens vond ik hem heel erg lief. Ik had zo in zijn armen kunnen vliegen, bezweet en rood als hij was, maar dat zouden de andere jongens alleen nog maar leuker hebben gevonden.

'Oké,' zei ik. 'Dan wacht ik.'

Even over halfzeven liepen we samen door de Storstraat, Andreas en ik. We waren ongeveer even lang. Hij droeg een grote tas over zijn schouder en zijn lichtbruine haar was nog een beetje nat, maar nu van het douchen en niet van het zweet. Ik had zijn trui aan.

'Ik heb hem niet nodig,' zei hij. 'Na het trainen heb je het toch warm. Je mag hem morgen wel teruggeven.'

We liepen langs de bioscoop. Er draaide een nieuwe film, een 'romantische actiekomedie' stond er op de posters. Andreas aarzelde even. Maar toen knikte hij naar de bioscoop.

'Zullen we gaan? Ik trakteer wel. Ik heb de hele zomer bij een benzinestation gewerkt, dus ik heb geld zat.'

Ik durfde hem niet aan te kijken, dus ik keek ingespannen naar de posters waarop afbeeldingen stonden van brandende auto's en een lange, donkere man die een blonde vrouw kuste.

Het was de eerste keer dat een jongen me meevroeg naar de film. Frida en ik waren wel eens samen met Anton en Sebbe naar de film geweest. Maar toen hadden we allemaal voor onszelf betaald. Bovendien hadden Frida en ik op de vijfde rij gezeten terwijl Anton en Sebbe helemaal achterin waren gaan zitten. Dus dat kon je hier niet echt mee vergelijken.

Maar ik kon niet goed nadenken. Want misschien zou Frida bellen. Adam was nu vast weer naar huis en dan zou Frida me misschien bellen om te vertellen wat er was gebeurd. Ik moest naar huis.

'Een andere keer,' zei ik. 'Ik zou het heel leuk vinden, maar een andere keer.'

Andreas knikte.

'Oké.'

'Ik moet naar huis,' legde ik uit. 'Ik moet nog iets doen.'

Andreas knikte weer.

We liepen een poosje door zonder iets te zeggen. Toen vroeg hij: 'Waar woon je eigenlijk?'

'In de Kärrhöksstraat. In een van die flats met vijf verdiepingen, onder aan de heuvel.'

'Oké.'

'En jij?'

'Wat?'

'Waar woon jij?'

'Op de Malmöweg. Maar mijn ouders hebben net een huis gekocht in Ängsbacken. We gaan over een paar weken verhuizen.'

'Dat is lekker dicht bij school.'

'Hm. Ik kan me niets fijners voorstellen.'

Ik lachte.

'Maar het is toch leuk om in een groot huis te wonen?' vroeg ik toen. 'Met een tuin en een trap en…'

'Een trap?' zei Andreas verbaasd lachend en ik voelde dat ik weer rood werd.

Maar Andreas was kennelijk kleurenblind want hij reageerde weer niet. Gelukkig voor mij.

'Ik vind trappen leuk,' zei ik verlegen. 'Het is zo… nou ja. Ik vind trappen gewoon leuk. Je eigen trappen bedoel ik, niet in het trappenhuis van een flat, zoals bij ons.'

Andreas glimlachte.

'Nou, je mag in het voorjaar wel onze trap op en af komen lopen hoor,' zei hij.

We kwamen bij het kruispunt met de Kungsstraat en ik wist dat hij nog een flink eind verder moest naar de Malmöweg. Ik hoefde nog maar vijf minuten te lopen naar mijn huis.

'Tot morgen dan,' zei ik.

'Hm. We zouden toch nog gaan repeteren? Kunnen we dat bij jou doen? Ik vind het een beetje vervelend om... ik bedoel, ik heb een heleboel vervelende broertjes en zusjes die...'

'Een heleboel?'

Hij glimlachte.

'Drie. Maar als ze op je deur kloppen, lijken het er een heleboel.'

Hij aarzelde even. Toen hees hij zijn tas op die bijna van zijn schouder gleed en zei: 'Cool dat je gekomen bent. Naar de training bedoel ik.'

Ik haalde mijn schouders op.

'Ik heb niet zoveel verstand van ijshockey.'

'Des te beter.'

'Waarom?'

'Nou, misschien kwam je dan wel voor mij...?'

Het klonk onwerkelijk. Als in een film. Ik werd niet eens rood. Maar ik wist ook niet wat ik moest antwoorden. Ergens had hij wel gelijk. Maar toch ook weer niet.

Andreas schraapte zijn keel en hees zijn tas nog een keer op, hoewel hij eigenlijk al goed hing.

'Oké,' zei hij. 'Doei.'

Ik knikte. Toen liep hij weg.

Het was kwart voor zeven en ik liep vlug naar huis. Precies toen ik bij de voordeur was, begon het weer te regenen. Perfecte timing, nu werd ik tenminste niet nóg een keer nat.

De deur van Viktors kamer was dicht, maar ik nam aan dat hij wel binnen was. Even schoot zijn bedrukte gezicht door mijn hoofd, maar daar had ik nu even geen tijd voor. Frida zat vast al te wachten.

Kasper zat in de keuken te eten. Er lag een hele stapel boterhammen op het bord dat voor hem op tafel stond.

'Ik ben net thuis,' zei hij verontschuldigend. 'Ik had vanmiddag geen tijd om te lunchen.'

'Mag ik de telefoon even meenemen naar mijn kamer?' vroeg ik. 'Ik moet met Frida praten. Privé.'

'Ja hoor, doe maar. Was het leuk?'

Ik stond alweer half in de gang en ik bleef ongeduldig op de drempel staan.

'Wat?'

'De ijshockeytraining.'

'Ja hoor. Best.'

Vroeger nam ik de telefoon altijd mee naar mijn kamer als ik Frida belde, maar toen onze telefoonrekeningen al te hoog opliepen, moest ik beloven dat ik het alleen af en toe zou doen en nooit zonder het eerst te vragen.

Voordat ik belde, keek ik op de nummerweergave om te zien welke nummers ons die avond hadden gebeld. Frida's nummer was er niet bij. Stel je voor dat Adam er nog was. Ik aarzelde met mijn vinger boven de M1. Maar als dat zo was, zou Frida vast wel een manier bedenken om mij dat snel duidelijk te maken en dan zouden we allebei ophangen. Maar aan de andere kant, als hij er niet meer was, zou ze toch wel hebben gebeld?

Ik legde de telefoon neer en aarzelde. Maar toen pakte ik hem weer op en toetste snel M1 in. Ik had het gevoel dat er iets niet klopte. Dat gevoel werd bevestigd toen ik Frida's stem hoorde.

'Hoi,' zei ik.

'Hoi.'

'Is hij er nog?'

'Nee.'

'Is hij helemaal niet gekomen?'

'Jawel.'

Het bleef een paar seconden stil. Ik wist niet of ik het moest vragen, maar als er iets met mij zou zijn geweest, dan zou ik willen dat Frida het vroeg, dus ik zei: 'Maar?'

Ze zuchtte zo hard dat het ruiste in de hoorn.

'Kan ik naar je toe komen?'

Ik keek onwillekeurig mijn kamer rond. Frida kwam haast nooit bij mij, we waren bijna altijd bij haar, als we niet in de stad waren.

'Ja... oké. Natuurlijk.'

Mijn behang was oud en het had een saai grijs patroontje en alle meubels waren lelijk en versleten. Ik had ook niet zoveel meubels. Een boxspringmatras met een pluizige badstof overtrek en een onderstel van IKEA, een wit bureau dat bestond uit twee kunststof ladenblokken met een laminaatblad, een harde bureaustoel met wieltjes en een zitzak die ik al had sinds ik klein was.

Bij Frida thuis was alles anders. Haar bed was 1.20 meter breed en je kon het met een kleine afstandsbediening omhoog en omlaag laten gaan. En ze had ook twee nieuwe fauteuiltjes die waren ontworpen door een beroemde meubelontwerper, een lichtgrijs bureau met een computertafel in een hoek eraan vast, blauw behang met witte wolkjes en een paar ingelijste filmposters aan de muur boven haar bed. In een hoekje bij het raam stond een ficus benjamin van ruim een meter hoog die Frida 'Benny' noemde. De gordijnen waren dun en oranjerood, dezelfde kleur als de kussens in de stoelen. Als je Frida's kamer op een zwartwitfoto zag, zou hij nóg meer kleur hebben dan de mijne, dat weet ik zeker.

Een kwartiertje later had mijn kamer in ieder geval een beetje kleur gekregen, want toen zat Frida in haar okergele tuniek naast me op mijn bed. Ze streek het haar uit haar ogen en keek me ongelukkig aan.

'Ik weet het niet,' zei ze. 'Ik weet niet precies wat het was. Hij kwam en we praatten... hij had iets anders aangetrokken, dus ik denk dat het hem in ieder geval iets kon schelen hoe hij eruitzag als hij bij me kwam, maar...'

Ik wachtte. Frida zuchtte.

'Ik geloof niet dat hij iets anders van plan was dan onze teksten repeteren, snap je?'

'Misschien kan hij zich gewoon niet voorstellen dat een meisje als jij iets met hem zou willen?' stelde ik voor.

Maar Frida schudde somber haar hoofd.

'Ik denk eerder dat hij totaal niet geïnteresseerd is, dat hij gewoon alleen vrienden wil zijn.'

Die theorie leek mij hoogst onwaarschijnlijk. Een jongen die dat wilde, was in ons deel van het universum niet te vinden.

Maar Frida leunde tegen de muur en haalde allebei haar handen door haar haar. Ik keek naar de blonde lokken die tussen haar vingers door glipten en rond haar gezicht vielen terwijl een lichte geur van appel in mijn neusgaten drong.

'En het ergste is dat ik geloof ik nu echt verliefd op hem ben,' zei ze.

'Was je dat eerst niet dan?'

'Ach, het was een beetje voor de lol, je wordt toch niet verliefd op iemand met wie je nog nooit hebt gepraat, niet echt tenminste, ik vond hem gewoon een lekker ding, knap en zo, maar nu... hij is zo warm. Zijn ogen en zijn hals. En heb je zijn nek gezien?'

Ze keek me ingespannen aan en ik moest opeens lachen en zei nee, hoewel ik zijn nek natuurlijk best had gezien. Meerdere keren zelfs. Maar dat leek me om de een of andere merkwaardige reden een beetje ongepast. En het maakte toch ook niet uit. Maar tegelijkertijd voelde het heel verkeerd om tegen Frida te liegen. Ik wilde net van gedachten veranderen en 'trouwens, misschien ook wel' zeggen, toen ze zijn nek begon te beschrijven en het dus eigenlijk te laat was.

'Ik denk dat hij ook niet echt stom is,' zei ze toen. 'Hij zegt verstandige dingen en zo. En hij is grappig. Een jongen moet toch ook gevoel voor humor hebben, of niet?'

'Ja, absoluut.'

Frida zuchtte nog een keer.

'Maar, nou ja... ik heb het gevoel dat hij geen interesse heeft. Hij wilde alleen maar Shakespeare repeteren.'

'Misschien begreep hij het gewoon niet. Hij dacht waarschijnlijk dat je hem daarom had gevraagd. Dat had je toch ook gezegd.'

Ze keek me weifelend aan.

'En hij kent je toch ook nog niet,' zei ik. 'Geef hem nog even de tijd. Misschien is hij wel verlegen. Of voorzichtig. Misschien wil hij eerst afwachten of het serieus is.'

Frida knikte langzaam.

'Misschien,' zei ze. 'Misschien heb je wel gelijk. Hij was echt heel schattig en hij lachte heel veel en... ja, misschien wil ik wel te snel. Je weet hoe ik ben.'

Ik knikte glimlachend.

'Alles nu meteen,' zei ik.

'Precies,' zei Frida. 'Denk jij dat hij me leuk vindt?'

'Ja natuurlijk. Logisch.'

Daarna bespraken we tot in het kleinste detail wat er bij Frida thuis was gebeurd, wat Adam had gezegd, hóe hij het had gezegd en wat het zou kunnen betekenen. Dat leverde misschien niet zo heel veel op, maar toen ze naar huis ging, was Frida rustiger dan toen ze bij me kwam. Toen we bij de deur stonden omhelsde ze me stevig.

'Je bent de beste vriendin van de wereld,' zei ze.

Ik wilde zeggen dat dat niet kon omdat die plek al door haar werd ingenomen, maar ik kon het niet. Het leek wel of de woorden zich ophoopten in mijn keel als het al te emotioneel werd. Dat was altijd al zo geweest. Altijd als ik iets belangrijks moest zeggen, als ik de kans kreeg, sloeg ik dicht als een oester.

Het duurde twaalf minuten, precies zoveel tijd als Frida nodig had om naar huis te fietsen, de deur open te doen, de hal in te rennen en mijn nummer in te toetsen, voordat de telefoon ging. Hij stond nog op mijn kamer, dus ik nam hem bijna meteen op.

'Jezus!' hijgde Frida buiten adem in de hoorn.

'Wat is er?' vroeg ik geschrokken.

'Wat ben ik toch een ongelooflijk slechte vriendin,' zei Frida kwaad. 'Ik ben het gewoon vergeten. Waarom heb je niets gezegd?'

'Waar heb je het over?'

'Andreas! Ik heb helemaal niet gevraagd hoe het met Andreas is gegaan! Ik heb de hele tijd alleen maar over mezelf gepraat! Echt ongelooflijk!'

Daar had ik helemaal niet bij stilgestaan.

'Het was toch belangrijk,' zei ik. 'En er is trouwens niets bijzonders gebeurd. Met Andreas bedoel ik.'

'Ga eens zitten,' zei Frida. 'Zorg dat je lekker zit.'

Ik ging gehoorzaam zitten.

'Oké, ik zit.'

'Mooi zo,' zei Frida, 'want nu wil ik álles horen.'

Ik vroeg me af of hij had bedacht hoe ik zijn trui moest terugge-ven. Moest ik het onopvallend doen, als niemand het zag, de trui in een plastic tasje, of moest ik naar Andreas toe lopen terwijl Sebbe, Anton en Adam toekeken, de trui duidelijk zichtbaar teruggeven en luchtig 'bedankt voor het lenen' zeggen?

Frida zou natuurlijk voor het laatste hebben gekozen. Maar ik was Frida niet. Ik zag Andreas meteen toen ik 's morgens de deur binnenkwam, maar ik legde het tasje met de trui zolang in mijn kluisje. Het eerste uur hadden we Zweeds van Alfred. Andreas zocht mijn blik en glimlachte naar me bij wijze van begroeting. Frida kietelde me in mijn zij toen ze het zag en ik schoot omhoog. Andreas draaide zich snel weer om.

'Hou nou op,' fluisterde ik. 'Hij wordt er verlegen van, dat zie je toch.'

'Dat overleeft hij wel,' fluisterde Frida terug.

Haar blik was alweer verdergegaan van Andreas naar Adam, want die was net binnengekomen, buiten adem, met een stapel boeken, pennen en een aantekenblok slordig in zijn armen geklemd. Hij keek onze kant niet op, maar ging snel aan de tafel naast Anton zitten.

'Shit,' fluisterde Frida. 'Hij negeert me gewoon. Zie je wel!'

'Ah joh, hij was gewoon te laat.'

'Hm.'

'Misschien ben je niet duidelijk genoeg geweest,' fluisterde ik. 'Het is waarschijnlijk net zoals wanneer je de loterij hebt gewonnen. Je moet het eerst een paar keer horen voordat je het echt durft te geloven.'

Alfred keek onze kant op.

'Gaat het over grammatica en mag de rest van de klas het in dat geval ook horen?' vroeg hij. 'En als dat niet het geval is, willen jullie dan misschien ophouden met praten zodat we kunnen beginnen?'

'Absoluut,' zei Frida vriendelijk. 'Daar zaten we alleen maar op te wachten.'

Andreas keek vluchtig mijn kant op en glimlachte nog eens naar me en ik glimlachte snel terug.

Het probleem van de trui loste zich vanzelf op, want toen ik in de kleine pauze mijn boeken in mijn kluisje legde kwam Andreas naar me toe. Frida was naar de wc. Ik pakte het tasje met de trui.

'Hoi,' zei hij. 'Hoe gaat-ie?'

'Goed hoor,' zei ik terwijl ik hem het plastic tasje gaf. 'Bedankt voor het lenen.'

'Hoe laat zullen we afspreken vanmiddag?'

Ik moest een paar seconden zoeken in mijn hoofd voordat ik me herinnerde dat we samen onze teksten voor het toneelstuk zouden gaan repeteren. Het was kennelijk allemaal iets te veel op dit moment, mijn hersenen konden het even niet bijhouden.

'Ik weet niet,' zei ik. 'Ik moet in ieder geval eerst uit met Tarzan.'

Andreas' blik was vol onbegrip.

'Tarzan?'

Ik lachte.

'Onze hond,' legde ik uit. 'En eh… ik moet het eerst even met Frida bespreken.'

Hij haalde zijn schouders op.

'Oké. Bepaalt zij alles?'

'Wat bedoel je?'

'Bepaalt Frida alles voor jou? Kun je niet eens zelf beslissen hoe laat jij en ik zullen afspreken om onze teksten te repeteren zonder het eerst aan haar te vragen?'

Ik staarde hem aan. Was hij niet goed bij zijn hoofd?

'Zo is het helemaal niet,' zei ik. 'Frida en ik zijn iedere middag bij elkaar. Het is toch logisch dat ik eerst even met haar wil overleggen.'

Andreas maakte een afwerend gebaar.

'Oké, oké! Praat dan eerst maar met haar. Doei.'

Toen liep hij weg.

Frida zei dat jongens altijd heel bezitterig zijn. Misschien had ze wel gelijk. Hoe zou het dan gaan als Adam bezitterig naar haar ging doen? Als hij haar voor zichzelf wilde hebben – zou ze daar tegenop kunnen?

Ik schudde mijn hoofd om mijn eigen gedachten. Natuurlijk zou Frida een jongen niet laten bepalen wat ze wel of niet mocht doen. Zelfs Adam niet.

Frida bleek geen plannen te hebben voor die middag, dus ik sprak om een uur of zes af met Andreas. Ik wilde in alle rust Tarzan uitlaten en daarna nog tijd hebben om te douchen en te zorgen dat ik er een beetje leuk uitzag. Niet zo dat je het zag, maar toch een beetje. Rachel en Ellen zouden naar een film gaan die om halfzeven begon en Frida besloot met hen mee te gaan.

'Want Katrina heeft andere plannen voor vanavond!' zei Frida terwijl ze naar me glimlachte.

Ik glimlachte terug, maar vanbinnen voelde het vreemd en eenzaam. Diep vanbinnen wilde ik eigenlijk dat ik met hen mee kon gaan, dat alles gewoon net als anders zou zijn, maar dat kon ik toch niet zeggen.

Thuis in onze flat was alles rustig en stil. Zelfs Viktor leek er niet te zijn. Het was vijf voor vier, dus Tarzan moest nodig uit. Ik liet mijn schooltas in de gang liggen, deed hem zijn riem om en liep de trappen weer af. Vroeger ging Maria altijd in de lunchpauze even naar huis om Tarzan uit te laten, maar nu moest hij het ophouden tot ik uit school kwam.

Het was kouder geworden sinds gisteren, maar de lucht was

open en helder. Eigenlijk was dit mijn lievelingsweer. Je kon lekker je stevige schoenen aantrekken en een zachte trui en snel en licht over de stoep lopen.

De bladeren in het Videbergspark begonnen al een beetje geel te kleuren en er waren er al heel wat op het nog groene gras gedwarreld. Het park zag er leeg uit, dus ik maakte Tarzan los en liet hem op en neer rennen over de helling. Na een tijdje verdween hij in de richting van het riviertje en ik liep rustig achter hem aan met de riem losjes in mijn rechterhand.

Toen ik om de hoge heg rond een grindveldje met een oud paviljoentje erop heen was gelopen, zag ik dat Tarzan niet alleen was aan de waterkant. Een jongen met een donker donsjack zat hem op zijn hurken te aaien en te knuffelen. Ik heb echt geprobeerd Tarzan te leren dat hij niet uit zichzelf naar vreemden toe moet lopen, en hij deed het ook maar heel zelden.

'Tarzan!' riep ik geïrriteerd.

De jongen stond op en draaide zich om. Het was Adam.

'Hee, hoi!' zei hij verbaasd terwijl hij zijn capuchon afdeed. 'Is dat jouw hond?'

Ik knikte.

'Ja. Of tenminste... *onze* hond. Van ons allemaal bedoel ik.'

Tarzan draaide vrolijk om Adam heen alsof hij een oude vriend was tegengekomen.

'Hij is prachtig,' zei Adam. 'Ik had er vroeger ook zo een, maar...'

Hij stopte en wierp een snelle blik op mij; het leek wel of hij even een aanloopje nam voordat hij verderging.

'Mijn moeder werd opeens allergisch voor honden. Dat beweerde ze tenminste.'

Het klonk bitter. Adam keek naar Tarzan en toen naar het water dat een meter voor zijn voeten voorbij kabbelde.

'Hoe lang is dat geleden?' vroeg ik.

Adam glimlachte een beetje verlegen.

'Een paar jaar. Maar ik mis hem nog steeds heel erg.'

'Wat is er...'

Ik brak mijn zin af, want misschien was de vraag die ik wilde stellen wel veel te persoonlijk, maar tot mijn verbazing antwoordde Adam al.

'Mijn moeder heeft mensen gevonden die hem wilden hebben, dus we hoefden hem niet te laten inslapen. Ze hebben beloofd dat ze goed voor hem zouden zorgen als ik maar wilde beloven dat ik hem niet zou komen opzoeken of zo. Daar zou hij alleen maar verdrietig van worden, zeiden ze.'

Ik knikte.

'Maar misschien heeft hij dus wel een goed tehuis gekregen.'

Adam keek me een paar seconden aan; ik kon die donkerblauwgrijze blik niet ontwijken.

'Weet je,' zei hij toen, 'soms denk ik wel eens dat het beter zou zijn geweest als we hem hadden laten inslapen. Af en toe krijg ik dat gevoel. En dat is zo'n rotgevoel.'

Ik keek hem aan en ik begreep precies wat hij bedoelde, ik wist alleen niet hoe ik het moest zeggen. Maar misschien zag hij het toch wel, want hij glimlachte even.

'Hoe oud is Tarzan?' vroeg hij.

'Zeven,' zei ik.

Adam wreef Tarzan hard over zijn rug, vlak boven zijn staart, precies zoals hij dat lekker vond, en hij zette zich genietend schrap met zijn poten stevig op de grond. Ik keek naar Adams handen en voelde me een beetje vreemd vanbinnen. Alsof ik niet genoeg zuurstof kreeg.

'Je hebt mazzel dat jouw moeder wel van honden houdt,' zei Adam.

'Ik heb geen moeder,' zei ik. 'Of... ik heb er natuurlijk wel een, maar ik heb geen contact met haar. Ze is naar Brussel vertrokken toen ik zes was.'

Waarom vertelde ik dat aan hem? Misschien omdat hij net

dat verhaal over zijn hond had verteld. Het voelde in elk geval heel natuurlijk en logisch, alsof het iets was wat ik iedere dag aan mensen vertelde.

Adam kwam overeind en keek me verwonderd aan.

'Dat is gek,' zei hij. 'Dan kent ze mijn vader misschien wel. Mijn moeder denkt dat hij nu voor de EU werkt in Brussel.'

Ik glimlachte even.

'Misschien kennen ze elkaar allang en zijn ze getrouwd,' zei ik, 'en zijn we zonder het te weten broer en zus.'

Adam glimlachte ook.

'Maar het is toch wel een beetje raar,' zei hij.

'Dat kun je wel zeggen,' zei ik. 'Is het waar? Dat jouw vader in Brussel woont, bedoel ik?'

Hij haalde zijn schouders op.

'Mijn moeder zegt het. Maar voor zover ik weet hebben ze geen contact met elkaar, dus ik weet niet hoe zij dat weet. Hij interesseert me niet. Hij weet dat ik er ben, maar hij heeft zich nooit een mallemoer van mij aangetrokken, dus waarom zou ik iets om hem geven?'

'Omdat dat nou eenmaal zo is,' zei ik.

Adam gaf geen antwoord, maar zijn zwijgen was ook een soort antwoord.

We liepen langzaam langs de oever van het riviertje, alsof we daar aan de waterkant hadden afgesproken om een eindje te gaan wandelen, en Tarzan snuffelde los om ons heen. Zijn riem bungelde nog in mijn hand.

'Maar ik geef veel meer om Dombo,' zei Adam na een tijdje. 'En dat is eigenlijk ook best vreemd.'

'Dombo?' zei ik. 'Heet jouw hond Dómbo?!'

Adam knikte.

'Ik was acht toen ik hem kreeg. Dombo was mijn lievelings-video. En toen hij nog een pup was had-ie van die leuke grote flaporen.'

Ik kon de lach die in me opborrelde niet tegenhouden.

Na een paar seconden begon Adam ook te lachen.

'Ik vond het tóen een hele goede naam!' zei hij.

'Ik snap het,' grinnikte ik.

Adam werd meteen weer serieus.

'Maar hij heeft nu vast een andere naam,' zei hij.

Ik schudde mijn hoofd.

'Nee hoor,' zei ik, 'ze nóemen hem misschien anders, maar hij heet nog steeds Dombo. Niemand zou Tarzan een andere naam kunnen geven.'

Ik voelde Adams blauwgrijze blik, maar ik keek hem niet aan. Ik had het gevoel dat ik in die blik zou vallen en er nooit meer uit zou kunnen komen als ik hem op dat moment zou aankijken.

'Moet je ergens naartoe?' vroeg ik toen maar. 'Of loop je altijd maar wat rond te slenteren in het Videbergspark?'

'We woonden eerst in Solna,' zei hij, 'bij Haga Norra. Ik liet Dombo altijd uit in het Hagapark en toen hij weg was, bleef ik ernaartoe gaan. Soms huilde ik als een klein kind. Snap jij dat nou, dat je zo allejezus veel verdriet kan hebben om een hond?'

Ik knikte. Dat was niet zo gek. Het gekke was dat hij het aan mij vertelde. We hadden nog bijna niet met elkaar gepraat en nu liepen we elkaar van alles te vertellen. Het was volkomen onbegrijpelijk en belachelijk en tegelijkertijd heel logisch.

'Later ging ik er altijd naartoe als ik wilde nadenken en met rust gelaten wilde worden,' ging Adam verder. 'In het Hagapark zijn paden die niemand gebruikt, smalle paadjes onder de bomen die helemaal doorlopen tot aan het water. Vooral in de herfst kun je daar helemaal alleen zijn, zolang je wilt, al lopen er wel mensen over de grotere paden en op de grasvelden. Ik werd alleen soms gevonden door een hond. Die kon ik dan begroeten en even aaien en dan ging hij weer weg naar zijn vrouwtje of baasje en vertelde niet dat hij mij had gezien. Er is ook een heel speciaal licht daar onder de bomen; als de zon schijnt is het vlekkerig en als het bewolkt is, is het net een zachte tunnel. Je hoort de stemmen van de mensen in de verte of soms heel dichtbij, maar ze zien je niet. En als je goed uitkijkt of er geen takken op de grond liggen, dan hoor je geen geluid als je loopt. Je voelt je net een soort elf of zo, daar onder de bomen...'

Het leek wel of hij een sprookje vertelde over een geheime wereld, een plek waar je terechtkwam als je door een spiegel heen ging of door een geheime magische deur in een stenen muur. Ik verlangde met mijn hele lijf naar het Hagapark toen hij erover vertelde.

Opeens barstte hij in lachen uit.

'Je denkt vast dat ik totaal gestoord ben.'

'Nee hoor.'

'Ik weet niet waarom ik dit allemaal vertel. Je overviel me op een of andere manier.'

Ik glimlachte even.

'Speelde je dat je een elf was toen je daar langs de waterkant liep?'

Het was niet flauw bedoeld en dat begreep hij.

'Niet echt,' zei hij. 'Maar misschien wel iets wat erop lijkt. Ik zocht een nieuwe plek om naartoe te gaan als ik met rust gelaten wilde worden, en toen jouw hond kwam aanrennen, leek hij zo ontzettend op Dombo.'

Adam boog zich naar Tarzan toe, die meteen bij hem kwam en zich tegen hem aandrukte.

'Ik dacht dat het heel ongewoon was dat ouders ervandoor gingen naar Brussel en hun kinderen in de steek lieten,' zei ik. 'Dat ik eigenlijk de enige op de wereld was.'

'Maar voor jou is het wel erger, denk ik,' zei Adam.

'Waarom?'

'Vaders gaan ervandoor, dat weet iedereen. Maar moeders gaan er niet vandoor.'

Zo simpel was het. Het deed pijn om te beseffen dat het zo was. Moeders laten hun kinderen niet in de steek voor een flitsende carrière in het buitenland. Moeders offeren zich op, moeders kun je vertrouwen, moeders zíjn er.

Opeens wist ik waar mijn boosheid tegenover Maria vandaan kwam. Ik had dit al eerder meegemaakt. Ik was razend op Maria vanwege die reclamebaan, die hele speciale baan die belangrijker was dan wij, en daarom had ik Kasper verdedigd toen Frida had gezegd dat hij een seksist was. Het ging eigenlijk helemaal niet over Maria, maar over mijn moeder en haar geweldige baan in Brussel, over zachte handen en een groot verraad en ik kon het niet tegenhouden, de zwarte kogel begon te rollen en de tranen kwamen. Ik wilde wegrennen, bij Adam vandaan, maar hij pakte me vast en sloeg zijn armen om me heen en toen moest ik nog harder huilen, ik huilde tegen zijn schouder, alsof hij echt mijn broer was en we elkaar eindelijk hadden gevonden.

Adam zei niets.

Ik weet niet hoe lang ik daar heb staan huilen, maar het was heel lang en Adam bleef gewoon staan en hield me vast.

Toen ik was uitgesnikt en -gesnotterd, liet hij me voorzichtig los en we liepen langzaam terug langs het riviertje. Ik was de hele tijd bang dat hij zou gaan praten, maar dat deed hij niet. Ik had het gevoel dat ik op een smalle richel balanceerde en een enkel woord had ervoor kunnen zorgen dat ik naar beneden viel. Maar Adam liep zwijgend naast me. Toen we een ouder echtpaar tegenkwamen dat aan het wandelen was, pakte hij de riem uit mijn hand en maakte Tarzan vast.

Bij de hoge heg om het paviljoentje bleven we staan.

Ik probeerde te glimlachen, maar het werd een beetje een onbeholpen lachje.

'En jij dacht nog wel dat ík zou denken dat jíj gestoord was…!' zei ik.

Hij glimlachte ook even, een heel klein glimlachje, alleen zijn mond lachte. Zijn blik was een en al ernst.

'Er is een tijdje geleden iets gebeurd,' legde ik uit. 'Kasper en Maria… Kasper, dat is dus mijn vader, en…'

Ik was de draad kwijt. Adam knikte in de richting van het paviljoentje. 'Zullen we daar even gaan zitten?' zei hij. 'Heet jouw vader Kasper Kaspersson?' Hij legde dezelfde intonatie in zijn stem als ik had gebruikt toen ik naar de naam van zijn hond had gevraagd en ik glimlachte even. Het ging al iets beter.

'Nee, hij heet Olof Kaspersson. Maar we noemen hem Kasper, dat vinden we grappig.'

'En wie is Maria?'

Meer was er niet nodig. Eén enkele vraag.

Ik vertelde alles.

Ik vertelde alles, maar het was ineens allemaal heel anders, want nu keek ik op een heel andere manier naar alles wat er was gebeurd. Het was verdrietig en het deed pijn en ik schaamde me ervoor, maar het was niet langer een onbeheersbare wervelstorm van gevoelens die door mijn binnenste raasde. Die wervelstorm hoorde bij mijn moeder, niet bij Maria, maar dat had ik nooit eerder begrepen.

De bankjes in het paviljoen waren groen geschilderd, maar de kleur was verbleekt en de verf was afgebladderd zodat het grijze hout tevoorschijn kwam. Adam zei niets, hij keek door de opening in de heg naar het riviertje dat langs stroomde en hoewel hij niets zei en me niet één keer aankeek, weet ik dat hij luisterde naar ieder woord dat ik zei, en vreemd genoeg luisterde hij op een manier waardoor ik ook naar mezelf ging luisteren, waardoor ik precies hoorde wat ik zei, en me afvroeg waarom ik de woorden koos die ik koos, en ik hier en daar een andere formulering koos zodat het precies goed zou overkomen. Ik vertelde over de turkooizen top, en dat ik niet had gezegd hoe goed hij haar stond en over onze ontmoeting daarna, over haar bewegingen toen ze haar spullen inpakte, over de wervelstorm die mij ervan weerhield om met haar te praten, haar bepaalde dingen te vragen.

Tarzan zuchtte en legde zijn kop in Adams schoot en Adam legde zijn hand op zijn kop en streelde hem zacht tussen zijn ogen en naar beneden over zijn snuit. Die beweging haalde me uit mijn concentratie en ik wist niet meer wat ik wilde zeggen. Of misschien was ik wel gewoon uitverteld. Zo voelde het wel. En ik dacht: alles wat hij nu over Maria zegt, zal verkeerd zijn en opeens wilde ik dat ik het niet had verteld.

Maar Adam zei helemaal niets over Maria. Hij vroeg: 'Heeft

ze helemaal nooit iets van zich laten horen? Heeft ze echt haar zesjarige dochter in de steek gelaten zonder ook maar íets van zich te laten horen?'

Ik schudde mijn hoofd.

'Ze heeft me wel brieven geschreven, en mijn broertje kreeg een paar kaarten. Viktor was nog maar drie. Ze schreef over haar nieuwe appartement en dat ze thuis zou komen met kerst en nog veel meer onzin.'

'En kwam ze?'

'Nee. Ze schreef dat ze moest werken en ze wenste ons een fijne kerst en ze stuurde geld. Daarna heb ik nog een paar brieven gekregen. Een op mijn verjaardag en nog een in de zomervakantie, en een kaart uit Barbados. En toen... ja, daarna schreef ze gewoon niet meer.'

'Maar waarom?'

'Hoe moet ik dat nou weten! Waarschijnlijk was ze gewoon vergeten dat we bestonden! En wat heb jij daar trouwens mee te maken?!'

Adam gaf geen antwoord. Hij keek weer naar het water en ik wist dat hij wist dat ik niet boos op hém was. Ik wilde sorry zeggen, maar ik kon het niet. Maar toch wist hij het. Daar was ik zeker van.

We bleven een hele tijd zwijgend naast elkaar zitten, gewoon naast elkaar op die afbladderende bank, en we deelden iets. Het gewicht van een donkere kogel vol verraad, verlangen, boosheid en wanhoop drukte zwaar op ons. Ik wist dat hij over zijn vader wilde vertellen, maar ik kon het niet vragen, er was geen ruimte meer voor, mijn hoofd was vol.

Tarzan had al die tijd op de stenen vloer gelegen en pas toen hij opeens opstond en zich uitschudde, schrok ik op en keek op mijn horloge.

Vijf over zes!

'Andreas!' zei ik verschrikt.

Adam wendde zijn blik af van het water en keek me aan.

'Andreas? Wat is er met Andreas?'

'Hij wacht op me! We hadden om zes uur afgesproken!'

Ik rukte de riem uit Adams hand en tot Tarzans grote vreugde rende ik dwars over het gras de helling op naar de weg toe en vervolgens over de stoep naar huis. Tarzan vond het moeilijk om te rennen in mijn tempo, dat voor hem relatief langzaam was, en af en toe struikelde ik bijna omdat hij aan de riem trok. Ik slaagde erin overeind te blijven bij die plotselinge rukken totdat we de hoek van onze eigen straat om waren gerend en nog maar twintig meter van ons huis waren. Toen waren mijn benen moe en doordat Tarzan na de bocht nog een sprintje trok, viel ik plat voorover op straat.

Andreas stond in ons portiek.

'Ik dacht dat je het vergeten was,' zei hij toen ik overeind krabbelde.

'Ik was gewoon uit met de hond,' hijgde ik.

Hij glimlachte.

'Dat zie ik. Heb je je pijn gedaan?'

Ik schudde beschaamd mijn hoofd, hoewel mijn linkerknie en -heup behoorlijk pijn deden. Waarom moest ik nou weer als een idioot komen aanrennen? De vorige keer dat ik met Andreas had afgesproken, had ik eruitgezien als een verzopen kat, en deze keer kwam ik hijgend als een oude stoomlocomotief aanzetten en stortte ik me pal voor zijn voeten op de grond. Ik zag zijn mondhoeken trillen.

'Lach maar hoor,' zei ik. 'Ik vraag erom.'

Dat zei Kasper altijd als ik moest lachen om zijn verstrooidheid. Dat was vroeger, toen Maria er nog was. Die verdwaasde warrigheid die daarna was gekomen, was helemaal niet om te lachen.

Andreas kuchte even.

'Maar je hebt je wél pijn gedaan, je loopt mank.'

'Ik ben niet zo goed in hardlopen,' zei ik. 'Ik ben niet zo'n sportieveling als jij. Zullen we naar binnen gaan?'

Hij knikte.

Maar hoewel ik nu toch rustig en veilig de vertrouwde trap naar onze flat opliep, had ik niet echt het gevoel dat ik met beide benen op de grond stond. Ik was nog bij Adam in het park, ik was nog midden in ons gesprek en in zijn armen, mijn tranen in zijn hals. Ik droeg de geur van warme huid nog bij me. Adams geur. Hoe had dat kunnen gebeuren? Zoiets gebeurt niet eens in de film. Niet zo plotseling. En zeker niet met iemand anders dan degene met wie je op het punt stond verkering te krijgen.

Ik deed de deur open en liet Andreas binnen in de gang. Mijn heup en mijn knie deden nog steeds pijn en onder mijn trui plakte mijn T-shirt op mijn rug van het zweet en bovendien moest ik nodig plassen. Echt héél romantisch. Ik deed de deur van mijn kamer open in de hoop dat hij naar binnen zou gaan.

'Wil je iets drinken?' vroeg ik. 'Cola of thee of iets anders?'

'Lekker. Het maakt niet uit.'

Ik knikte en liep door naar de keuken. Maar in plaats van mijn kamer binnen te gaan, liep Andreas achter me aan. Aan de keukentafel zat Viktor. Hij at cornflakes met melk.

'Dit is mijn broertje, Viktor,' zei ik tegen Andreas. 'Hij weet alles over het heelal.'

'Helemaal niet!' zei Viktor onverwacht kribbig.

Meestal was hij trots als ik dat zei.

'Dit is Andreas,' zei ik met een verontschuldigend glimlachje.

'Hallo,' zei Andreas.

'Hoi,' zei Viktor.

Ik schonk cola in voor Andreas en voor mezelf. Toen ik de glazen neerzette, zag ik dat ik een schaafwond op mijn linkerhand had met vuil erin. Een perfect excuus.

'Ik ga even mijn hand schoonmaken,' zei ik vlug.

Waarom is het zo gênant om te zeggen dat je naar de wc

moet? Iedereen begrijpt toch wel dat je niet een soort engelachtig wezen bent dat nooit hoeft te plassen of te poepen?

Achter de gesloten badkamerdeur kon ik eindelijk even op adem komen en weer een beetje rustig worden terwijl ik plaste en daarna mijn trui en T-shirt uittrok en me waste. Er zat een gat in mijn trui bij mijn elleboog. Het was mijn lievelingstrui. Maar misschien was het nog wel te maken. Ik borstelde mijn haar, spoelde mijn mond en ging toen terug naar de keuken.

Andreas en Viktor zaten tegenover elkaar aan tafel. Viktor keek op toen ik binnenkwam. Zo vrolijk had hij er sinds lange tijd niet uitgezien.

'Andreas zit op ijshockey!' zei hij. 'Dat wil ik ook!'

'Jij?' zei ik. 'Je kunt niet eens goed schaatsen.'

'Maar Andreas kan het me leren!'

'Daar heeft hij helemaal geen tijd voor, dat snap je toch wel?'

'Jawel hoor,' zei Andreas. 'Je kunt op donderdag een halfuur voor mijn training naar de ijshal komen met Viktor, dan kunnen we eerst een beetje oefenen. En als hij het goed genoeg kan, dan kan hij met de andere jongens van zijn leeftijd mee gaan trainen.'

Viktor keek somber.

'Ik wil op dezelfde training als jij,' zei hij.

Andreas lachte.

'Dat kan denk ik niet. Maar eerst ga je gewoon oefenen samen met mij en Katrina.'

'Ja, hállo!' zei ik. '*Ik* wil niet op ijshockey!'

'Voor jou zou het ook goed zijn om een beetje te leren schaatsen,' zei Andreas. 'Dat is goed voor je evenwichtsgevoel.'

Hij grijnsde en ik stak mijn tong naar hem uit.

'Ik kan er ook alleen naartoe fietsen,' zei Viktor.

'Je moet minstens met z'n drieën zijn, anders heeft het geen zin,' zei Andreas.

Viktor keek me smekend aan.

'Alsjeblieeeeft?'

Ik rilde.

'We hebben het er nog wel over,' zei ik en ik hoorde dat ik precies als mijn vader klonk.

Toen keek ik naar Andreas.

'Zullen we onze teksten gaan oefenen?'

Hij knikte en stond snel op.

'Ja, natuurlijk.'

We liepen de gang in, maar voordat we bij mijn kamer waren, ging de voordeur open en kwam Kasper binnen met zijn gebruikelijke wirwar van plastic zakken, mappen en tassen. Hij keek verbaasd en nieuwsgierig naar Andreas en ik stelde hem met tegenzin voor.

'Jaja, o, Andreas, nou, leuk je te ontmoeten,' zei Kasper.

'Dat vind ik ook,' zei Andreas.

'We gaan leren,' zei ik.

'O ja, natuurlijk,' zei Kasper.

Viktor kwam de keuken uit en riep: 'Andreas zit op ijshockey! Ik ga er ook op!'

Kasper glimlachte veelbetekenend naar me.

'Aha!' zei hij en hij knipoogde zo opvallend dat Andreas het wel móest zien, al had hij een zonnebril op gehad in het pikkedonker.

Ik denk dat ik vuurrood werd, want ik had het gevoel dat mijn wangen in brand stonden.

'Ik ben één keer geweest!' snauwde ik. 'Hooguit een kwartiertje!'

Andreas voelde zich duidelijk erg gevleid door al die aandacht, want hij had een brede schaapachtige grijns op zijn gezicht toen ik hem eindelijk mijn kamer binnen had weten te werken en de deur achter ons dicht had gedaan.

'Leuke familie heb je,' zei hij.

'Wil je ze hebben?' vroeg ik. 'Ik vraag er niet veel voor!'

Andreas gaf geen antwoord. Ik zocht in mijn tas en haalde de tekstmap van Romeo en Julia tevoorschijn.

Ik was zo in de war. Ik had nog steeds geen vaste grond onder mijn voeten, ik werd een beetje heen en weer geduwd alsof het leven de zee was en ik in te diep water terecht was gekomen. Op dit moment wilde ik eigenlijk alleen maar met rust gelaten worden om na te denken. Wat ik beslist niet wilde, was deze zo ongewone situatie waarin ik alleen was op mijn kamer met een eventueel toekomstig vriendje. Maar ik moest Frida toch íets vertellen later vanavond. Ze zou zeker wachten op een telefoontje van mij zodra ze thuiskwam van de film.

'Even kijken,' mompelde ik terwijl ik in de map bladerde. 'Waar begint jouw tekst?'

Andreas kwam naar me toe en sloeg de map open op de goede bladzijde. Zijn hand streek langs de mijne. Eerst misschien per ongeluk, maar toen heel duidelijk opzettelijk.

'Katrina,' zei hij.

Ik staarde naar de map terwijl ik heen en weer werd gespoeld door de golven. Ik voelde nergens vaste grond onder mijn voeten. Hallo! Nu gaat het gebeuren! Dit is een belangrijk moment! Dit is iets wat je je de rest van je leven zult herinneren, iets om in je dagboek te schrijven, iets om vanavond aan Frida te vertellen, iets wat je iedere avond als je in bed ligt weer opnieuw beleeft! Hallo! Wakker worden!

'Ik vind je leuk,' zei Andreas. 'Ik vind je al heel lang leuk, ik was alleen een beetje laf. Maar toen je gisteren naar mijn training kwam, toen dacht ik dat je misschien... nou, je weet wel, dat jij mij misschien ook niet echt stom vindt.'

Ik glimlachte even. Hij was schattig als hij zo naar woorden zocht.

'Dat vind ik niet,' zei ik. 'Helemaal niet.'

Andreas glimlachte ook.

'Dat is mooi,' zei hij.

Toen legde hij zijn handen op mijn schouders en kuste me op mijn mond. De tekstmap zat tussen ons in geklemd en ik probeerde net te bedenken of ik mijn mond moest opendoen toen de kus alweer voorbij was.

Wat moest ik nu doen? Moest ik de map wegleggen en me in zijn armen storten, of moest ik gewoon de tekst gaan lezen alsof er niets was gebeurd? Diep vanbinnen wilde ik eigenlijk alleen maar dat hij wegging, zodat ik alleen kon zijn om de warboel in mijn hoofd op een rijtje te zetten. Misschien dat ik dan weer een beetje zou kunnen nadenken en de dingen van elkaar scheiden, Adam en Andreas en mijn moeder en Maria. Er moest iets aan de hand zijn met me. Ik wilde toch dat dit zou gebeuren, dit was precies waarop we hadden gehoopt. Ja, dat wel, maar ik wilde even op de pauzeknop drukken, het ging me allemaal veel te snel.

Is dat niet raar? Het leven kruipt traag vooruit, alle dagen laten hetzelfde kleurloze slijmerige spoor achter en je vraagt je af wanneer het eigenlijk zal beginnen, alles wat moet gaan gebeuren, en als het dan zover is, komt alles tegelijk en begrijp je pas wat er is gebeurd als het alweer voorbij is.

'Wat is er?' vroeg Andreas ongerust. 'Wil je niet? Ik bedoel, heb ik iets niet helemaal goed begrepen of zo?'

Ik realiseerde me dat ik zo stijf als een plank naar de map stond te staren op een manier die niet anders was uit te leggen dan afwijzend. Ik legde eindelijk Romeo en Julia neer.

'Sorry,' zei ik. 'Ik ben gewoon… het ging gewoon allemaal zo snel.'

Hij glimlachte even.

'We kunnen het nog wel een keer proberen, maar dan langzamer.'

Ik knikte.

'Ik ben nou eenmaal een beetje traag,' zei ik.

Andreas kwam dichter bij me staan en ik sloeg mijn armen

om zijn nek en we kusten nog een keer. Dat was beter. Meer zoals het hoorde te zijn. Onze tongen ontmoetten elkaar en begonnen elkaar voorzichtig te verkennen, hij smaakte vreemd en warm.

Ja, zo hoorde het waarschijnlijk te zijn. Maar ik wist het niet heel zeker, want ik was er maar af en toe echt bij. Soms voerden de golven me mee naar het nu en was ik er, maar dan voerden ze me weer weg, via Adam in het park naar mijn moeder die haar tassen inpakte om naar Brussel te gaan. Opeens herinnerde ik me die tassen, ik zag ze duidelijk voor me, het waren twee dezelfde tassen van geruite stof, de kleren keurig opgevouwen, maar toen ik opkeek, was het Maria die aan het pakken was en huilde ik tegen Adams schouder en dan stond ik opeens weer in mijn kamer met de tong van Andreas in mijn mond. Zijn handen schoven onder mijn trui. Ik deed een stap naar achteren.

'Andreas, sorry, maar... ik kan het niet. Nu niet. Er is zoveel gebeurd. Hier thuis bedoel ik, het heeft niets...'

Ik wist het niet meer, ik zuchtte en probeerde het nog een keer. Ik moest dit doen, anders zou alles fout gaan. Hij moest het begrijpen.

'Ik vind je leuk,' zei ik. 'Heel erg leuk. Daar ligt het niet aan. Maar we hebben problemen hier thuis en alles is zo moeilijk. Kunnen we niet... nog even wachten?'

Andreas keek me een paar seconden aan. Toen knikte hij.

'Natuurlijk,' zei hij. 'Maar... hebben we... ik bedoel, kun je al zeggen of je mijn vriendin wilt zijn, of is dat nog te vroeg?'

Ik glimlachte even. Proefde het woord. Vriendin.

Andreas, mijn vriendje.

Nu had ik in ieder geval iets om aan Frida te vertellen.

'Dat kan ik wel,' zei ik. 'Dat wil ik wel, bedoel ik.'

Hij liet zijn adem ontsnappen, lachte opeens. Een soort giechellachje. Ik geloof dat hij blij was.

'Shit,' zei hij. 'Wow. Ze heeft ja gezegd.'

Toen Andreas weg was, ging ik terug naar mijn kamer en deed de deur op slot. Het was pas zeven uur, dus de eerste paar uur hoefde ik Frida nog niet te bellen. Ik kon even alleen zijn met alles wat er was gebeurd. Ik wilde niet eens muziek aan hebben.

Op mijn rug op bed, tussen mijn denkkussens, liep ik alle gebeurtenissen van die middag nog eens rustig en zorgvuldig na. Ik probeerde de beelden te sorteren en ze in de goede volgorde te leggen.

Het scherpst zag ik Adams profiel voor me terwijl hij uitkeek over het riviertje en luisterde naar mijn verhaal. Ik zag zijn gezicht zo duidelijk voor me dat ik het gevoel had dat ik het uit mijn herinnering kon knippen en aan de muur hangen. Het was zo'n zeldzaam moment van totale aanwezigheid en helderheid. Op dat moment werd ik even niet heen en weer gespoeld door de golven.

Wat ik had verteld over Maria was pijnlijk geweest maar begrijpelijk, de woorden voelden goed in mijn mond, ze kwamen er in de goede volgorde uit en lieten zich de paar keer dat het niet goed ging, terughalen en veranderen.

Toen Adam zijn hand had uitgestrekt om Tarzan te aaien, was er iets veranderd. Niet mijn aanwezigheid, eerder het zwaartepunt. Het zwaartepunt van mijn aanwezigheid had zich opeens van mijn hersenen verplaatst naar mijn middenrif.

Daarna was alles chaos, ik was in volle vaart weggerend uit die stilte, voorover op straat gevallen en had mijn eerste vriendje gekregen zonder dat ik er echt bij was terwijl dat gebeurde. Als ik dacht aan wat Andreas had gezegd en aan zijn kussen, had ik eerder het gevoel dat ik naar een film keek dan dat het in werkelijkheid was gebeurd. Maar eigenlijk was die ontmoeting in het Videbergspark nog merkwaardiger. Die leek wel echter dan de werkelijkheid, alsof ik heel even op bezoek had mogen komen in de échte werkelijkheid, als het ware binnen in de gewone werkelijkheid waarin je iedere dag rondloopt.

Nee. Waarschijnlijk was ik niet helemaal goed wijs.

Maar ik moest een aantal dingen uitzoeken, proberen te begrijpen.

Ik stond op van mijn bed, schoof mijn bureaustoel naar de kast, klom op de stoel, wiebelde even maar hervond toen mijn evenwicht, daarna deed ik het bovenste gedeelte van de kast open en haalde eruit wat erin zat. Een versleten rugzak die ik op de basisschool als schooltas had gebruikt, kapotte gympen, een paar oude versleten truien en een lievelingsspijkerbroek waarvan de rits nooit vervangen was, stapels tekeningen en schriften, twee half volgeschreven dagboeken en een lappenpop met blauwe kleertjes die ik in groep zes had gemaakt bij handvaardigheid. Helemaal achterin stond de doos waarnaar ik zocht. Een bruingrijze schoenendoos met een rood geribbeld deksel, waarop met zwarte viltstift 'GEHEIM' was geschreven. Ik trok hem uit de kast en ging weer op mijn bed zitten.

Behalve de brieven had ik van tevoren niet precies kunnen zeggen wat erin zat, maar toen ik het deksel optilde en alles eruit pakte, herkende ik ieder voorwerp. Bovenop lag het zorgvuldig gladgestreken papiertje dat om de kauwgom had gezeten die ik van Ruben had gekregen tijdens onze vakantie op Öland. Ik was toen negen en Ruben twaalf. Mijn vriendinnetje Hanna en ik waren de hele zomer achter Ruben aan geslopen. Of in elk geval de tijd die we op de camping op Öland hadden gestaan. Dat waren misschien maar twee weken geweest. De geur van de kauwgom hing nog heel vaag in het papiertje en ik rook eraan terwijl ik verder zocht tussen de wazige foto's, roze en lichtgroene reukgummetjes en andere dingen die ooit heel erg belangrijk en geheim waren geweest. Ik vroeg me af of sommige dingen die nu heel erg groot en belangrijk waren over een jaar of vijf, zes net zo onbeduidend zouden lijken als de voorwerpen uit mijn schoenendoos nu. Niet meer dan onbelangrijke puntjes op een schaal van schattig tot gênant.

Onderop lagen de brieven. Die hadden altijd onderop gelegen. Ik had de doos gemaakt voor die brieven. Iedere avond had ik alle andere dingen er eerst uitgehaald, de brieven gelezen, ze teruggelegd en de andere spullen er weer bovenop gelegd. Avond na avond was dat het laatste dat ik deed voordat ik de doos onder mijn bed schoof en mijn leeslampje uitknipte. Totdat ik twaalf werd. Toen verstopte ik de doos helemaal achter in het bovenste gedeelte van mijn kast. Ik duwde hem hardhandig tussen alle andere rommel in en daar was in de loop der jaren alleen nog maar meer bijgekomen. Ik denk dat ik vond dat het tijd was om volwassen te worden en niet langer te hopen. Zo verliet mijn moeder me twee keer. Eén keer toen ik zes was, toen ze een tijdje in Brussel zou gaan wonen, en één keer toen ik twaalf werd, toen ze vertrok uit mijn leven, uit de wereld, uit het universum, niet voor een tijdje, maar voor altijd.

Even gingen mijn gedachten naar Viktor, die bijna twaalf werd. Hoe herinnerde hij zich haar? Was ze ook uit zíjn leven vertrokken? Hoeveel zou hij eigenlijk nog van haar weten? Ik herinnerde me al zo weinig, en ik was toch drie jaar ouder. Had zijn stille gepieker misschien iets met haar te maken? We praatten over veel dingen, Viktor en ik. Maar niet over onze moeder. Over haar hadden we het nooit.

Ik zat een tijdje te kijken naar het stapeltje groezelige enveloppen onder in die doos en ik voelde mijn hart kloppen met harde, duidelijke slagen. Voor het eerst sinds heel lange tijd dacht ik eraan dat ze waarschijnlijk nog ergens bestond. Misschien had zij ook wel een stapeltje enveloppen in een doos, lichtblauwe enveloppen met een kinderlijk handschrift erop en glitterstickers naast de postzegels.

Het deed pijn. Als ik had geweten hoeveel pijn het zou doen, had ik de doos nooit opengemaakt. Ik dacht dat ik er klaar voor was, dat het nu tijd was, maar toen ik naar die enveloppen zat te kijken, kromp mijn maag ineen tot een harde, verkrampte knoop en schoot er zo'n hevige golf misselijkheid door me heen, dat ik dacht dat ik zou overgeven, zo over de brieven en de doos en het vale groengestreepte vloerkleed.

Dat deed ik niet. De misselijkheid bleef door me heen golven, maar ik gaf niet over. Ik kroop in elkaar op bed en probeerde te huilen, maar het ging niet; ik bleef heel lang zo liggen, net zolang tot de kramp in mijn buik wegging en er een zeurende pijn voor in de plaats kwam. Toen strekte ik mijn hand weer uit naar de brieven, knipte mijn leeslampje aan en haalde het eerste met de hand beschreven velletje uit de envelop.

Het handschrift was netjes maar niet stijf. Eerder geoefend. Vloeiend. En zo ongelooflijk bekend. Ik kende de vorm van ieder woord, iedere letter. De zinnen doken al op in mijn hoofd nog voordat ik ze had gelezen. Als ik naar een zin keek, zag ik de rest al in mijn hoofd. Als een film die je heel vaak hebt gezien. En tegelijkertijd was het zo merkwaardig ondoordringbaar:

*'... het is hier zo mooi, echt waar! Ik heb een serre in plaats van een balkon, het lijkt wel een eigen oranjerie, met palmbomen en andere planten met grote bladeren. De kamers in het appartement zijn licht en ruim en ze hebben hoge plafonds. De bus stopt precies voor het huis, dus het is maar tien minuten naar mijn werk. Gisteren gebeurde er iets grappigs toen ik in de bakkerij was, want je koopt hier 's morgens vers brood...'*

Enzovoort.

Niet 'ik mis je' of 'het zou helemáál perfect zijn als ik mijn kinderen bij me kon hebben', niet eens 'ik denk veel aan jullie'. Niets van dat alles. Alleen 'Kus en knuffel van mamma' onder aan de brief.

Stom rotwijf. Fucking, tering, kut, klotewijf!

Ze had natuurlijk geen enkele lichtblauwe brief bewaard. Als die brieven íets voor haar hadden betekend, dan was ze niet vergeten dat wij bestonden. Acht brieven en een ansichtkaart van Barbados. Tussen de eerste brieven zat minder dan een maand, daarna werd de tijd tussen de brieven steeds langer.

Ik ging verder en las de brieven een voor een, maar het leek wel of ik door mul zand rende. Ik kwam nergens. Overbekende woorden van een onbekende afzender. Wie was ze eigenlijk? Wat was ze voor iemand?

'Maar waarom?' vroeg Adams stem in mijn hoofd.

Ja, waarom? Waarom was ze opgehouden met schrijven? Kun je vergeten dat je kinderen hebt? Als je een man hebt, kun je scheiden en dan heb je geen man meer, als je vrienden hebt, kun je verhuizen, hen verwaarlozen of ruzie met ze maken, dan heb je geen vrienden meer. Maar kinderen héb je gewoon.

Ik las de brieven nog een keer, zocht naar onderliggende betekenissen of onbewuste boodschappen, sporen van een nieuw gezin of tenminste van echte gevoelens, maar er was niets. Een van de brieven was geschreven tijdens een reis door Zwitserland. Daarin stond *Je zou het hier prachtig vinden, Katrina! Zulke hoge bergen!* Maar dat is toch niet hetzelfde als 'ik wou dat je hier bij me was en dat je dit kon zien'.

Ik probeerde me haar stem te herinneren, want als ik me zou kunnen herinneren hoe ze praatte, zou ik de woorden in de brieven kunnen *horen*. Misschien zou ik iets kunnen vinden in de klank van haar stem als ze ze uitsprak, iets waaruit ik meer zou kunnen opmaken.

Maar ik kon het me niet meer herinneren.

Hoe ik het ook probeerde, het hielp niets. Voor mij was ze donker haar, glanzend geborsteld, een blauwe jurk met lichte figuurtjes, en schoenen met hakken en dunne bandjes, maar ze was geen stem, geen handen, geen ogen.

Opeens voelde ik me ontzettend moe, alsof mijn hersenen een marathon hadden gelopen in Florida of waar was het ook alweer dat de hardlopers bevangen werden door de hitte en tijdens de laatste kilometers als rijpe appels neervielen langs de route. Ik kon niet meer. Ik was nauwelijks nog in staat om de brieven terug in hun envelop te stoppen en met de andere spullen terug te doen in de doos en die onder mijn bed te schuiven.

Daarna ging ik op mijn rug liggen en deed mijn ogen dicht en ik dacht een hele tijd helemaal niets, totdat ik ten slotte mijn ogen opendeed en op de klok keek. Tien voor negen. Frida. Andreas. Ik moest opstaan en bellen.

Toen ik wankelend overeind kwam en langs de spiegel liep, zag ik mijn haar. Mijn lange, donkere haar dat nu in de war zat, maar als je het borstelde ging het glanzen en golven, en opeens wist ik dat ik het wilde laten afknippen.

'Katrina! Ben je wakker? Het is al laat!'

Kaspers stem baande zich een weg door de deur mijn kamer in en verder mijn onrustige dromen binnen. Ik dwong mezelf mijn ogen open te doen, ik had het gevoel dat ik bijna niet had geslapen. Was het geen zaterdag?

'Hm, wat... ja...' mompelde ik terwijl ik mijn gedachten probeerde te ordenen.

'Over drie kwartier komen de eerste klanten!'

Klanten? Wat voor klanten?

Maar toen wist ik het weer. De studio. Ik zou dit weekend werken. Daarom stond Kasper voor mijn deur en klonk hij zo ongerust.

'Ik kom!' zei ik en ik maakte me met veel moeite los uit mijn warme bed.

Terwijl ik mijn kleren aantrok en naar de keuken liep, bleven de dromen als een dunne laag rook of mist over mijn hersens hangen. Ik had heel sterk het gevoel dat er nog iets anders belangrijks was dat ik me zou moeten herinneren, dat dat het eerste zou moeten zijn waaraan ik dacht als ik wakker werd, maar ik zat al aan tafel voordat het me eindelijk te binnen schoot. Andreas. Ik had een vriendje. Andreas en ik hadden verkering! Wat was ik blij dat ik moest werken vandaag, anders had ik moeten bedenken of ik hem zou bellen of dat ik moest wachten tot hij mij zou bellen en dan hadden we vast iets afgesproken voor vandaag en daar was ik niet aan toe, nog niet, en je kunt je vriendje toch niet steeds maar wegduwen als hij je wil omhelzen en kussen.

Kasper had een kaars op de ontbijttafel gezet, het beleg op een schaal gelegd en het brood in het broodmandje gedaan. Het zag er echt gezellig uit. Sinds Maria weg was, bestond het ontbijt meestal uit verschillende soorten beleg dat in de verpakking op tafel lag. Niet dat dat me iets kon schelen, maar deze zaterdagochtend zag het er mooi uit.

'Ik ben echt heel blij dat je me wilt helpen,' legde Kasper uit toen hij zag hoe ik naar de gedekte tafel keek. 'Ik weet niet hoe ik het zonder jou had moeten doen. Ik heb brood voor Viktor klaargemaakt en in de koelkast gezet. Hij komt om twaalf uur naar ons toe en dan gaan we met z'n drieën pizza eten.'

Hoewel ik eigenlijk gewoon met mijn vader mee was naar zijn werk, gaf het een volwassen en goed gevoel toen Kasper de deur van de studio openmaakte, het licht aandeed en mij aan het werk zette. Zijn stem kreeg een andere klank, een samenwerkklank, een volwassenen-onder-elkaar-klank.

Hij liet me zien wat ik moest doen, niet alsof hij iets uitlegde aan zijn 'kleine meisje', maar alsof hij een nieuwe werknemer instructies gaf. Ik hield ook van de geur in de studio, het rook er op een heel speciale manier naar lampen, kabels, achtergronden en camera's, en soms rook je ook de speciale geur die uit de donkere kamer ontsnapte, een mengeling van fotopapier, ontwikkelaar en fixeer.

Toen de klanten kwamen, stelde Kasper me niet voor als zijn dochter, maar gewoon als 'Katrina die hier een tijdje komt werken', waardoor ik geen goedbedoelde opmerkingen kreeg als 'zo, dus jij komt je vader een beetje helpen, wat lief van je' of andere opmerkingen waardoor ik me een kind zou voelen.

Het was leuk om Kasper aan het werk te zien. Ja, dat had ik natuurlijk wel vaker meegemaakt, maar alleen af en toe, en nooit zo lang achter elkaar. En ik had hem nog nooit met kleine kinderen zien werken. Hij maakte ze aan het lachen en liet ze zwaaien met hun mollige armpjes, en ze zagen er ontzettend schattig uit als de camera ze met een klik vastlegde op film.

Terwijl hij aan het fotograferen was had ik niet zoveel te doen, dus ik kon de moeders observeren en bedenken hoe verschillend ze waren, in hun manier van doen, maar ook qua uiterlijk en leeftijd. Sommigen zagen eruit als schoolmeisjes, terwijl anderen al van middelbare leeftijd leken te zijn. Sommigen lachten vertederd en vonden hun kinderen geweldig, hoe hard ze ook blèrden of tegenstribbelden, of zelfs als ze overgaven voor de camera. Anderen veegden geïrriteerd elk druppeltje kwijl weg dat op het dikke onderlipje van hun keurig aangeklede kind glinsterde. Ik stelde me voor dat mijn moeder ook zo was geweest, dat wij voor haar gewoon poppen waren geweest waar ze al snel te groot voor was geworden en ik betrapte mezelf erop dat ik bijna onvriendelijk was tegen die moeders als ik ze na afloop van de fotosessie uitliet.

Tussen tien over elf en halftwaalf hadden we een afzegging en mocht ik helpen met het ontwikkelen van de filmpjes. Het kwam vast door de volwassen manier waarop Kasper me behandelde en door het kijken naar al die moeders dat ik opeens vroeg: 'Waarom schreef ze opeens niet meer?'

'Wie?'

'Mamma.'

Kaspers handen bleven doodstil in de lucht hangen. Hij tilde zijn hoofd op en keek me recht aan. Er lagen zoveel heftige emoties in zijn ogen dat ik mijn blik neersloeg.

'Ik dacht wel dat die toestand met Maria jullie aan het denken zou zetten,' zei hij.

'Weet jij waarom ze niet meer schreef?' vroeg ik nog een keer, want opeens wist ik dat hij het wist.

Het bleef secondenlang stil. Alsof hij moeite had om een beslissing te nemen.

'Omdat ik dat tegen haar had gezegd,' zei hij toen.

Ik had honderden verschillende antwoorden bedacht in mijn hoofd, alle mogelijke antwoorden zoals een nieuwe liefde, nieuwe kinderen, een nieuwe baan, opnieuw een verhuizing, maar ik was totaal niet voorbereid op het antwoord dat ik kreeg.

'Wat? Hoezo "omdat jij dat had gezegd"?!'

Opeens flitste de woede op in Kaspers ogen.

'Ik heb tegen haar gezegd dat ze ermee op moest houden, dat ze jullie alleen maar verdriet deed, dat ze of een échte moeder voor jullie moest zijn of anders oprotten!'

Ik voelde mijn hart bonken in mijn keel. Duidelijk en zwaar, net als de vorige avond. Ik wilde niet meer praten, maar ik moest wel. Het leek of mijn stem van heel diep uit mijn binnenste kwam, ik herkende hem nauwelijks.

'En zij koos ervoor om...'

'... op te rotten,' vulde Kasper aan.

Er knapte iets in me, alsof er ergens vanbinnen een eierschaal brak. Misschien vond Kasper dat hij een beetje te direct was geweest, want hij legde zijn hand op mijn schouder.

'Maar ze stemde er alleen onder één voorwaarde in toe,' zei hij vlug, 'het was niet zo dat het haar helemaal niets kon schelen. Zo was het niet. Ze stemde alleen toe op voorwaarde dat ik haar eens in de zoveel tijd zou laten weten hoe het met jullie ging, hoe het op school ging en of het goed ging met jullie en zo.'

Hij dacht waarschijnlijk dat hij de pijn zo een beetje kon verzachten, hij begreep niet dat wat hij zei alles alleen maar erger maakte.

'Dus... hoe lang heb je contact met haar gehouden...?'

Ik hoopte dat hij geen antwoord zou geven. Dat hij zo verstandig zou zijn om nu zijn mond te houden. Maar zo verstandig was hij niet.

'Ik schrijf haar vier keer per jaar,' zei hij. 'Dat hebben we zo afgesproken.'

Tegenwoordige tijd.

Ik schrijf. Niet ik schreef. Ik schrijf betekent *nu*. Iets wat nu gebeurt.

Langzaam, als de paddenstoelvormige wolk die ontstaat als er op grote afstand een atoombom is gevallen, drong het besef tot me door.

Kasper had al die tijd contact met haar gehouden, hij wist waar ze was, hij had haar vier keer per jaar geschreven en híj was degene die het contact tussen haar en ons had verbroken; hij had haar van ons afgenomen, definitief en voorgoed. Ze was ergens, nu, op dit moment, en niet zo lang geleden had ze een brief gekregen. Van Kasper. Over ons.

'Wanneer…?'

Ik moest stoppen en even kuchen, want mijn stem bleef steken in mijn keel. Ik hield mijn blik strak op een doos fotopapier gericht, een stevige kartonnen doos met een wit deksel. Ik klampte me vast aan die doos om niet weg te zweven door de ruimte en in een van Viktors wormgaten terecht te komen.

'Wanneer heb je haar voor het laatst geschreven?'

'Een paar dagen voordat de school weer begon.'

'En… antwoordt ze als je schrijft?'

'Eh, ja, ze schrijft meestal wel een paar regels terug.'

Hoe kon het dat ik dat niet had gemerkt? Ik was toch bijna altijd degene die de post opraapte van de mat in de hal. Maar toen dacht ik opeens aan de studio.

'Hier?' vroeg ik. 'Schrijft ze hiernaartoe?'

'Nee. We mailen. Ik denk dat ik haar laatste mail nog wel heb bewaard. Wil je hem zien?'

En dat vroeg hij nu.

Meer dan zeven jaar nadat hij ons onze moeder had afgepakt, vroeg hij of ik een van de geheime mails wilde zien die hij al die tijd van haar had gekregen. Ik verplaatste mijn blik van de doos met fotopapier naar Kaspers gezicht en ik zag dat hij bijna terugdeinsde voor die blik.

'Nee,' zei ik. 'Ik wil hem niet zien en ik wil jou ook niet zien. Nooit meer!'

Toen liep ik weg.

Op weg naar buiten graaide ik mijn jack mee en trok het aan terwijl ik zo snel ik kon de straat uitliep in de richting van het centrum. Ik weet niet of hij nog iets zei toen ik wegliep, of hij me iets achterna riep, de wervelstorm raasde door mijn binnenste en maakte een ravage van alles wat mijn leven was geweest, alles waarvan ik dacht dat ik het wist, alles wat zeker en waar was geweest en ik liep zo hard ik kon om niet te vallen in die draai-kolk en nooit meer op te kunnen staan. De huizen helden naar me over, de hele wereld was een kartonnen decor en nu begon het ook nog te regenen.

Bij Frida thuis was alles zoals het bij mij thuis niet was. Moeder Helene stond in de keuken te koken voor de lunch, je rook het eten al op de oprit, en vader Simon was de gang aan het behangen. Ik wist dat dit niet de juiste plek was, maar ik kon nergens anders heen. Frida deed de deur open en ze sloeg haar armen stevig om me heen toen ze me zag.

'Kom,' fluisterde ze en met een arm om me heen loodste ze me langs de emmer met behangplaksel en de vragende blikken van haar ouders.

Ze duwde me met zachte hand haar kamer binnen en deed de deur achter ons dicht en ik kon in elkaar kruipen in een van haar stoelen. Het was warm op haar kamer, maar ik had het toch koud; de kou kwam van binnenuit en ik huiverde. Frida haalde een dikke plaid uit een van haar kasten en legde die over me heen. Toen ging ze op haar knieën voor me zitten en hield me vast, haar blonde krullen tegen mijn wang en mijn hals.

'Wat is er gebeurd?' vroeg ze. 'Heeft hij het nu alweer uitge-maakt? Wat is er?'

Haar woorden drongen niet tot me door, ik hoorde ze wel

maar ze werden meegesleurd door de wervelstorm en ik begreep ze niet, maar de geur van appelshampoo drong overal doorheen. Dat was een waarheid waaraan ik me kon vasthouden, het meest ware dat ik op dat moment had, en ik snoof hem op door mijn neus en wachtte totdat alles wat door me heen raasde langzaam tot stilstand kwam.

'Hij heeft al die tijd met haar geschreven,' zei ik dof. 'Die stomme zak heeft gewoon verslag aan haar uitgebracht. Ze wist alles wat er gebeurde en ze heeft hem ook geschreven, ze heeft hem al die tijd geschreven…!'

Frida richtte zich op en keek me aan.

'Over wie heb je het?'

'Mijn moeder. Over mijn moeder.'

'Wie heeft contact met haar gehad?'

'Mijn vader!'

Ik zag dat ze het niet begreep. Dat ze het begreep maar toch ook weer niet, en ik wist dat ik het haar niet kon uitleggen. Zoiets kun je niet uitleggen aan iemand die een moeder heeft die in de keuken bearnaisesaus staat te maken en een vader die de gang behangt, zelfs niet als het je beste vriendin is en je van haar het allermeest houdt. Op dit gebied was ze een vreemdeling in een land waarvan ze de taal niet verstond. Daar kon zij niets aan doen, maar het deed pijn om het te zien.

'Maar dat is toch juist goed?' zei ze. 'Dan kun je haar toch schrijven als je wilt. Misschien kun je zelfs naar haar toe gaan. Woont ze nog steeds in Brussel?'

'Je begrijpt het niet,' zei ik. 'Ik vertrouwde hem, hij was de enige op de hele wereld die ik vertrouwde. En nou blijkt dat het al die tijd zijn schuld was!'

'Wat was zijn schuld?'

'Hij is… niet eerlijk geweest. Ik kan er niet meer tegen, Frida. Vraag maar niets meer.'

Ze knikte.

'Je trilt helemaal. Ik ga beneden even een kopje thee voor ons maken. Ga maar lekker liggen.'

Ze klonk moederlijk. Zoals je van je moeder leert en na verloop van tijd tegen je eigen kinderen zult klinken.

'Ik kan nergens heen,' zei ik zacht.

'Jawel,' zei Frida. 'Je bent hier toch.'

Nee, hoe kon Frida het ook begrijpen?

Maar ze kon thee maken en ze kon een fles jatten uit de drankkast van haar ouders, een fles waar nog een bodempje donkere rum in zat. Ze deed een scheutje in mijn thee en langzaam maar onherroepelijk verspreidde de warmte zich door me heen en langzaam verdween de kou. Frida schonk nog meer warmte in mijn korenblauwe aardewerken beker.

'Mijn moeder vraagt of je hier wilt eten. Wil je dat?'

Wilde ik dat?

Ik kon kiezen tussen hier blijven zitten en mezelf zielig vinden of naar hun woonkeuken gaan en me laten onderdompelen in de gezelligheid van de familie Lundström. Ik koos voor het eerste. Ik was bang dat ik zou moeten overgeven van de combinatie van die gezelligheid en luchtige bearnaisesaus.

'Zeg maar dat ik al gegeten heb.'

Ze knikte.

Voordat ze wegging, zette ze de telefoon bij me neer.

'Dan kun je intussen Andreas bellen als je wilt.'

Terwijl ik naar Frida's zachte voetstappen op de trap luisterde, keek ik verbaasd naar het donkerblauwe toestel.

Andreas? Waarom zou ik die in godsnaam bellen? Belde je je vriendje voor dat soort dingen? Maar daar kende ik mijn vriendje nog niet goed genoeg voor. Ik kende hem eigenlijk nauwelijks.

'Preview Phone' stond er op het toestel. Als er toch zoiets bestond. Een apparaat waarmee je naar de toekomst kon bellen, om te kijken wat er allemaal zou gebeuren, wie je in de steek zou laten en wie je zou overhouden.

Op de voorkeuzetoetsen stonden dezelfde codes als bij onze telefoon, al had deze er meer. Ik pakte hem op en drukte op M1. Even was ik bang dat er een ander nummer op de display zou verschijnen, dat van Rachel of Ellen misschien, maar toen zag ik een voor een de cijfers van mijn eigen telefoonnummer verschijnen in het venstertje, terwijl de telefoon een aantal piepjes liet horen. Ik hing op voordat de telefoon zou overgaan en bedacht dat Frida in elk geval was wie ze was. Ook al begreep ze het niet.

Er was iemand die het wél zou hebben begrepen. Iemand aan wie ik alles had kunnen vertellen en die het zou hebben begrepen. Hem kon ik natuurlijk niet bellen. Maar ik wist dat hij zou hebben geluisterd en het zou hebben begrepen en het was best fijn om dat te weten.

Ik deed mijn ogen dicht en was terug bij onze ontmoeting in het Videbergspark. Het was nog maar gisteren, maar het voelde alsof het veel langer geleden was. En tegelijkertijd ook of het nog maar net gebeurd was. Misschien was de tijd in de echte werkelijkheid anders.

Ik keek nog een keer naar de telefoon. Ik wilde dat je tenminste naar de echte werkelijkheid kon bellen, als je dan niet naar de toekomst kon bellen. In gedachten experimenteerde ik daarmee. Wat zou hij zeggen als ik zou bellen en zeggen: 'Hoi, er is weer iets gebeurd, kan ik even met je praten?' Maar misschien zou ik het zo niet zeggen, misschien zou ik gewoon beginnen te vertellen. 'Hij heeft tegen haar gezegd dat ze ons niet meer mocht schrijven! Het was mijn vader!' Hij zou begrijpen waar ik het over had. Meteen. Hij had toch ook gevraagd waarom ze niet meer schreef? Ik streek zacht met mijn vingertoppen over de telefoon en ik vroeg me af wat zijn nummer was. Niet dat ik hem ooit zou bellen. Ik vroeg het me gewoon af.

Nu pas, nu ik daar in Frida's kamer zat na te denken, naast Frida's telefoon, schoot me te binnen dat ik Frida niet had verteld dat ik Adam was tegengekomen. Ik had er geen woord over gezegd toen ik haar gisteravond had opgebeld om over Andreas te vertellen. Aan de ene kant was dat niet vreemd, want het was gewoon een van die dingen die Frida niet kon begrijpen, maar aan de andere kant was het héél vreemd, want Adam was natuurlijk Frida's uitverkorene en we hadden zo ons best gedaan om hen aan elkaar te koppelen. Ze zou het totaal niet begrijpen dat ik haar niet had verteld dat ik hem was tegengekomen en met hem had gepraat. Bovendien zag ik nu ook in dat ik helemaal niets had gedaan om Frida te helpen toen ik zo plotseling met hem alleen was geweest. Ik had zelfs niet aan haar gedacht, ik was helemaal vergeten dat ze bestond.

Wie was er nou een ongelooflijk slechte vriendin?

Opeens werd het een megagroot probleem. Wat kon ik zeggen dat niet onnatuurlijk zou klinken?

'O, trouwens, ik kwam Adam gisteren nog tegen.'

'Wat?!' zou Frida zeggen. 'Waar dan?'

'In het park. Toen ik Tarzan uitliet.'

'Wat deed hij in het park?'

'Niets bijzonders, geloof ik.'

'Heb je met hem gepraat?'

'Eh, ja, even.'

'Wat zei hij? Zei hij iets over mij?'

'Nee, we hebben het alleen even over zijn hond gehad...'

'Heeft hij een hond?'

En dan moest ik haar vertellen over Dombo en dat voelde niet goed, want dat had hij me toch eigenlijk in vertrouwen verteld, dat gevoel had ik tenminste. Ik zou het niet fijn vinden als hij Sebbe of Andreas zou vertellen waar we het over hadden gehad en ik wist heel zeker dat hij dat ook niet zou doen. Ik kon beter niets over zijn hond zeggen. Maar wat moest ik dán zeggen als ze vroeg waarover we het hadden gehad? Hadden we echt niets gezegd dat onbelangrijk genoeg was? De meeste gesprekken bestaan toch voor minstens vijfennegentig procent uit onzin? Maar hoe hard ik ook terugdacht aan mijn ontmoeting met Adam, ik kon niets vinden dat ik zomaar kon doorvertellen.

Ik was niet gewend om iets voor Frida te verzwijgen en al helemaal niet om tegen haar te liegen. Als ik dat deed, zou het alles verpesten. Dan was níets zeggen toch het minst erg. Dat zou ook heel verkeerd voelen, maar ik zag geen beter alternatief. Vlug beloofde ik mezelf dat ik ervoor zou zorgen dat ik niet nog eens in een situatie zou belanden waarin ik moest liegen, of de waarheid achterhouden voor de enige die ik volledig kon vertrouwen, Frida. De geur van appelshampoo en Pleasures. Frida die er altijd was, die altijd voor me klaarstond. Frida met haar glimlach waar je vrolijk van werd. Nee, nooit weer.

Ik liet de telefoon staan en ging op mijn rug op Frida's 1.20 meter brede bed liggen. Wat moest ik nu doen? Ik kon hier toch niet mijn intrek nemen als een soort aanhangsel van de gezellige familie-idylle. Maar waar moest ik anders heen? Was ik maar achttien.

Misschien kwam het wel door het scheutje alcohol op mijn nuchtere maag dat mijn gedachten alle kanten op schoten en dat de problemen opborrelden en weer verdwenen zonder dat er ook maar één werd opgelost. Op een bepaald punt moeten mijn gedachten zijn overgegaan in dromen, want toen ik wakker werd, lag de deken weer over me heen en zat Frida in een van de stoelen te lezen in haar tekstmap van Romeo en Julia. Haar lippen bewogen een beetje, alsof ze probeerde haar tekst vast te laten groeien door haar mond ernaar te vormen.

'So shall you share all that he doth possess,' zei ik vanaf het bed, want dat was het enige stukje van mijn tekst dat me te binnen wilde schieten, 'by having him, making yourself no less.'

Frida keek naar me.

'Jammer dat jij degene bent die me wil laten trouwen met die enge prins die op een wassen beeld lijkt,' zei ze. 'Het was veel leuker geweest als jij mijn voedster was geweest. Meer zoals in de werkelijkheid.'

De voedster. Julia's vertrouwelinge. Degene die de boodschappen tussen Julia en haar geliefde Romeo overbracht. Ik kwam overeind.

'Hoe laat is het?'

'Even over vieren. Je hebt ruim drie uur geslapen.'

'Dat komt vast door die thee.'

Frida glimlachte.

'Nou, dan was dat dus goed. Zal ik wat muziek opzetten?'

Ik knikte. 'Doe maar. Denk je dat je ouders het goed vinden als ik hier vannacht blijf slapen?'

'Tuurlijk. Maar… wat wil je daarna doen?'

'Ik weet niet.'

'Wil je erover praten?'

Ik schudde mijn hoofd.

Frida stond op, zocht een cd uit en deed hem in de cd-speler. Ik deed mijn ogen dicht en luisterde en dacht nergens aan.

Helene maakte een bed voor me op in de logeerkamer en om een uur of acht maakten Frida en ik een paar boterhammen en warme chocolademelk in de keuken. Daarna gingen we weer naar haar kamer en ik overhoorde haar tekst en zij praatte over Adam en hoe ze in elkaars armen zouden sterven en ik keek in de tekstmap zodat ze niet aan mijn ogen zou kunnen zien dat ik hem was tegengekomen. Alsof er in het Videbergspark iets was gebeurd wat niet had mogen gebeuren.

Om halfelf kwamen Helene en Simon ons welterusten wensen en ze herinnerden ons eraan dat er morgen ook weer een dag was, iets waar ik het liefst niet aan wilde denken. Ongeveer een kwartier later werd er aan de deur gebeld.

Adam, dacht ik. Nu komt hij om Frida te spreken en dan zit ik hier vreselijk in de weg.

Misschien dacht Frida wel hetzelfde, behalve dat ik in de weg zat, hoop ik, want ze vloog uit haar stoel en rende snel de trap af. Ik stond ook op en sloop naar de logeerkamer. Voor het geval dat.

Maar een paar minuten later stak Frida haar hoofd om de hoek van de deur.

'Je hebt bezoek,' zei ze.

'Als het mijn vader is, mag je tegen hem zeggen dat hij moet ophoepelen,' zei ik.

'Het is je vader niet,' zei Frida.

Ze deed de deur helemaal open en liet Viktor binnen. Hij bleef in de deuropening staan en keek de kamer rond, een beetje aarzelend en verbaasd, als een straatjochie dat net is binnengelaten in een kasteel.

'Als Kasper je heeft gestuurd, kun je hem vertellen dat het antwoord nee is,' zei ik.

'Maar hij heeft me niet gestuurd,' zei Viktor. 'Juist niet. Hij zei dat ik hier niet naartoe moest gaan, dat we je even met rust moesten laten, maar...'

Hij hield op en keek onzeker naar Frida. Frida keek een paar seconden terug, maar toen begreep ze het, wuifde even, ging de kamer uit en deed de deur achter zich dicht.

'Wat een huis,' zei Viktor.

Ik knikte.

Hij liep de kamer rond, streek met een vinger langs de gordijnen, voelde voorzichtig aan een reusachtige, rijkelijk gedecoreerde Chinese vaas die op een hoektafeltje stond en keek belangstellend naar de vele boekruggen in de boekenkast.

'Jemig, dat er mensen zijn die zó wonen,' zei hij.

'Ben je hiernaartoe gekomen om over de inrichting van het huis te praten of zo?'

Hij draaide zich naar mij toe.

'Nee. Je moet thuiskomen.'

'Ik moet helemaal niets.'

'Kasper vindt het echt heel rot.'

'Dat kan me geen moer schelen. Jij weet niet wat hij heeft gedaan!'

'Jawel. Dat heeft hij me verteld.'

Ik keek Viktor verbaasd aan en wist even niet wat ik moest zeggen. Hij ging op de stoel naast het bed zitten en keek me doordringend aan. Eigenlijk had hij heel aparte ogen, lichtblauw met een donkergrijze ring rond de iris. Ik kende verder niemand met zulke ogen.

'Hij dacht dat hij het goed had gedaan, dat snap je toch wel,' zei Viktor. 'Hij dacht dat we altijd zouden blijven hopen dat ze ooit terugkwam als ze ons bleef schrijven en dat we dan nog veel teleurgestelder zouden zijn als ze niet kwam. Hij dacht dat ze ons steeds maar weer verdriet zou doen. Dat ze ons alleen maar pijn zou doen. Vooral jou. Hij was boos op haar. Razend. Om ons. Begrijp je dat dan niet?'

Ik zei niets. Ik wilde het niet begrijpen. Het was net of je zei dat het beter was om een dier te laten doodhongeren dan het af en toe een klein beetje eten te geven. En dat was toch niet zo? Of wel?

Viktor bleef me aankijken. Hij wachtte op een reactie. Toen hij die niet kreeg, schudde hij zijn hoofd.

'Doe nou niet zo kinderachtig,' zei hij. 'Kasper vindt het echt heel rot. Hij voelde zich toch al zo rot, omdat Maria was weggegaan en zo, en nu maak jij het nóg erger. Hij heeft alleen ons maar. We moeten elkaar helpen, Katrina, wij die zijn overgebleven. Je moet niet alleen maar aan jezelf denken. Kom op nou!'

Ik kon het niet laten om te glimlachen om die preek van mijn elfjarige broertje.

'Ik ben toevallig wel de oudste hoor,' zei ik.

'Daar merk ik anders niets van,' zei Viktor.

'Nee,' zei ik. 'Dat is misschien wel zo.'

'Ga je dan mee naar huis?'

Ik gaf geen antwoord.

'Ouders zijn net gewone mensen,' zei Viktor, 'alleen dan groter.'

'Maar ik vertrouwde hem,' zei ik.

'Je kunt hem toch nog steeds vertrouwen,' zei Viktor. 'Toen je het vroeg, heeft hij het toch gewoon verteld. Toen ik het vroeg, heeft hij het ook gewoon verteld. Iets niet vertellen is toch niet hetzelfde als liegen?'

'Jawel,' zei ik. 'Soms wel. Bijna wel. Dus jij vindt dat het goed was wat hij heeft gedaan?'

Viktor keek naar zijn voeten. Zijn sokken waren grijs; in de linker zat een gat op de hiel.

'Ik weet niet,' zei hij. 'Maar *hij* dacht in elk geval van wel. Jij doet net alsof *zij* belangrijker voor je is dan hij, terwijl hij al die tijd voor ons heeft gezorgd.'

'Dat doe ik helemaal niet. Maar ik heb toch zeker het recht om zelf te bepalen of ik contact met mijn moeder wil of niet. Hij heeft me gewoon laten geloven dat ze ons in de steek had gelaten. Zeven jaar lang!'

'Maar dat heeft ze toch ook! Die brieven die ze schreef stelden toch helemaal niets voor. Ze vroeg toch nooit hoe het met ons ging! Zelfs een klein kind schrijft "hallo, hoe gaat het met je?", maar zij niet, want dat interesseerde haar geen reet!'

Ik hoorde de boosheid in Viktors stem, de boosheid diep binnen in hem die zo dicht bij het huilen lag, en ik bedacht dat we erover hadden moeten praten, we hadden onze moeder met elkaar moeten delen, hij en ik.

'Denk je vaak aan haar?' vroeg ik.

Viktor schudde heftig zijn hoofd. Nu was hij een klein kind. Hij leek totaal niet meer op dat verstandige mannetje dat daarnet nog tegenover me zat. Ik had er eigenlijk niet eens echt bij stilgestaan, ik had altijd aangenomen dat hij zich minder in de steek gelaten voelde dan ik. Hij was nog maar drie toen ze wegging, hij kon zich haar toch niet zo goed herinneren, ik dacht waarschijnlijk dat ze voor hem nooit echt had bestaan. Maar opeens wist ik dat ik het mis had gehad. Heel erg mis. We waren allemaal in de steek gelaten. Beschadigd en aan ons lot overgelaten.

'Hoe laat is het?' vroeg ik.

Hij haalde zijn schouders op.

'Elf uur of zo.'

'Dan kunnen we maar beter gaan. Ik wil niet dat je alleen naar huis gaat zo laat op de zaterdagavond.'

Viktor glimlachte een beetje.

'Ik heb helemaal geen moeder nodig,' zei hij. 'Ik heb jou toch.'

Toen we thuiskwamen, kwam Kasper de gang in lopen. Hij haalde adem om iets te gaan zeggen, maar ik liep meteen door naar mijn kamer en deed de deur achter me dicht. Daarna deed ik hem weer open en stak mijn hoofd om de hoek.

'Hoe laat beginnen we morgen?' vroeg ik.

Het duurde even voordat hij antwoordde. Zijn grijzende haar zat in de war, zijn ogen waren rood en hij zag bleek. Het leek wel of hij magerder was geworden, maar dat kon natuurlijk niet in één middag. Maar misschien was het wel in de loop van de afgelopen weken gebeurd zonder dat ik daar veel aandacht aan had besteed.

'Het eerste kind komt om halfnegen,' zei hij aarzelend.

Ik knikte en deed de deur weer dicht.

Ouders zijn inderdaad net gewone mensen, dacht ik toen ik mijn kleren uittrok en in bed kroop. Alleen groter. Ik deed mijn lamp uit, maar lag nog een hele tijd in het donker te staren terwijl ik aan Viktor dacht. Klein en groot. Bang en moedig. Ik wilde dat ik vijfhonderd euro had voor een echte sterrenkijker. Of een echte moeder. Wat zo iemand ook mag kosten. Viktor verdiende er in elk geval een. Ik zou haar inpakken in Harry Potter-papier met glimmende gouden linten en dan zou ik erbij staan kijken als hij haar uitpakte.

Na een uur kwam er geen geluid meer uit de rest van het huis en ik stond stilletjes op, ging naar de wc en poetste mijn tanden. De deur van Kaspers slaapkamer was dicht, maar ik zag door de kier onder de deur dat er nog licht brandde. Ik had honger, maar als ik naar de keuken zou gaan om iets te maken, zou

Kasper misschien naar me toe komen om te praten, dus ik deed alleen de deur van de koelkast open en nam een paar slokken melk zo uit het pak. Voordat ik weer naar bed ging, keek ik naar buiten door het keukenraam. Het raam schuin tegenover ons was open en de magere man die ik daar had gezien de avond voordat ik weer naar school moest, zat er weer en blies sigarettenrook het donker in. Zou hij daar iedere nacht zitten? Mijn blik ging automatisch naar het raam schuin erboven met de groene gordijnen, maar daar was het licht uit. Maar misschien was ze er wel. Slapend in de armen van een andere man.

Zelf sliep ik niet echt veel die nacht.

Mijn gedachten schoten alle kanten op. Het lukte me niet om ze te ordenen en ik was ook te moe om het te proberen. Ze waren chaotisch en rafelig en de meeste bleven liggen en kwamen nooit aan op hun bestemming. Ongeveer zoals het leger van Karel XII tijdens de terugtocht vanuit Rusland.

Even voor zevenen stond ik op en legde brood, boter en beleg klaar op de tafel. Ik had zelfs het koffiezetapparaat al aangezet toen de deur van Kaspers slaapkamer openging en Kasper eruit kwam stommelen, slaapdronken, ongeschoren en met een warrige haardos.

'O jee, ik geloof dat ik vergeten ben de wekker te zetten...! Heb jij het ontbijt al klaargezet? Wat goed. Lief van je. Ik moet alleen even...'

Hij verdween in de badkamer en ik maakte een boterham met kaas en ham en ging aan tafel zitten.

Ik wilde niet praten en misschien begreep Kasper dat, of misschien wilde hij het ook niet, want we aten en daarna reden we naar de studio en het enige dat hij zei was dat hij het filter van een van zijn camera's kwijt was en dat het fijn was dat ik vandaag kon werken omdat er heel veel mensen waren die hun eenjarige kind wilden laten fotograferen. Daarna volgden de kinderen met hun moeders elkaar in rap tempo op tot aan de lunch. Er was die hele ochtend maar één vader bij en ik bedacht dat mijn vader er in elk geval was geweest. Hij was er geweest als ik een prik kreeg of naar de tandarts moest, als er oudergesprekken waren op school of als er engelenkostuums gemaakt moesten worden voor het kerstspel. Ik herinner me nog dat hij Viktor liet zien hoe je het potje moest gebruiken. Waar was mijn moeder toen?

Kasper had om twaalf uur met Viktor afgesproken bij pizzeria Romana. Hij protesteerde niet toen ik zei dat ik niet mee wilde. In plaats daarvan legde hij een briefje van tien euro op de tafel waar hij zijn foto's altijd op sneed.

'Dan kun je iets halen als je honger krijgt,' zei hij. 'Ik ben vóór enen terug.'

Toen ging hij.

Ik liep een tijdje heen en weer door de studio. Die bestond uit een voorkamertje met een bureau, ingelijste portretten aan de wanden en een paar stoelen voor de mensen die moesten wachten. Dan kwam de eigenlijke studio met de schermen, kabels, lampen en statieven en de sterk ruikende donkere kamer met de flessen en het fotopapier dicht opeengepakt op de planken achter het vergrotingsapparaat en de plastic bakken die naast elkaar op de lange, smalle werkbank stonden. En ten slotte het kleine kantoortje met de half openstaande lades, rommelige stapels papier, de archiefkast en de computer die stil en afgesloten stond te wachten met zijn donkergrijze beeldscherm. Eigenlijk was ik op weg daarheen. Maar ik moest eerst nog even een paar rondjes lopen.

Na een tijdje ging ik op de bureaustoel zitten en liet de harddisk zoemend op gang komen. Terwijl hij met veel geratel Internet Explorer opstartte, bedacht ik dat ik misschien eerst een briefje met het wachtwoord had moeten zoeken, maar dat bleek niet nodig te zijn want het was al ingevoerd, het vakje voor 'wachtwoord opslaan' was aangekruist. Kasper kon het natuurlijk niet onthouden. Ik vroeg me af of Maria deze computer had gebruikt en of ze Kaspers mails ook las. Had ze gezien dat hij met mijn moeder mailde? Had zíj het geweten?

Ook toen ik Outlook opstartte werd er geen wachtwoord gevraagd. Er kwamen twee mailtjes binnen. Allebei uit Amerika. Het ene ging over geld lenen, het andere vermeldde waar je moest zijn als je je penis wilde laten vergroten. Ik verwijderde ze allebei. Daarna bekeek ik voorzichtig de afzenders van de mailtjes in de Inbox. Namen van bedrijven en privé-personen. Een heleboel spam die hij niet had verwijderd. Opeens zag ik het staan: Ingrid Kaspersson.

Ze had kennelijk zijn naam gehouden. Ze had niet haar meisjesnaam weer aangenomen. De cursor ging langs de letters. Ingrid Kaspersson.

Eerst wilde mijn vinger niet klikken. Maar na een tijdje gehoorzaamde hij toch.

*Hallo Olof,*
*Bedankt voor je mail. Fijn om te horen dat alles goed is. Ik heb net een contract getekend voor een groter appartement. Daar was ik echt aan toe!*
*Ik wens jou, Maria en de kinderen alle goeds!*
*Groeten,*
*Ingrid*

Was dat alles?

De mail was gedateerd op 22 augustus. Toen was Maria er al niet meer, maar dat wist Ingrid natuurlijk niet. Ik was blij dat ze het niet wist. Dat hij niet meteen had gemaild om het te vertellen.

Ik klikte naar de map met verzonden items. Dat waren er maar dertien. Een ervan was aan Ingrid Kaspersson gericht. Ik opende hem.

*Hallo Ingrid,*
*Alles is goed hier. Katrina en Viktor zijn allebei heel erg*
*gegroeid deze zomer. Katrina is nu een vrouw. Ze lijkt heel*
*erg op jou, qua uiterlijk. Hun school begint bijna weer. Het*
*laatste jaar onderbouw voor Katrina. Ik zal nooit kunnen*
*begrijpen dat je dit alles niet wilde meemaken. Maar dat doet*
*er niet meer toe.*
*In de studio gaat alles prima. Maria doet het goed, ze foto-*
*grafeert goed en ze regelt de administratie ook prima.*
*Zonder haar zou ik het nooit redden.*
*Groeten,*
*Olof*

Dat was alles. Kaspers mail zei me veel meer dan Ingrids antwoord. Daar zat iets van verbittering in en ook iets van trots.
Mijn dochter is nu een vrouw. Ze lijkt op jou, maar godzijdank
alleen qua uiterlijk. Jij bent gek dat je niet bij ons wilde blijven,
maar dat is vooral jammer voor jou. Jij hebt iets gemist. Wij niet.
Dat is wat hij zei in zijn mail en ik voelde me trots toen ik het las.

Hij had het mis. Het deed er wel toe. En dat wist hij waarschijnlijk ook wel. Maar dat hoefde zij niet te weten.

Opeens bedacht ik iets. Kasper maakte vast af en toe zijn
Inbox leeg, maar hoe vaak leegde hij de map Verwijderde Items?
Vlug klikte ik die aan. Daar zaten ruim zeshonderd mailtjes in.
Het zou wel even duren voordat ik die allemaal had nagelopen,
maar ik had nog minstens twintig minuten.

Heel veel spam. Steeds dezelfde onderwerpen. Seks, Viagra,
geld lenen en penisvergrotingen. Wat waren dat toch voor figuren die de hele dag onbekende mailadressen bestookten met
dat soort dingen?

Na tien minuten leverden mijn inspanningen iets op. Een verwijderde mail van Ingrid Kaspersson, verzonden op 29 mei.

*Hallo Olof,*
*Bedankt voor je mail.*
*Hier is alles ook goed. Ik heb een nieuwe functie gekregen*
*binnen de organisatie, veel interessanter dan eerst. Nu ben ik*
*veel meer betrokken bij het ontwikkelen van het beleid, in*
*plaats van dat ik alleen maar het beleid van anderen door al*
*die saaie papieren instanties moet loodsen. En het is natuur-*
*lijk altijd leuker om te zien hoe iets wat je zelf hebt gecreëerd*
*zich ontwikkelt, dus zelfs het administratieve gedeelte van*
*het werk zal nu interessanter worden.*
*Ik wens jou, Maria en de kinderen een fijne zomer!*
*Groeten,*
*Ingrid*

Ik dacht er niet bij na.
Ik was gewoon kwaad.
Ik klikte op 'beantwoorden' en schreef:

*Je hebt ons ook gecreëerd. Maar toen vond je het zeker niet*
*zo leuk om te zien hoe het zich ontwikkelde.*
*Katrina*

Toen klikte ik net zo snel op 'verzenden'. En toen was het
gebeurd.
Eerst werd ik helemaal koud vanbinnen. Toen helemaal
warm. Het zweet drong door mijn poriën heen naar buiten en ik
rilde. Stel je voor dat ze toevallig net achter de computer zat. Stel
je voor dat ze mijn bericht nu op dit moment ontving. Geen lichtblauw postpapier. Geen glitterstickers. Geen valse kruiperigheid.
Het was een kreet.
Kijk naar me!
Kijk naar me, godverdomme, kutwijf!

Toen Kasper terugkwam, had ik alle sporen van mijn bericht gewist en de computer uitgezet.

Ik had spijt van wat ik had gedaan, maar voor zover ik wist bestond er geen manier om een verzonden mailtje terug te halen. Honderd slangen krioelden door mijn buik. Misschien had Kasper wel gelijk, misschien was het wel beter als ze helemaal weg was. Nu was ze er opeens weer en met haar alle twijfels, alle boosheid en alle ijdele hoop. De leegte was eigenlijk veel rustiger geweest.

Maar helemaal leeg was het eigenlijk nooit geweest. Eigenlijk was ze er altijd geweest. Alleen niet bij ons.

Als je het zo bekeek, was het beter geweest als ze was overleden bij een auto-ongeluk in plaats van dat ze was weggegaan. Een dode moeder is een dode moeder. Met een dode moeder heb je weliswaar ook geen contact, maar dan komt dat niet doordat zij daar geen behoefte aan heeft. Doordat ze je niet meer wilde.

Kasper keek ongerust naar me toen hij zag dat het geld nog op tafel lag, maar hij zei niets. Hij pakte het ook niet terug.

Nieuwe eenjarige kinderen kwamen en gingen. De slangen in mijn buik maakten dat ik me niet goed kon concentreren en ik maakte steeds vergissingen, maar Kasper herstelde mijn foutjes discreet zonder me erop te wijzen. Ik wilde hem wel vertellen over het mailtje dat ik had gestuurd, maar ik wist gewoon niet hoe ik erover moest beginnen en hij hielp me ook niet op weg.

Tegen vieren ging de deurbel midden in een fotosessie. Het was de laatste klant en normaal gesproken was de studio dicht op zondag, dus Kasper en ik keken elkaar verbaasd aan. Hij knikte naar me en gebaarde dat ik maar even moest gaan kijken en boog zich toen weer over zijn camera.

Het was Andreas.

Ik was hem alweer vergeten.

Hij had zijn groene trui aan en hij glimlachte voorzichtig naar me. Zijn blonde haar zag er pas gewassen uit.

'Hoi,' zei hij. 'Viktor zei dat je hier was.'

'Hoi,' zei ik en ik vroeg me tegelijkertijd af of ik hem om de hals moest vliegen. Hoorde dat niet?

Andreas kuchte een beetje ongemakkelijk.

'Moet je nog lang werken?'

'We zijn bijna klaar.'

'Kunnen we daarna niet even ergens heen gaan? Iets gaan drinken... of zo?'

'Ja... natuurlijk. Ga hier maar even zitten.'

Ik ging terug naar de studio, waar Kasper de belichting instelde voor een klein mollig kind in een tuinbroekje.

'Het is Andreas,' zei ik.

Kasper keek op.

'O, ja. Eh. Nou, je mag wel weg als je wilt. Ik moet hier nog een paar plaatjes maken, dan ben ik klaar.'

'Nou, oké, als je het goed vindt.'

Hij knikte naar de tafel naast de donkere kamer waar het briefje van tien nog steeds lag.

'Neem maar mee. Voor als jullie naar de film gaan. Of wat jullie ook gaan doen.'

'Bedankt.'

Ik bedacht een beetje zenuwachtig dat ik zelf ook geen idee had wat we gingen doen, maar het was altijd goed om geld te hebben, dus ik stopte het in mijn zak.

Andreas stond te kijken naar alle foto's in de wachtruimte.

'Mooi,' zei hij. 'Hij is goed, je vader. Ben je al klaar?'

Ik knikte.

We gingen naar buiten en liepen de straat uit.

'Viktor vroeg of we aanstaande donderdag konden gaan oefenen met ijshockey,' zei Andreas.

'O nee hè,' zei ik. 'Waarom moest je hem ook op dat idee brengen?'

'Het is leuk. Ik weet zeker dat je het leuk vindt.'

Ik snoof.

'Ik kan niet eens schaatsen!'

'Dat leer je wel.'

Hij lachte zo zelfverzekerd dat ik wel terug moest lachen.

'Sommigen van jullie zijn echt niet goed wijs,' zei ik.

'Maar jij ziet er heel lief uit als je lacht,' zei Andreas. 'Dan voel ik me helemaal vreemd vanbinnen.'

Toen ving hij mijn hand en hield hem vast.

Het voelde gek en een beetje spannend om hand in hand met Andreas over de stoep naar de stad te lopen. We zeiden een hele tijd niets. Ik keek voorzichtig naar iedereen die we tegenkwamen om te kijken of ze het zagen.

Toen we bijna bij Café Miranda waren, hield Andreas een beetje in. Hij had rode wangen en zijn ogen schitterden blij en een beetje ondeugend.

'Durf jij?' vroeg hij terwijl hij naar de deur knikte.

'Natuurlijk,' zei ik. 'Als jij durft, durf ik ook.'

Er konden daarbinnen mensen uit onze klas zitten, de halve school kon er zitten. En Andreas en ik liepen hand in hand. Het was een beetje lastig om de deur door te komen, maar we lieten niet los. Ik durfde nauwelijks om me heen te kijken.

'Wat wil jij?' vroeg Andreas.

Opeens voelde ik dat ik sinds het ontbijt niets had gegeten en ik dacht aan het briefje van tien in mijn zak. Wilde hij me trakteren? Dan kon ik geen broodje nemen, of iets anders duurs. Ze hadden ook hele lekkere taart. Niet van die kleine ronde gebakjes die je in de diepvries van de supermarkt koopt, maar echte grote punten die uit megagrote, heerlijk geurende taarten werden gesneden en die zelfgebakken smaakten. Maar zoals ik al zei, ik wist niet of Andreas wilde trakteren en of ik hem dat zou laten doen, alleen om een keertje te zijn getrakteerd door mijn vriendje. Dan kon ik de volgende keer betalen.

'Thee en een... kaneelbroodje?'

Dat laatste klonk als een vraag en dat was het ook bijna. Maar Andreas liet mijn hand los en zette theeglazen en broodjes op een blad en toen hij wilde betalen protesteerde ik maar een klein beetje, voor de vorm.

Hij droeg het blad en ik liep achter hem aan door de mintgroene ruimte naar het hoekje waar Frida en ik ook altijd zaten als we hiernaartoe gingen. Ik bedacht dat Frida hier ook best kon zijn, met Rachel en Ellen of zo, en ik haalde diep adem en eindelijk lukte het me om mijn blik op te slaan en om me heen te kijken.

Frida was er niet, maar Ellen en Rachel zaten inderdaad aan een van de tafeltjes en keken stomverbaasd naar ons. Aan de grote ronde tafel in de hoek zaten Sebbe, Anton en nog een paar jongens uit 3 B. Tove en Linda zaten verderop aan een tafeltje bij de muur met ieder een koffie verkeerd voor zich.

Andreas zette het blad op het tafeltje dat het dichtst bij de hoektafel stond en hij grijnsde naar Anton en Sebbe.

'Hebben jullie je verslikt in je gevulde koek of zo?' vroeg hij.

Sebbe barstte los in een soort geloei en de anderen vielen hem bij met gefluit en geroep en ik voelde dat mijn wangen gloeiend heet werden. Andreas lachte alleen maar trots en stoer en ik wilde dat ik meer zoals hij was. Opeens ontmoette ik Rachels blik.

'Waar is Frida?' vroeg ze.

Alsof ze dacht dat ik absoluut niet kon leven en ademen als Frida niet bij me was.

'Dat weet ik niet,' zei ik.

Maar tegelijkertijd werd ik overvallen door een slecht geweten. Ik had haar natuurlijk moeten bellen voordat we weggingen. Het was ook allemaal zo snel gegaan.

De stoelen in Café Miranda waren van wit gietijzer met groene stoffen zittingen. Als je zo'n stoel over de stenen vloer schoof, gaf dat een vreselijk schrapend geluid. Maar de stoelen waren zo zwaar dat ze heel moeilijk waren op te tillen als je wilde gaan zitten. Omdat wij al sinds de brugklas minstens één keer per week naar Café Miranda gingen, hadden we ons allemaal aangewend om de stoelen te verplaatsen op een soort trek-til-manier die niet zoveel herrie maakte maar ook weer geen overdreven krachtsinspanning vergde. Na verloop van tijd deed je dat zonder erbij na te denken. Een nieuweling werd direct opgemerkt. Of een stikzenuwachtige Katrina. Want natuurlijk mislukte het net vandaag bij mij, voor het eerst sinds eeuwen, en ik veroorzaakte een afschuwelijk geschraap toen ik mijn stoel naar achteren schoof. Ellen glimlachte medelijdend naar me en ik glimlachte terug.

'Mag ik je mobieltje even lenen?' vroeg ik. 'Heel eventjes maar?'

Ze gaf me haar Nokia zonder iets te vragen.

'Ik moet alleen Frida even bellen, om te zeggen waar we zijn,' legde ik Andreas uit.

Andreas wendde zich van de anderen af en keek me aan.

'Moet dat echt?' vroeg hij zacht.

'Ja,' zei ik.

Ik ontweek zijn blik terwijl ik Frida's nummer intoetste. Niemand mocht tussen Frida en mij komen. Niemand kon mijn trouw aan haar doorbreken....

Ze nam zelf op.

'Hoi,' zei ik. 'We zitten in Miranda.'

'Wie zijn we?'

'Andreas en ik. En Ellen en Rachel en Sebbe en Anton zijn er ook. En nog een paar anderen.'

'Is Adam er ook?'

Er ging een vreemde steek door me heen. Als een elektrisch schokje. Ik begreep niet precies waarom. Kwam het doordat ik die naam hoorde, of doordat ik niets aan Frida had verteld over onze ontmoeting, of was het het idee dat hij daar had kunnen zitten toen Andreas en ik hand in hand binnenkwamen? Alsof dat iets uitmaakte.

'Nee,' zei ik na een pauze die ongeveer een halve seconde te lang duurde.

'Jammer.'

'Kom je?'

'Wil jij dat? Ik bedoel, wil je niet alleen zijn met Andreas? Want dat vind ik echt oké hoor.'

Ik werd warm vanbinnen. Frida, Frida, Frida. Misschien had zij ook die rat voelen knagen in haar buik. Misschien was zij ook wel bang. Ze nam in elk geval niet als vanzelfsprekend aan dat ze welkom was.

'Doe niet zo gek, joh,' zei ik. 'Natuurlijk moet je komen.'

Ik gaf Ellen haar mobieltje terug en ontmoette Andreas' blik. Hij zag er gekwetst uit.

'Moest je haar nou echt overhalen, ze wilde niet eens,' zei hij.

'Je begrijpt het niet,' zei ik. 'Natuurlijk wilde ze wel. Wat heb je eigenlijk tegen Frida?!'

Andreas keek vlug om zich heen, alsof hij wilde weten of iemand had gehoord wat ik zei. Zelfs hij begreep kennelijk dat het bijna strafbaar was om iets tegen Frida te hebben.

'Niets,' zei hij toen. 'Ze is aardig en lief en wat je verder nog wilt. Maar als zij erbij is, draait alles alleen om haar.'

'Dat is niet waar!' protesteerde ik heftig. 'Frida geeft heel veel om andere mensen! Ze...'

Hij zwaaide afwerend met zijn hand om me te kalmeren.

'Zo bedoelde ik het niet. Ik bedoel alleen dat iedereen zich opeens anders gaan gedragen, iedereen doet en zegt dingen waarvan ze denken dat het indruk op haar zal maken. Sebbe gaat heel raar doen en Anton ook en laten we het maar helemaal niet hebben over hoe Ellen en Rachel zich gedragen! Ze is toch zeker geen godin of zo?'

Ik schudde mijn hoofd.

'Jíj bent degene die raar doet,' zei ik.

Maar ik wist eigenlijk best wat hij bedoelde. Hij overdreef, maar het was niet helemaal onzin. Maar dat was toch logisch. Iedereen wilde dat Frida hem of haar aardig vond, ik wilde ook dat Frida mij aardig vond. Wat was daar verkeerd aan?

Andreas glimlachte even en schoof zijn stoel dichter naar de mijne toe zodat hij zijn arm op mijn rugleuning kon leggen. Hij raakte zachtjes mijn rug en mijn schouders aan zonder dat hij echt een arm om me heen sloeg.

'Nee hoor,' zei hij. 'Júllie zijn blind. Maar ik denk dat ik het maar gewoon moet pikken, omdat ik nu eenmaal verliefd ben op de hogepriesteres van de Fridacultus.'

Ik voelde dat ik boos begon te worden omdat hij zo sarcastisch deed over de vriendschap tussen Frida en mij, maar dat ene woord verdrong al het andere naar de achtergrond.

Verliefd.

Dat was een groot woord. Een woord dat de hele ruimte van Café Miranda vulde en iedereen die daar zat overschaduwde. Ik durfde hem niet aan te kijken, maar toen zijn hand van de stoelleuning naar mijn schouder kroop, leunde ik iets verder naar hem toe. Ik voelde de warmte van zijn lichaam tegen mijn linkerarm.

'Wil je me iets beloven?' vroeg hij.

'Wat dan?'

'Als ik braaf ben en jou en Frida een uurtje of zo jullie gang laat gaan en zoveel laat fluisteren en tutten als jullie willen, ga je dan nog even met me mee naar huis? Jij alleen, bedoel ik?'

Ik voelde dat mijn bloed sneller door mijn lijf begon te stromen en dat mijn handpalmen vochtig werden. Maar je kunt je vriendje natuurlijk niet steeds maar wegduwen, zoals ik al zei. En ik wilde ook best met hem alleen zijn. Een beetje.

'Oké,' zei ik. 'Dat is goed.'

'Mooi zo.'

'Maar al die zusjes en broertjes dan waar je het over had?'

'Die zijn met mijn vader en moeder naar ons vakantiehuisje.'

'Zó, hebben jullie een vakantiehuisje?'

Andreas knikte.

'Het is maar een oud krot hoor. Maar best gezellig. Je kunt er bijna helemaal met de bus komen, dus we kunnen er wel een keer naartoe gaan.'

'Leuk.'

Het was heel gek. We hadden verkering, maar we wisten niets van elkaar. De wereld van Andreas opende zich stukje bij beetje voor me. IJshockey. Broertjes en zusjes. Vader en moeder. Vakantiehuisje.

Ik keek onopvallend naar hem. Mijn vriendje.

Frida kwam. Ze had een bruine velours heupbroek aan en een beige top die haar hele buik bloot liet. Over haar schouders hing het zachte bruine leren jasje dat ze de vorige herfst had gekocht. Ik weet nog dat er toen een steek van jaloezie door me heen ging. Het jasje was over de tweehonderd euro. Het stond mij ook heel leuk, maar voor mij was het totaal onbereikbaar. Ik bedoel niet dat ik Frida het jasje misgunde, natuurlijk mocht ze het hebben, ik bedoel alleen dat ik het jammer vond dat ik niet ook zo'n jasje kon kopen. Dat had Frida waarschijnlijk gezien, want ze zei dat ik het mocht hebben als ze er genoeg van had. Maar zover was het nog niet, wat ik ook best begreep.

Frida omhelsde me stevig en ik schaamde me voor mijn gedachten over het jasje en omhelsde haar even stevig, zodat haar blonde geurende haren in mijn gezicht kriebelden.

'Zo, zo, Andreas!' riep Sebbe hard. 'Klemt ze zich ook zo aan jou vast?'

Anton zat naast hem te grijnzen.

'O ja,' zei Andreas kalm. 'Ze is net een boa constrictor.'

Ik wist niet goed of dat een compliment was of een beledi-ging, maar Andreas glimlachte vrolijk naar me dus ik koos voor het eerste en glimlachte terug.

Frida haalde koffie en een pistoletje met kaas en kwam bij ons aan het tafeltje zitten.

'Hebben jullie zoveel kapsones dat jullie niet eens hier willen zitten?' zei Anton.

Er bestond een soort rangorde tussen de tafeltjes in Café Miranda. Ongeveer net zoals je in de klas betere en minder goede plaatsen had. In de klas moest je het liefst helemaal achterin aan de raamkant zitten. In Miranda moest je aan de grote ronde hoektafel zitten of anders aan een van de kleinere tafeltjes die daar het dichtst bij in de buurt stonden. En dan liefst bij het raam. Frida zat natuurlijk aan de hoektafel, als er tenminste geen bovenbouwers waren die het in hun hoofd hadden gekregen om daar te gaan zitten. Maar dan gingen wij meestal ergens anders naartoe.

Over die tafelindeling werd niet gepraat. Het was gewoon zo.

Nu kwam iedereen rond de hoektafel zitten, ook Ellen en Rachel verhuisden ernaartoe nu Frida op haar vaste plaats zat, en meteen was de orde weer hersteld en de sfeer ontspannen. Andreas' arm lag op mijn stoelleuning en dat was een fijn gevoel. Alsof we de anderen iets duidelijk wilden maken. Ellen en Rachel waren de avond ervoor naar Göteborg geweest, naar een concert dat blijkbaar heel goed was geweest. Frida vertelde over een wijnproeverij in de Provence waarbij ze zoveel wijn had geproefd dat ze niet eens meer recht kon lopen toen ze met haar ouders terugging naar de auto. Iedereen lachte om Anton die het in zijn kop had gekregen dat hij alvast wilde beginnen met autorijles en zijn vaders auto had geleend toen ze op bezoek waren bij zijn opa en oma op het platteland. Het was ermee geëindigd dat hij de hoek van de schuur had vernield en recht in een stapel hooibalen was gereden.

Na ruim een uur klemde Andreas even zijn arm om mijn schouder en toen stond hij op.

'Nou, wij gaan ervandoor,' zei hij. 'Katrina heeft beloofd dat we onze teksten voor het toneelstuk gaan repeteren.'

'O ja,' zei Sebbe. 'Natuurlijk! Doe maar goed je best hoor!'

Iedereen grinnikte en ik voelde dat ik weer rood werd en ik vervloekte mijn bloed dat niet gewoon kon blijven waar het was, maar op de meest ongelegen momenten per se als een idioot naar mijn wangen moest stromen.

Frida keek me aan met een blik die zei dat ik haar vanavond moest bellen en ik keek terug met een blik die zei dat ik dat zou doen. Toen pakte ik Andreas' uitgestoken hand en liep samen met hem naar buiten.

'Shit, wat keken die verbaasd toen we binnenkwamen!' zei hij vrolijk.

Ik lachte. Het klonk een beetje gemaakt, maar ik was zenuwachtig.

'Maar Anton wist het natuurlijk al,' zei Andreas.

'Wat wist hij al?' vroeg ik. 'Dat wij iets met elkaar hebben?'

'Nee, dat niet. Maar wel dat ik jou leuk vind. Hij pest me ermee zo vaak hij maar kan.'

Ik keek voorzichtig naar hem. Er is zoveel dat je niet weet over jongens. Wat ze zeggen en doen bijvoorbeeld als er geen meisjes bij zijn. Waren Andreas en Anton net zoals Frida en ik?

Ik probeerde me hen voor te stellen terwijl ze naast elkaar op Antons bed zaten en over mij praatten, wat ik had gezegd, *hoe* ik het had gezegd en wat het zou kunnen betekenen. Dat idee was zo onwaarschijnlijk dat ik bijna hardop begon te lachen. Maar zoals ik al zei, er is zoveel dat je niet weet over jongens.

De flat waarin Andreas woonde was van rode baksteen en had drie verdiepingen. Hun woning was groot en stond vol verhuisdozen. Hij had inderdaad gezegd dat ze een vrijstaand huis hadden gekocht in Ängsbacken en dat ze bijna gingen verhuizen, maar dat was ik alweer vergeten.

Andreas had blauw behang in zijn kamer. Boven zijn bed hing een poster van Peter Forsberg in volle ijshockeyuitrusting. Gelukkig stond zijn naam op de foto, dus ik hoefde mezelf niet belachelijk te maken omdat ik hem niet herkende. Ik had Andreas ook bijna niet herkend met zijn helm op. Een witte boekenkast gaapte ons leeg tegemoet en daarnaast stonden vier verhuisdozen op elkaar gestapeld. Op de grond stond een stereo en bij het raam een zitzak met een lamp ernaast. In een van de hoeken stond een kleine televisie. Er waren geen gordijnen, maar op de brede vensterbank stonden een heleboel kleine potjes met allerlei verschillende cactussen. Het waren er zeker twintig. Het zag er grappig uit.

'Spaar je die dingen?' vroeg ik.

'Vroeger,' zei Andreas. 'En ze blijven maar leven, al vergeet je ze water te geven.'

'Ze zijn mooi,' zei ik. 'Maar ze prikken wel.'

'Sommige hebben van die vervelende dunne stekeltjes die je bijna niet ziet maar die recht in je vingers prikken en ontzettend veel pijn doen,' zei hij. 'Die zijn het ergst. De andere kun je leren beetpakken.'

Hij stak zijn hand uit en legde hem om een cactus die helemaal rond was en zo groot als een tennisbal. Hij had grove stekels die er vlijmscherp uitzagen. Andreas tilde hem op en hield hem voor mijn neus.

'Wow,' zei ik. 'Mijn vriendje is een fakir.'

Hij zette de cactus weer neer en glimlachte een beetje.

'Ik zou alles doen om indruk op jou te maken,' zei hij.

Toen raakte hij zacht mijn hals en schouder aan.

'Hoe is het nu thuis?'

Eerst begreep ik niet wat hij bedoelde, maar toen herinnerde ik me dat ik vrijdag had gezegd dat er problemen waren thuis. Nu vroeg ik me af of hij het écht wilde weten, of dat hij er alleen maar achter probeerde te komen of ik vandaag wel in was voor een beetje zoenen en friemelen. Friemelen was een naar woord. Ik verdrong het. En ik had helemaal geen zin om over Maria en mijn moeder en al het andere te vertellen, dus misschien was het maar beter ook als het hem niet echt interesseerde. Het mailtje dat ik mijn moeder had gestuurd, dook op in mijn hoofd, maar ook dat drong ik snel weer naar de achtergrond.

'Gaat wel,' antwoordde ik, en Andreas trok me voorzichtig naar zich toe.

Misschien was er iets mis met mij.

Zijn handen bewogen zich heel zacht en onderzoekend, zijn kussen vertelden me dat hij echt om me gaf, dat hij hiernaar had verlangd, dat alles precies was zoals het moest zijn. En toch.

Ik probeerde het echt. Ik liet me meevoeren naar het bed, ik sloeg mijn armen om hem heen, kuste hem in zijn hals, streelde zijn blote rug onder zijn trui, liet hem aan me komen, liet zijn handen onder mijn T-shirt gaan, op zoek naar mijn borsten, ik hielp hem zelfs mijn bh open te maken zodat zijn hand zich rond mijn borst kon sluiten zonder dat er stof tussen zat, hij ademde zwaar en warm tegen me aan.

Eigenlijk weet ik niet wat ik er verder nog over moet zeggen. Het was niet onplezierig. Ik was ook niet bang. Andreas was heel voorzichtig, het leek wel of hij zich vragend een weg zocht over mijn lichaam hoewel ik zijn hart voelde bonken in zijn borstkas. Mijn hart klopte ook, maar meer zoals wanneer je in de rij staat voor een spannende attractie waar je nog nooit in bent geweest. Zoals wanneer je voor de eerste keer in de 'Vrije val' gaat bijvoorbeeld.

Ik wist niet goed wat hij wilde, hoe ver hij wilde gaan. Hij ging met zijn hand naar beneden, over mijn buik en legde hem tussen mijn benen, drukte zachtjes. Maar toen hij probeerde mijn broek open te maken, moest ik hem tegenhouden, op een bepaald punt moest ik dat doen, want ik was nog niet klaar voor alles, dat voelde ik en ik pakte zijn hand en leidde hem weer naar boven, terug over mijn buik naar minder gevaarlijk gebied.

'Ik... wil niet,' stamelde ik zacht. 'Dat niet.'

Andreas lag heel dicht bij me en ademde in mijn haar.

'Oké,' mompelde hij terwijl hij zijn hand weer om mijn linkerborst legde. 'Je bent nog maagd, hè?'

Ik knikte.

'Jij niet dan? Ik bedoel, heb jij... het al gedaan?'

'Hm. Maar dat was heel anders dan dit. Het was op een feest. Ik wil er liever niet over praten.'

Jammer. Ik wilde het wel weten. Maar het was niet iets waarover je kon doorvragen. Ik wist niet zo goed wat ik ervan moest vinden dat hij het al eens had gedaan. Dat verstoorde op de een of andere manier het evenwicht tussen ons. Maar het was natuurlijk beter als je het met een jongen met ervaring deed, dat zeiden ze altijd. Had je trouwens 'ervaring' als je het één keer had gedaan op een feest? Meer ervaring dan ik natuurlijk, dat was duidelijk. Honderd procent meer ervaring. Ik vroeg me af of het iemand was geweest die ik kende. Waarom dacht ik de hele tijd zoveel? Was dat echt nodig? Het leidde ontzettend af.

Andreas veranderde van houding. Hij legde zijn ene been over het mijne heen en drukte zich voorzichtig tegen me aan zodat ik de harde bobbel in zijn spijkerbroek voelde tegen mijn dij.

'Voel je dat?' fluisterde hij.

Ik knikte en ik vroeg me af hoe hij kon denken dat ik het niet zou voelen.

'Dat komt door jou,' mompelde hij. 'Dat komt doordat je zo mooi en zo lekker bent. Maar het doet nu bijna pijn. Na een tijdje gaat het pijn doen.'

Eindelijk kwam ik eens iets te weten. Mijn lichaam reageerde meer op wat hij zei dan op zijn onderzoekende handen. Ik wilde dat hij nog meer zou zeggen. Over hoe het voelde.

'Wil je hem niet even vasthouden? Heel even?'

'Jawel,' zei ik. 'Als jij stil blijft liggen en je ogen dichtdoet.'

Hij ging meteen op zijn rug liggen, met zijn ogen dicht.

Ik steunde op mijn elleboog en keek naar hem. Zijn gezicht. Overgeleverd en verwachtingsvol tegelijk. Zijn trui was omhoog geschoven en zijn buik was bloot. Zijn borstkas ging op en neer alsof hij had hardgelopen. Of gehockeyd. Zijn spijkerbroek puilde uit. Ik wilde hem tevoorschijn halen. Zien hoe hij eruitzag.

'Zweer je dat je stil blijft liggen en je ogen dichthoudt?' vroeg ik nog een keer.

Andreas knikte zonder zijn ogen open te doen.

Ik glimlachte even. Het was nu meer een spelletje. Een spannend spelletje.

Hij ademde diep in toen ik de knoop openmaakte en de rits naar beneden trok. Verbaasd keek ik hoe hij omhoog kwam onder de blauwe onderbroek. Werden die dingen zó groot? Moest dat er helemaal in?

Met een beetje moeite schoof ik zijn spijkerbroek en zijn onderbroek tot halverwege zijn dijen. Ik keek naar hem om te zien of hij niet stiekem keek en streek toen zachtjes met mijn hand over zijn stijve piemel die schuin omhoog naar zijn buik wees. Hij was hard en zacht tegelijk. En warm. Bijna heet. Andreas liet een halfgesmoorde kreun horen en legde zijn armen over zijn gezicht. Ik haalde ze er meteen weer af en duwde ze naast hem neer.

'Je hebt beloofd dat je stil zou blijven liggen,' zei ik.

'Je weet niet hoe erg dit is!' zei hij gekweld.

Maar hij lachte ook een beetje.

Ik voelde me op een hele nieuwe manier aanwezig toen ik mijn hand opnieuw om Andreas' piemel legde. Het leek wel of ik zwaarder werd en ik voelde mijn bloed duidelijk door me heen kloppen. Mijn hand vond wat hij voelde prettig. Ik friemelde en onderzocht, streelde omhoog en omlaag en keek naar Andreas toen hij zijn lippen opeenklemde en zijn hele lichaam spande voordat het eruit spoot. Niet in een lange straal, zoals ik me had voorgesteld, maar schoksgewijs, golfje na golfje over zijn buik, een lichte vlek op de onderkant van zijn trui en een beetje op mijn hand. Warm en glibberig.

Zoals ik al zei: eindelijk kwam ik eens iets te weten.

Andreas lag stil, hij hijgde.

'Nu mag je weer kijken,' zei ik een klein beetje giechelig.

Hij deed zijn ogen open en die waren anders. Helderder. Warmer.

'Begrijp je nou hoe verliefd ik op je ben?' vroeg hij.

Ik schudde mijn hoofd en ging weer naast hem liggen. We bleven een hele tijd stil liggen.

Toen ik ongeveer een uur later weg wilde gaan, pakte hij me opeens bij mijn schouders en keek me aan.

'Ga je nu meteen Frida bellen om haar alles te vertellen? Alle details?'

Ik gaf geen antwoord, want opeens was dat niet meer zo vanzelfsprekend.

'Zou jij het leuk vinden als ik Anton of Sebbe belde en hun precies vertelde wat jij hebt gedaan en hoe jouw borsten voelen en zo?' vroeg hij.

Als hij het zei klonk het heel naar. Ik schudde mijn hoofd.

'Denk daar dan aan,' zei hij met een zachtere stem. 'Denk daar dan even aan voordat je haar belt.'

Ik knikte.

Hij omhelsde me.

'Tot morgen,' mompelde hij. 'Ik verlang er nu al naar.'

Toen ging ik weg.

Het was kouder geworden en ik liep stevig door naar huis.

Frida níet bellen was ondenkbaar.

Frida wél bellen zou verkeerd zijn tegenover Andreas.

Want ik kon natuurlijk niet bellen en zeggen dat ik niets wilde vertellen. Dat zou bijna hetzelfde zijn als helemaal niet bellen. Ik zat een hele tijd te staren naar de M1-toets, voordat ik uiteindelijk besloot tot een compromis. Ze zou een gecensureerde versie van het verhaal te horen krijgen, zodat ik Andreas maar een klein beetje verried.

Terwijl de telefoon overging, vroeg ik me af of het echt beter was om twee mensen half te verraden dan een van beiden helemaal.

Was dit een van de redenen waardoor je bijna altijd je vriendin kwijtraakte als je verkering kreeg? Maar dan moest die jongen toch meer voor je betekenen dan je vriendin? Andreas zou nooit belangrijker voor mij worden dan Frida. Echt nooit. Ik had toch eigenlijk verkering met hem gekregen omdat zíj dat een goed idee vond. Ja, hij was natuurlijk best lief en zo, maar het was er toch allemaal om begonnen dat Frida had gezegd dat we dan met z'n vieren dingen konden doen. Zij, Adam, Andreas en ik. Dus als ik Andreas zou verraden zodat hij het misschien zou uitmaken, zou ik Frida ook verraden.

Net toen ik midden in die ingewikkelde gedachtegang zat, nam Frida hijgend de telefoon op.

'Hoi!' zei ze. 'Ik zag op de telefoon in de keuken dat jij het was, dus ik moest eerst naar mijn moeders werkkamer rennen om te zeggen dat het voor mij was, en toen naar mijn eigen kamer om op te nemen, zodat we tenminste ongestoord kunnen praten!'

Ik was echt van plan om me aan de gecensureerde versie te houden, maar dat lukte niet al te best. De vragen werden op me afgevuurd. 'Jemig, en wat deed hij toen?' 'En wat deed jij?' 'Hoe voelde het?' 'Maar hóe deed hij dat dan?' 'Was het zoals ze zeggen?' Enzovoort.

Dat was normaal. Het was heel vanzelfsprekend. Tot een uur geleden.

Nu had ik het gevoel dat ik Andreas met ieder woord dat ik zei verried, dat ik hem uitkleedde en te kijk zette en precies deed wat hij me had gevraagd niet te doen.

Toen Frida zo'n beetje alles wist, moest ik het laatste ook wel vertellen. Wat hij had gezegd over haar bellen en alles vertellen. Over hoe ik het zou vinden als hij Anton en Sebbe zou bellen om het te vertellen.

Frida bleef een paar seconden stil.

'Wat een eikel!' zei ze toen. 'Dat is toch heel iets anders, dat begrijp je toch wel!'

'Is dat zo?'

'Je weet toch hoe jongens zijn als ze over dat soort dingen praten! Ze scheppen op en overdrijven en vernederen de meisjes!'

'Maar ik denk niet dat hij dat bedoelde. Ik denk eigenlijk dat hij bedoelde dat hij álles zou vertellen. Stel je voor dat Sebbe precies zou weten hoe ik hem heb vastgepakt en dat... Ik zou me echt kapot schamen als ik weer op school kwam!'

Frida was weer stil. Het leek wel of ik de stilte kon horen. Of ik hem hoorde suizen in de telefoon.

'Bedoel je dat je het niet wílde vertellen?' vroeg ze na een poosje. 'Dat je er spijt van hebt, of dat ik je heb gedwongen of zo?'

'Nee...' zei ik. 'Jij zou het toch ook verteld hebben, over Adam? Ik bedoel, als er iets was gebeurd?'

'Natuurlijk. Dat weet je toch.'

'Oké. Maar ik bedoel gewoon... nou ja, je hoeft het op school toch niet te laten merken, zodat hij niet te weten komt dat ik het tóch heb gedaan.'

'Wat denk je eigenlijk dat ik van plan ben? Naar hem toe rennen en zeggen dat ik weet hoe zijn pik eruitziet?'

'Nee, maar... eh... je snapt toch wel wat ik bedoel?'

'Ja,' zei Frida koeltjes. 'Ik kan ook doen alsof ik je helemaal niet ken als je dat graag wilt!'

De stilte suisde nu nog harder door de telefoon. Even dacht ik dat ze zou ophangen en ik klemde de hoorn stevig tussen mijn beide handen, alsof ik haar daarmee zou kunnen tegenhouden. Mijn ogen prikten en de stilte aan de andere kant van de lijn groeide uit tot een gebulder. Ik had natuurlijk tegen Andreas moeten zeggen dat híj nooit zou kunnen bepalen wat ik wel of niet aan Frida mocht vertellen, dat hij ons nooit uit elkaar zou krijgen, dat ik alleen verkering met hem wilde op voorwaarde dat wij vriendinnen konden blijven. Opeens was het me volkomen duidelijk. Waarom begreep ik dat nu pas?

'Sorry,' fluisterde ik in het gebulder.

De stilte veranderde, het werd weer een suizen.

'Nee, ík moet sorry zeggen,' hoorde ik door het gesuis heen en haar stem klonk nu heel anders. 'Ik ben alleen zo ontzettend bang, Katrina... Het is misschien heel stom, maar jij bent mijn beste vriendin en ik zou het zo erg vinden als... nou ja, als je mij aan de kant zette voor een jongen. Begrijp je dat?'

Ik begreep het en ik begreep het ook weer niet. Ik begreep het omdat ik me precies hetzelfde had gevoeld toen Frida haar offensief was begonnen om Adam te strikken en ik begreep het niet omdat Frida zoveel vriendinnen kon krijgen als ze maar wilde, ze stonden in de rij om haar beste vriendin te worden. Ik wist zeker dat Rachel er alles voor zou doen om Frida's beste vriendin te mogen worden, al zou ze er Ellen voor moeten dumpen. Maar Frida wilde mij. Mij!

'Jij bent belangrijker dan hij,' zei ik met een halfverstikte stem. 'Veel belangrijker.'

'Ik heb me dom aangesteld,' zei Frida. 'Tot morgen!'

'Hm. Welterusten.'

'Jij ook.'

'Dag.'

'Doei.'

Ik hoorde de klik maar hield de telefoon nog even tegen mijn oor, alsof ik wist dat ze zo weer aan de lijn zou komen. En alsof Frida wist dat ik wachtte, pakte ze de telefoon na een paar seconden weer op en zei: 'We gaan morgen repeteren, niet vergeten hè! Ik ga in zijn armen sterven, Katrina!'

Toen hing ze op en ik ook.

Opeens merkte ik dat ik ontzettende honger had. Het kaneelbroodje was allang weer verteerd en tot op het laatste atoom verbruikt.

Terwijl ik de koelkast doorzocht, kwam Viktor de keuken binnen in zijn favoriete pyjama met de ruimteschepen. De mouwen en broekspijpen waren veel te kort, de kleuren verbleekt en de stof versleten.

'Ga je eten?' vroeg Viktor.

Ik knikte zonder iets te zeggen, want ik had al een plak ham en twee happen augurk in mijn mond gepropt.

'Kunnen we geen eieren bakken?'

Even later zaten we elk aan een kant van de tafel met een hele maaltijd tussen ons in. Een berg gebakken eieren met spek, boter, brood, kaas, augurken en melk.

Ik dacht aan de mail die ik aan mijn moeder had gestuurd en dat ik dat eigenlijk aan Viktor moest vertellen, maar ik wist niet goed hoe. Misschien zou hij denken dat ik onze enige kans om weer contact met haar te krijgen, had verspeeld. Misschien was dat ook wel zo. Maar hij moest in elk geval weten wat ik had gedaan. Ik probeerde net een goede manier te bedenken om erover te beginnen, toen de deur van Kaspers slaapkamer openging en hij om de hoek keek.

'Wat zijn jullie in godsnaam aan het doen?' zei hij toen hij ons zag. 'Ik dacht al dat ik eten rook! Moeten jullie niet eens naar bed?'

Achter hem zag ik zijn bedlampje schijnen op een opengeslagen boek dat met de rug naar boven op zijn kussen lag. Kasper kwam naar de tafel toe en keek naar de schaal met eieren en spek, waar nu nog maar één gebakken ei, wat geelbruine restjes vet en een stukje spek op lagen.

'Hm,' zei hij. 'Hm. Mag ik meedoen, of is het een privéfeestje?'

Ik stond op.

'Je mag op mijn plek zitten,' zei ik. 'Ik heb genoeg gehad. De laatste moet afwassen.'

Viktor vloog onmiddellijk overeind.

'Neem maar,' zei hij. 'Ik hoef niet meer.'

'Hm,' zei Kasper. 'Nou, bedankt.'

Ik dacht dat ik echt niet zou kunnen slapen die nacht. Het mailtje aan mijn moeder, het avontuur in Andreas' kamer en mijn gesprek met Frida. Dat was wel een beetje veel voor één dag. Ik wist zeker dat alles de hele nacht door mijn hoofd zou blijven malen. Maar misschien had ik al te veel nachten achter elkaar slecht geslapen, want ik lag nog niet in bed of ik sliep al, diep en droomloos, totdat mijn wekker om halfzeven begon te piepen.

Frida wilde dat het weer goed zou zijn tussen ons, dat alles vergeven en vergeten zou zijn, en dat wilde ik natuurlijk ook. We hadden het er niet meer over, maar ik voelde het toch. Het hing in de lucht toen we samen de trap opliepen naar de eerste les.

Daarna gebeurden er twee dingen.

Het eerste was niet zo vreselijk. Andreas kwam achter ons aangerend, pakte mijn hand, trok me mee een andere gang in en sloeg zijn armen om me heen.

'Ik moest je even vasthouden,' fluisterde hij. 'Ik heb de hele nacht aan je gedacht. Ik dacht dat ik gek werd, het wilde maar geen ochtend worden!'

'Goh,' zei ik en ik voelde me schuldig omdat ik zelf zo goed had geslapen.

Maar het hield me niet tegen. Ik zei het toch. Ik moest het nu meteen doen. Bovendien irriteerde het me een beetje dat hij me zomaar had meegetrokken.

'Frida is mijn beste vriendin,' zei ik. 'Ik zou me echt ontzettend rot voelen als ik haar moest laten stikken of niet meer met haar om kon gaan of zo. Dat moet je begrijpen. Anders heeft het geen zin.'

Hij liet me los en hij keek een beetje beledigd.

'Dat begrijp ik heus wel,' zei hij. 'Je kunt zoveel tijd met haar doorbrengen als je maar wilt.'

'En jij bent niet degene die bepaalt wat ik wel of niet aan haar mag vertellen,' ging ik snel verder, nu ik nog durfde. 'Zo is het gewoon.'

'Ik wil helemaal niet bepalen wat jij wel of niet mag,' zei

Andreas. 'Ik zei alleen dat je goed moest nadenken over wat je echt aan haar wílt vertellen.'

Ik zei een paar seconden niets, ik probeerde te begrijpen wat de woorden die hij net had gezegd, eigenlijk betekenden. Toen knikte ik.

'Oké,' zei ik toen. 'Dat wil ik wel beloven. Dat ik zal nadenken bedoel ik.'

'Mooi,' zei Andreas en toen trok hij me weer naar zich toe. 'Verpest nou niet alles!'

Zijn handen gingen weer over mijn lijf, ze waren gretig en overal, ik keek onrustig rond. Ik verlangde terug naar Frida.

'Niet hier,' mompelde ik terwijl ik me losmaakte.

'Oké, oké,' zei Andreas.

Frida stond nog te wachten, precies waar Andreas ons had ingehaald en me had meegetrokken. We liepen verder en Andreas liep met ons mee. Toen we in de buurt van het klaslokaal kwamen, sloeg hij zijn arm om mijn schouders. Opeens konden Frida en ik nergens meer over praten. Ik keek haar verontschuldigend aan en ze haalde even haar schouders op, bij wijze van antwoord, alsof ze wilde zeggen dat dat er nou eenmaal bij hoorde. Gelukkig begreep ze het. Gelukkig was ze wie ze was.

Dat was het eerste dat gebeurde. Het andere was kleiner. Kleiner, maar tegelijkertijd veel groter.

We wilden net op onze plek gaan zitten, toen Adam de klas binnenkwam, een paar minuten te laat en een beetje buiten adem. Hij legde zijn wiskundeboeken en een half uit elkaar hangend schrift op de tafel achter Andreas en keek rond. Eén honderdste van een seconde voordat het gebeurde, begreep ik wat er zou gaan gebeuren en ik begreep niet dat ik daar niet eerder aan had gedacht. Nu kon ik mijn blik niet meer afwenden, ik had geen enkele kans, ik begreep het veel te laat, en Adams donkere blauwgrijze ogen keken recht in de mijne en zijn mond glimlachte en vormde het woord 'hoi'. Een heel speciaal hoi. En Frida zag het.

Hij dacht dat het niet opviel.

Hij dacht dat het een heel klein tekentje van verstandhouding was, alleen tussen ons.

Hij begreep natuurlijk niet wat hij deed.

Hij kon toch niet weten dat hij net zo goed een dolk in mijn rug had kunnen steken.

Frida's blik schoot van hem naar mij, verbaasd, vragend, en ik moest wel met een verklaring komen. Meteen.

'Ik was het vergeten,' fluisterde ik, terwijl mijn hart wild tekeerging in mijn borst. 'Door dat met Andreas. Ik ben Adam vrijdag tegengekomen in het park. Tarzan was weggerend en... Adam had hem gevonden.'

Dat was toch bijna waar. Het kwam zo dicht bij de waarheid als het maar kon.

'Vergeten?!' fluisterde Frida. 'Hoe kon je *dat* nou vergeten?'

'Ja, maar er is verder niets gebeurd, ik bedoel, we hebben verder over niets bijzonders gepraat, hij had gewoon Tarzan gevonden en wilde net de eigenaar gaan zoeken en toen kwamen we elkaar tegen en ik kreeg mijn hond terug en... toen kwam dat met Andreas, dus toen heb ik helemaal niet meer aan Adam gedacht.'

Nu was het helemaal niet meer waar. Niets was nog waar.

Maar Frida knikte. Ze zag er niet uit alsof ze helemaal gerustgesteld was door mijn hakkelende verklaring, maar ze nam hem aan.

Het duurde een hele tijd voordat mijn hart weer tot rust kwam. Het bleef maar bonken van de angstige opluchting, maar ook van iets anders, een vreemde blijdschap die boven kwam drijven na de eerste schrik, een fladderende kleine kolibrie in mijn borst. Hij wist het nog. Onze ontmoeting betekende iets voor hem. De echte werkelijkheid had hem ook geraakt.

De sommen dansten over de bladzijden van mijn wiskundeboek. Het werd niet beter toen Hakje op het bord probeerde uit te leggen wat je moest doen. De cijfers en letters dansten in het rond en wilden absoluut niet met zich laten rekenen.

Hakje heette eigenlijk Gunnar Hakkvist. Maar omdat hij vrij klein was en altijd schoenen met hakken droeg, had hij de bijnaam Hakje gekregen. Ik denk dat hij al net zo lang op school was als de rector, maar hij leek het werken in het onderwijs niet als een soort hogere roeping te zien. Hakje deed wat hij moest doen en probeerde ons dat ook te laten doen, niet meer en niet minder dan dat. Hij rook een beetje muf en bedompt, dus iedereen probeerde er zo lang mogelijk zelf uit te komen met de sommen en getallen, zodat je hem niet om hulp hoefde te vragen en gedwongen was om die geur in te ademen als hij over je heen hing om iets aan te wijzen of uit te leggen. Het leek wel of je werd opgesloten in een hok met oude, natte dweilen, schimmel op de muren en weggehangen kleren die nooit naar de stomerij waren gebracht.

Ik wilde naar Adam kijken, heel even maar, één honderdste van een seconde, om te zien of hij nog een keer mijn kant op keek, maar ik durfde niet vanwege Frida. Ik had al mijn energie nodig om niet naar Adam te kijken, dus ik had niets meer over om iets zinnigs met die letters en cijfers te kunnen doen.

Frida probeerde het uit te leggen. Ze was goed in wiskunde. Eigenlijk was ik zelf ook niet echt slecht in wiskunde en ik had er helemaal geen problemen mee gehad toen we er vorige week mee waren begonnen. Alleen nu. De cijfers en letters dartelden in het rond op de luchtstroom die door de vleugels van de kolibrie werd veroorzaakt.

'Wat is er met je aan de hand?' fluisterde Frida. 'Kun je aan niets anders dan Andreas denken of zo?'

'Overdosis,' fluisterde ik terug. 'Een overdosis leven. Mijn moeder en Andreas en alles.'

Ik vroeg me af hoe ik eruit had gezien toen hij naar me keek.

Vast heel angstig, voordat ik snel mijn blik had afgewend. Waarschijnlijk had ik naar hem gekeken met dodelijk verschrikte ogen. En nu kon ik zijn blik niet nog een keer vangen om dat weer ongedaan te maken. Ik kon mijn gezicht absoluut niet naar hem toe draaien, niet eens heel vluchtig, alleen maar hardnekkig naar de tekentjes in mijn boek staren, de tekentjes die getallen voorstelden die ik niet begreep, en waarop ik me niet kon concentreren.

'Schrijf het maar van mij over voordat we Hakje op onze nek krijgen,' fluisterde Frida.

Ik deed wat ze zei. Ik schreef zorgvuldig al haar x-en en y-tjes over en alle tekentjes die ertussenin stonden. Behalve als Hakje langsliep op een van zijn vaste routes door de klas. Dan zat ik ingespannen naar het ruitjespapier te staren met mijn pen er vlak boven, alsof ik de oplossing van het probleem bijna had gevonden en absoluut niet gestoord mocht worden.

Toen het lesuur voorbij was, was het grote raadsel van de wiskunde nog steeds niet ontrafeld, maar had ik alle sommen op bladzijde 32 opgelost in mijn schrift en had mijn hart bijna weer zijn normale ritme aangenomen.

'Ben je boos?' vroeg Andreas in de pauze.

Ik keek hem niet-begrijpend aan.

'Waar heb je het over? Boos over wat?'

'Omdat ik je wegtrok, of om dat met Frida of zo. Je zat de hele les naar je tafel te staren.'

Ik voelde het bloed naar mijn wangen stijgen. Als er een wereldkampioenschap blozen zou bestaan, zou ik een kast vol bekers hebben, dat wist ik zeker.

'Ik eh... ik vond de sommen gewoon moeilijk,' zei ik. 'Ik begreep er niets van. Ik moet natuurlijk wél aan mijn cijfers denken. Het laatste jaar voor de profielkeuze, je weet wel.'

Andreas knikte.

'Hm, natuurlijk.'

Frida kwam van haar kluisje terug. Boven op haar scheikundeboek lag haar tekstmap.

'Na de grote pauze hebben we Engels,' legde ze uit. 'Miss Piggy moet het voor deze keer maar goedvinden dat ik mijn tekst nog even leer terwijl zij haar moleculen tekent.'

'Je neemt dat gedoe met Shakespeare wel erg serieus hè?' vroeg Andreas.

'Absoluut,' zei Frida.

Miss Piggy had haar bijnaam gekregen toen ze vorig jaar een keer helemaal in het roze naar school was gekomen omdat ze naar een bruiloft ging.

'Je kunt de bruid toch niet in haar eentje laten staan als opgedirkt feestvarken!' had ze vrolijk gezegd, terwijl ze een pirouette maakte voor in de klas.

Ze was klein en mollig en ze knorde wel eens als ze erg moest lachen, dus die naam paste in alle opzichten bij haar.

Toen we voor de eerste keer scheikunde hadden, had ik hooggespannen verwachtingen gehad. Ik dacht dat we allerlei experimenten zouden gaan doen waarbij we interessante vloeistoffen uit allerlei flesjes en buisjes bij elkaar zouden gooien, wat dan verrassende, sissende of borrelende resultaten zou opleveren. Helaas bleek er maar heel af en toe iets te sissen of te borrelen en de resultaten waren nooit verrassend, omdat je in principe van tevoren in je boek kon lezen wat er zou gebeuren en vervolgens alleen maar keek of het ook echt gebeurde. Bovendien bestond een groot deel van de les uit formules, stofnamen en molecuultekeningen.

Maar het zag ernaar uit dat er juist déze scheikundeles genoeg zou sissen en borrelen, want toen we groepjes moesten maken om een proefje te doen, zorgde Frida ervoor dat wij samen met Andreas en Adam in een groepje kwamen. Die groepsindeling was waarschijnlijk het meest brandgevaarlijke, explosieve experiment dat we tot dan toe hadden gedaan in de scheikundeles. In elk geval voor mij.

Frida praatte met Adam over het toneelstuk, over de verschillende manieren waarop je je tekst kon uitspreken, Andreas
ging onnodig dicht bij me staan en raakte me overal aan wanneer hij maar de kans kreeg, ik was zo zenuwachtig dat ik ontzettend klunzig deed en fouten maakte en Adam leek geïrriteerd
omdat hij eigenlijk de enige was die onze opdracht serieus probeerde uit te voeren. Eén keer ontmoette ik zijn blik, onze ogen
streken langs elkaar heen, in de zijne lag een blik die ik niet kon
interpreteren.

'Het leek wel of hij boos was,' zei Frida ongerust tijdens de
grote pauze.

'Misschien vindt hij scheikunde gewoon interessant,' zei ik.
'En in dat geval is het knap irritant als twee mensen in je groep-
je steeds maar aan elkaar zitten en de derde het alleen maar over
Shakespeare heeft, toch?'

Frida knikte.

'Dat was ook een beetje dom. Maar ik vind scheikunde zo
ontzettend saai.'

Ik glimlachte bemoedigend.

'Nee, dan is het leuker om in zijn armen te sterven, hè? Daar
is het nu de hoogste tijd voor.'

'Mm.'

Ze leek niet zo enthousiast meer, er lag een beetje een mis-
troostig trekje op haar gezicht en dat was mijn schuld. Zo voelde ik het tenminste. Ik zocht iets wat ik kon zeggen om haar
weer moed in te spreken.

'Ik denk dat hij best verlegen is,' zei ik uiteindelijk.

'Hij lijkt me niet echt verlegen,' zei Frida.

'Misschien is dat gewoon een manier om het te verbergen.
Misschien is hij alleen verlegen als het om liefde gaat en zo en
verder niet. Misschien is hij wel zo'n jongen die hele goede vrienden kan worden met meisjes, maar verder niets durft te proberen, zelfs niet als hij iemand heel erg leuk vindt.'

Ik was zelf helemaal overtuigd door wat ik net had gezegd. Het klopte ook met wat ik van hem had gezien, dat je heel goed vrienden met hem kon worden, en dat verklaarde natuurlijk ook waarom hij nog niet had toegehapt in het aas dat Frida voor zijn neus liet bungelen.

'Misschien ligt hij de hele nacht wel aan jou te denken,' ging ik verder en ik voelde me een beetje raar vanbinnen bij de gedachte aan Adam die wakker lag van verlangen.

Frida keek me aan; ongeloof en hoop wisselden elkaar af op haar gezicht.

'Denk je?'

Ik haalde mijn schouders op.

'Waarom niet? Alle andere jongens in de klas doen dat wel. Dat heeft Andreas gezegd.'

'Heeft Andreas dat gezegd?'

'Bijna. Hij bedoelde het in elk geval wel.'

'Weet je of hij en Adam... of ze wel eens met elkaar praten? Ik bedoel, zou Adam het tegen Andreas zeggen als hij... nou ja, je weet wel, als hij iemand leuk vindt of zo?'

'Ik weet niet. Zal ik het vragen?'

Frida twijfelde. Toen schudde ze haar hoofd.

'Nee, doe maar niet. Dan begrijpt hij natuurlijk meteen dat ik verliefd ben op Adam, en hoe lang zou hij zijn mond daarover kunnen houden?'

'Misschien is het juist wel goed als hij erover kletst,' zei ik. 'Dan begrijpt Adam misschien eindelijk wat een geluk hij heeft.'

Frida glimlachte flauwtjes.

'Dat is goed om achter de hand te houden als niets anders helpt. Maar laten we nog maar even afwachten. Ik ga in elk geval eerst...'

Verder kwam ze niet, want Andreas en Anton kwamen aanlopen met hun dienblad en gingen bij ons aan tafel zitten.

'Ha, daar zijn jullie,' zei Andreas blij.

Ik bedoelde er niets vervelends mee, maar ik kon het niet helpen dat ik me afvroeg of het zo hoorde. Zouden Frida en ik
nooit meer rustig kunnen praten? Als je een vriendje had, moest
hij er dan per se altijd bij zijn?

'Wat?' zei Sebbe verontwaardigd. 'Is ze pas dertien?!'

'Had je dat dan nog niet begrepen?' zei Alfred. 'Romeo en Julia zijn nog heel jong.'

'En dan gaan ze zelfmoord plegen en trouwen en alles?'

'Ja,' zei Alfred, 'maar dan wel in omgekeerde volgorde.'

'Zo praat je toch niet als je pas dertien bent!' zei Sebbe terwijl hij met zijn hand op de tekstmap sloeg. 'Waarom geeft hij haar niet gewoon een paar keer een goede beurt, dan gaat het wel over!'

Luid gelach.

Frida zag er verstoord uit terwijl ze op haar knieën op de grond lag, nadat ze net had ontdekt dat haar geliefde Romeo dood naast haar lag.

'Jij weet niet eens het verschil tussen de voor- en de achterkant van een meisje,' zei ze tegen Sebbe, 'dus bedenk jij maar iets anders om je liefdesproblemen op te lossen!'

Nu begon Romeo ook te lachen en hij zag er niet erg dood meer uit.

'Schei nou uit!' zei Alfred.

'Nou, ik vind die Shakespeare in elk geval een ontzettende dombo,' zei Sebbe.

Toen draaide Romeo zijn hoofd om, keek me recht aan en glimlachte en ik werd helemaal warm vanbinnen en glimlachte onwillekeurig terug. Het duurde even voordat ik mijn gezichtsspieren weer onder controle had. Het leek Kaspers oude filmprojector wel als hij vastliep en even bleef hangen op hetzelfde beeldje voordat de film weer verderliep en iedereen weer begon te bewegen. Godzijdank rustte Frida's verontwaardigde blik op Sebbe.

'It takes one to know one!' zei ze.

Nog meer gelach en commentaar vulden het klaslokaal en Alfred zuchtte en zei dat de hele scène overnieuw moest, vanaf het begin.

Ik was helemaal vol van Romeo's glimlach. De kolibrie vloog als een dolle rond in het licht van die glimlach en kriebelde binnen in mijn lijf met zijn vleugels.

Als alles anders was geweest, dacht ik.

Als alles anders was geweest, zou ik verliefd zijn geworden op Adam. Heel erg verliefd. Vurig, waanzinnig, smoorverliefd. Halsoverkop, vreselijk verliefd.

Maar het was nou eenmaal zoals het was. En alleen al de gedachte dat ik verliefd zou worden op Adam was absoluut verboden, strafbaar, vreselijk en verschrikkelijk. En toch dacht ik hem. Toch fladderde de kolibrie binnen in me rond. Terwijl het toch was zoals het was.

'Nu wil ik een beetje gevoel zien!' zei Alfred. 'Liefde en lijden. En wanhoop. Kom op!'

Weer kwam Romeo binnen en zag hij zijn Julia die bleek en levenloos op de grond lag. De vorige keer was hij gewoon naast haar op zijn knieën gevallen en had hij het gifflesje tevoorschijn gehaald, maar deze keer boog hij zich ook over haar heen, streelde haar haren en drukte, onder luid gejoel van de klas, zijn lippen op de hare, waarna Julia er heel wat minder bleek uitzag. Maar ze wist zich te beheersen en bleef stil liggen totdat Romeo zichzelf van het leven had beroofd en zij wakker mocht worden om dat te ontdekken. Ze kuste hem in de hoop dat er nog wat gif zou zijn achtergebleven op zijn lippen, heel grondig moet ik zeggen, waarna ze zijn dolk in haar eigen lichaam stootte, dicht tegen hem aan ging liggen en stierf.

'Heel mooi,' zei Alfred waarderend. 'Moedig. Jullie zullen

zien dat het publiek in de aula minder gehard is dan dit ruwe stelletje hier. Ik weet zeker dat ze hun ogen niet droog zullen houden.'

Ik dacht aan Frida in de vergeelde bruidsjurk en wist dat zelfs Sebbe Romeo's liefde en wanhoop zou begrijpen als hij haar zag.

Na de les stonden Frida's ogen helemaal wild en glanzend. Ik zag dat ze uiteen zou spatten in duizend stukjes als we niet even alleen konden zijn, dus het verbaasde me niets dat ze Andreas in de pauze strak aankeek en zei dat ze écht even met mij moest praten.

'Privé!' zei ze bevelend en Andreas liep vlug weg in de richting van de kluisjes.

Frida pakte mijn arm zo stevig vast dat het pijn deed.

'Ik ga dood,' fluisterde ze. 'Ik ga dóód, Katrina!'

'Au,' zei ik. 'Je lijkt me juist meer levend dan ooit!'

'Zullen we spijbelen van Duits? Alsjeblieft? Ik móet even naar buiten, ik moet lucht hebben, ik kan nu echt niet stilzitten en al die werkwoorden vervoegen!'

We legden onze boeken in ons kluisje, deden het op slot en liepen naar buiten, de septemberzon in.

Er kwam een waterval van woorden uit Frida's mond. Het leek wel of iemand de kraan had opengezet. Ik wist niet dat iemand zóveel in zó korte tijd kon zeggen. En als ik niet snel genoeg humde of 'jemig' zei, trok ze aan mijn mouw alsof ze dacht dat ik in slaap was gevallen.

'Weet je wel dat hij me heeft gekúst! Waar de hele klas bij was!'

'Dat was toch niet Adam die je kuste,' zei ik. 'Dat was Romeo die Julia kuste. En Julia kon er ook wat van…!'

'Jawel, hij heeft me gekust! Dat had hij helemaal niet hoeven doen! Julia's kus staat in het script, dat is toch een enorm verschil? O, zijn lippen zijn echt ongelooflijk, ik dacht dat ik doodging toen ik daar op de grond lag, dat ik in brand zou vliegen en dat er niets anders dan een hoopje as van me zou overblijven! Weet je hoe hij ruikt? Ik ben er helemaal vol van, ondersteboven, draaierig, begrijp je wel? Jezus, ik wist niet dat het zó kon zijn! Was het bij jou ook zo?'

Ik keek waarschijnlijk heel verschrikt, want Frida zei vlug: 'Ik bedoel, is het met jou en Andreas ook zo?'

'Nee,' zei ik en ik was hysterisch opgelucht dat ze niet bedoelde hoe ik op Adams geur reageerde.

'Niet?'

Ik schudde mijn hoofd.

'Ik denk dat ik niet zo verliefd op hem ben als jij op Adam,' zei ik.

Ze keek me even medelijdend aan en toen kwam haar woordenvloed weer op gang. Ze vertelde alles van voor naar achter en weer terug, hoewel ik het al met mijn eigen ogen had gezien. Ze vertelde hoe ze met het puntje van haar neus en haar lippen zijn wang had geraakt toen ze naast hem ging liggen, hoe warm zijn lichaam was geweest door zijn kleren heen en hoe ze zijn hand had vastgehouden hoewel hij de hare niet vasthield want dan kon natuurlijk niet omdat hij dood was, maar toch, en ze vroeg zich af of ze hem vanavond zou durven bellen.

'16 32 51,' zei ze.

'Wat?'

'Zijn telefoonnummer! 16 32 51. Denk je dat ik het durf?'

'Natuurlijk durf je het. Ik bedoel, het lijkt er nu toch wel op dat hij... nou ja, je zei het zelf al, hij had je toch niet hóeven kussen.'

Wat ik ook zei, het klonk chagrijniger dan ik wilde. Ik wilde niet chagrijnig zijn, ik wilde blij zijn, net zo blij als Frida. Adam was van haar, dat had ik al die tijd geweten, ik had immers zelf meegeholpen om ze bij elkaar te brengen. En als Adam en Frida uiteindelijk iets met elkaar zouden krijgen, zou ik toch ook vaak bij hem kunnen zijn. We zouden toch dingen met z'n vieren gaan doen, dat had Frida gezegd. En toch voelde het heel zwaar om naast haar te lopen en naar haar te luisteren, mijn benen voelden zwaarder dan anders en het leek wel of ze me niet wilden gehoorzamen en ik moest mezelf streng toespreken om het niet te laten merken, om haar vrolijke, uitbundige jubelstemming niet te bederven.

Het kwam allemaal door die glimlach. Die glimlach en de gedachte die daarna was gekomen. Als alles anders was geweest. Maar dat was het nou eenmaal niet.

Frida trok me weer aan mijn mouw.

'Katrina? Hallo? Luister je wel?'

'Ja hoor, natuurlijk!'

'Je lijkt zo… ik weet het niet, maar het lijkt wel of er iets is. Is er iets met Andreas? Vind je het moeilijk om je aandacht tussen hem en mij te verdelen? Vond je het vervelend dat ik je meesleurde?'

'Nee, nee, hij kan me niets schelen.'

Ze staarde me aan.

'Echt?'

Ik probeerde weer bij mijn positieven te komen.

'Nee, niet op die manier! Ik bedoel, jij bent veel belangrijker!'

'Ik móest gewoon even met je praten. Het was zo ongelooflijk! Net een droom!'

'Mm, ik begrijp het.'

Toen vertelde ze alles nog een keer en ik bedacht dat als ze iets met elkaar zouden krijgen, ik in elk geval alles te weten zou komen over Adam, wat hij doet als hij haar aanraakt, hoe het voelt om dicht bij hem te zijn, wat hij zegt, hóe hij het zegt en wanneer. Misschien zouden ze zelfs met elkaar naar bed gaan. Ik had Frida nog nooit eerder zo gezien, dus waarom zou ze met hem niet alles willen doen?

Ik bekeek haar van opzij, haar lippen die bewogen en steeds van uitdrukking veranderden, haar blauwe ogen die nog steeds een beetje groot en glanzend stonden en haar zacht krullende blonde haar dat af en toe voor haar gezicht viel. Terwijl ik haar zo bekeek, draaide ze opeens haar hoofd om en keek me recht aan. Ze bleef staan en legde haar handen op mijn schouders.

'Wat is er, Katrina?' zei ze ongerust. 'Er is iets, dat zie ik toch.'

Midden in haar euforische stemming zag ze me nog. Ik voelde dat ik tranen in mijn ogen kreeg hoewel ik probeerde ze tegen te houden. Hoe zou het met onze vriendschap gaan als ik steeds gedachten had die ik verborgen moest houden?

'Ik… ik ben een beetje jaloers denk ik,' mompelde ik ten slotte.

'Op mij?'

'Jij hebt alles. En jij bent alles. Jij hebt een moeder die je geweldig vindt, jij bent de mooiste van de hele school, jij bent aardig tegen iedereen en nu ben je hartstikke verliefd op een leuke jongen die jou waarschijnlijk ook leuk vindt…'

Ik glimlachte even en pakte de mouw van haar jasje, in een poging om het een beetje af te zwakken.

'… en bovendien heb je het mooiste leren jasje van de hele wereld!' zei ik.

Frida knipperde een paar keer met haar ogen alsof ze ook bijna moest huilen. Toen omhelsde ze me lang en stevig en ik omhelsde haar bijna krampachtig terug.

Toen we elkaar losslieten, trok ze het jasje uit en gaf het aan mij.

'Neem jij het maar. Ik heb het eigenlijk niet nodig.'

'Nee, nee,' zei ik vlug, 'zo bedoelde ik het niet, dat weet je toch wel, het staat je hartstikke goed en je vindt het heel mooi, dat weet ik toch!'

'Ik wil dat jij het hebt. Ik heb het al zo lang, ik ben er eigenlijk een beetje op uitgekeken.'

'Nu lieg je.'

Ze glimlachte.

'Ja, maar neem het toch maar. Alsjeblieft? Ik wil het. Ik kan mijn moeder toch niet weggeven!'

Het jasje voelde soepel en zacht aan en het rook helemaal naar Frida. Ik kon er kracht uit putten, net als uit het kristal dat ik altijd om mijn hals droeg. Frida was belangrijker dan al het andere. Zo moest het zijn.

'Ga je vanmiddag mee de stad in?' vroeg ze. 'Dan kan ik een nieuw supercool jasje uitzoeken waar je jaloers op kunt zijn. Ik wil wel eens een zwarte.'

Ik knikte.

'Ik bel je wel als ik Tarzan heb uitgelaten, dan kunnen we afspreken bij Miranda of zo.'

Toen bleef ik staan en keek haar aan.

'Als ik had geweten dat je het me zou geven, dan had ik dat nooit gezegd,' zei ik.

'Dat weet ik,' zei Frida.

Thuis lag het buurtkrantje opengeslagen op de keukentafel. Een advertentie voor tweedehands ijshockeyspullen was met balpen omcirkeld en ernaast lag een wit blaadje dat uit een van Viktors schriften was gescheurd. 'Hoi, Katrina! Hoeveel geld heb jij?' stond er in Viktors kleine kriebelige handschrift. De ijshockey-uitrusting kostte vijftig euro.

Ik pakte de pen die nog naast het krantje op tafel lag.

'Ongeveer tien euro,' schreef ik. 'Maar alleen op voorwaarde dat ik op de tribune mag zitten.'

Ik wilde heel veel voor Viktor doen, maar ergens bij ijshockey lag de grens, dat voelde ik heel duidelijk.

Tarzan stond achter me onrustig te trappelen en ik legde de pen weer neer, dronk een glas melk en trok daarna mijn schoenen weer aan.

Soms was het best vervelend om iedere dag na schooltijd een flink eind te moeten lopen, als het regende bijvoorbeeld, of op woensdag als ik net gym had gehad, maar meestal vond ik het alleen maar lekker. Je hoefde niet na te denken, niets te zeggen, gewoon alleen flink doorlopen en je longen laten volstromen met lucht.

Toen we in het park kwamen, liet ik Tarzan los, maar ik bleef in hetzelfde tempo doorlopen. Het grind knerste onder mijn voeten, de bomen kleurden geel en de lucht was zo helder en licht als hij alleen in september kan zijn. Iedereen zeurde altijd maar over de zomer, of het voorjaar. Maar september was mijn maand. Dan kon je ademhalen. Zelfs als alles chaos was, kon je ademhalen.

Ik vroeg me af of mijn moeder het mailtje had gelezen. Ik vroeg me af of ze van plan was om te antwoorden. Of ze boos was. Misschien had ze zelfs al geantwoord! Zou Kasper dat aan mij vertellen? Ik kon best een keer het kantoor binnenglippen, als Kasper bezig was in de donkere kamer, en zijn mailbox checken. Ik moest het er maar op wagen. Morgen misschien. Als ze iets onaardigs had geschreven, zou ik haar de gemeenste, kwaadaardigste brief schrijven die ik maar kon bedenken en ik zou er mijn hele leven geen excuses voor aanbieden.

Tarzan rende naar het riviertje. Hij verdween uit het zicht en ik riep hem. Pas toen hij niet terugkwam, ging er een schok door me heen. Het bloed schoot als een razende door mijn lijf en maakte me beurtelings warm en koud. Hij had vast gewoon iets interessants gevonden om aan te snuffelen, de geur van een haas of een dode veldmuis of zo. Ik probeerde mezelf wijs te maken dat dat het moest zijn en dat ik absoluut niet wilde dat het iets anders was. Maar tegelijkertijd voelde ik dat mijn benen sneller begonnen te lopen, bijna renden in de richting van het riviertje. Ik liep om de hoge heg rond het oude paviljoentje heen en opeens was ik nog maar een paar meter bij hen vandaan.

Adam stond voorovergebogen en aaide Tarzan, die met zijn hele achterlijf heen en weer zwaaide alsof het niet genoeg was om alleen met zijn staart te kwispelen. Ik minderde vaart en probeerde rustig te ademen terwijl die gestoorde kolibrie als een insect om mijn bonzende hart heen fladderde. Adam keek naar me en glimlachte.

'Ik dacht dat je hier misschien wel vaker naartoe ging na school,' zei hij.

Hoe ik het ook wendde of keerde, dat kon maar één ding betekenen. Hij was voor mij gekomen. Om mij te ontmoeten. Blijdschap en een gevoel van paniek wisselden elkaar af en ik vroeg me af hoe ik ooit nog iets begrijpelijks zou kunnen zeggen. Letters tot woorden vormen en woorden tot zinnen.

'Het is misschien een beetje belachelijk,' zei hij, 'maar ik wilde je iets laten zien.'

Ik knikte, dankbaar dat in deze situatie een enkele beweging volstond bij wijze van antwoord.

'Maar het is wel een eindje lopen,' zei hij. 'Heb je tijd?'

'Mm.'

Geweldig. Een geluid! Twee keer dezelfde letter. Vlug en intelligent geantwoord, en precies op het juiste moment.

Daarna hoefde ik alleen maar met hem mee te lopen. Hij zei een hele tijd niets. We liepen langs het riviertje en vervolgens achter het oude ziekenhuis langs tegen de heuvel op. Ik deed met onhandige handen Tarzan zijn riem om en probeerde mijn passen net zo lang te maken als die van Adam; we liepen langs de gele stenen huizen, dwars over een braakliggend stuk grond en tussen een paar oudere villa's door waar in de loop van de jaren tachtig huurhuizen omheen waren gebouwd. Ergens op een hoek bleef hij plotseling staan en pakte mijn arm om mij ook stil te laten staan. De aanraking ging als een elektrische schok door me heen.

'O jee, ze zijn buiten!' fluisterde hij en hij deed een paar stappen naar achteren, om achter de beschutting van een felgekleurde appelbeshaag te komen. Toen wees hij naar een lichtgrijs huis schuin aan de overkant van de straat.

Om het huis stond een laag, donkerbruin hek. Aan de andere kant van dat hek was een man van middelbare leeftijd een bloemperk aan het schoffelen. Hij gooide het onkruid in een groene plastic mand. Er waren geen andere mensen, maar op het grasveld, een paar meter achter de man, lag een grote hond.

'Dombo,' zei Adam zacht.

Ik keek van de hond naar Adam en weer terug en ik vergat dat ik geen lucht kreeg en niet kon praten.

'Is hij híer? Maar je woonde toch in Solna toen...'

'Het is echt heel gek. Toen ik jou vrijdag alles had verteld, bedacht ik dat ik wilde uitzoeken waar hij was. Ik vroeg aan mijn moeder hoe ze eigenlijk heetten, die mensen die hem in huis hadden genomen. Ze vertelde het meteen, ze dacht waarschijnlijk dat ik het nu niet meer zo erg zou vinden. Ze hadden een beetje ongewone naam. Shauspieler. Ernst en Belinda Shauspieler. Ik dacht dat er daarvan vast niet zo heel veel zouden zijn in Zweden, dus ik heb hun nummer opgevraagd via inlichtingen en toen kwam ik erachter dat we nu in dezelfde stad woonden! Idioot, hè? Ik kon het natuurlijk niet laten om hier afgelopen zaterdagavond naartoe te gaan om even te kijken. Ik stond in de tuin en keek door het raam en ik moest bijna huilen toen ik hem daarbinnen zag.'

'Hij is prachtig,' zei ik. 'Hij lijkt heel erg op Tarzan.'

'Denk je dat hij me zou herkennen?'

'Natuurlijk!'

We zeiden een poosje niets en keken naar de hond die daar op het gras lag en Adam kneep zijn ogen een beetje dicht, alsof het te licht was daar bij dat grijze huis en ik wist hoe graag hij hem bij zich wilde roepen. Om te kijken of hij nog naar zijn echte naam luisterde. De enige die niet echt aangegrepen leek door het moment, was Tarzan, die zorgvuldig aan een paar blaadjes snuffelde terwijl hij stond te wachten en vervolgens een klein plasje tegen de appelbeshaag deed. Na een paar minuten draaide Adam zich om en begon terug te lopen en ik volgde hem. Ik liep een poosje zonder iets te zeggen naast hem.

'Shauspieler betekent toneelspeler,' zei ik. 'Zij zijn niet zijn echte eigenaars, ze spelen alleen die rol. Eigenlijk is hij gewoon van jou.'

Het was een kinderlijke poging om hem te troosten, maar Adam glimlachte. Toen we terug waren in het park, liet ik Tarzan weer los, maar hij ging niet ver weg, hij sprong alleen een beetje om onze voeten heen.

'Ik heb nagedacht over wat je vertelde,' zei Adam opeens. 'Waarom zoek je haar niet op?'

'Mijn moeder?!'

Hij maakte een afwerend gebaar.

'Nee, die niet! Maria natuurlijk.'

Ik keek hem stomverbaasd aan. Die gedachte was helemaal niet bij me opgekomen.

'Maar ik... ik weet niet eens waar ze woont...' stamelde ik verbaasd.

'Je weet toch waar ze zou gaan werken?'

'Ja, maar... wat zou ik dan tegen haar moeten zeggen?'

'Alles wat je tegen mij hebt gezegd. Om te beginnen.'

Ik zei niets, terwijl ik het idee langzaam liet bezinken en wortelen. Waarom was ik daar zelf niet opgekomen? Dat ik het niet durfde en niet wist wat ik tegen haar moest zeggen, was één ding, maar dat ik niet eens aan de mogelijkheid had gedacht... Had ik misschien het idee opgevat dat iedereen die het huis van de familie Kaspersson verliet, in het niets verdween en voor altijd onbereikbaar was?

'Het klinkt misschien een beetje vreemd,' zei ik, 'maar ik heb er helemaal nooit aan gedacht.'

'Denk er nu dan aan,' zei Adam.

'Ik denk,' zei ik.

Maar dat deed ik niet. Niet zo lang tenminste. Ik wist al dat ik het ging doen. Als ik maar durfde.

Toen vertelde ik Adam dat ik vrijdag toen ik thuis was gekomen mijn moeders brieven tevoorschijn had gehaald en ze had gelezen en dat ik er de volgende dag achter was gekomen dat Kasper al die tijd contact met mijn moeder had gehad. Ik vertelde hem over de mailtjes die ik had gelezen en het mailtje dat ik zelf had gestuurd.

De woorden kwamen weer gemakkelijk. Het leek wel of het hele verhaal al klaar had gelegen in mijn hoofd en alleen op Adam had gewacht en op datzelfde moment wist ik dat het ook zo was, dat ik het in gedachten al aan hem had verteld, de woorden afgewogen zodat ze er op de juiste manier uit zouden komen.

'Heeft ze geantwoord?'

Ik schudde mijn hoofd.

'Niet dat ik weet. Maar het was pas gisteren, dus dat kan ook bijna niet. Ik weet trouwens ook niet of mijn vader het aan mij zou laten zien.'

'Pappa Kasper Kaspersson,' zei Adam en hij glimlachte.

'De hond Dombo,' zei ik en ik glimlachte terug.

'Verder geen gelijkenis trouwens,' zei Adam.

We waren bij het paviljoentje gekomen en net als de vorige keer liepen we door de opening in de heg, klommen de vier treden op en gingen op een van de afgebladderde bankjes zitten. Alsof we dat hadden afgesproken. Tarzan installeerde zich meteen aan onze voeten. Ik keek voorzichtig naar Adam en hij keek terug naar mij.

'Is dat niet Frida's jasje?' vroeg hij toen.

Het moest er natuurlijk een keer van komen. Ik kon niet blijven doen alsof het niet bestond. Er moest wel iets gebeuren waardoor ik ruw werd wakker geschud. Iets wat die glanzende zeepbel liet knappen, wat de kleuren om ons heen veranderde en het water liet omkeren in het riviertje.

Frida's jasje.

De kus op de grond in de klas.

Opgetogen glanzende ogen.

Ik begreep dat ik het grootste offer op het altaar van de vriendschap zou moeten brengen dat ik ooit had gebracht en het leek wel of de bank onder me wegzakte.

Adam.

Waarom was ik niet meer op mijn hoede geweest? Hoe had ik dit alles kunnen laten gebeuren? Had ik dan helemaal geen drang tot zelfbehoud?

Ik was hopeloos en waanzinnig verliefd op de enige persoon op wie ik níet verliefd mocht worden. Ieder ander was beter geweest. Hakje, Rachel, Fidel Castro of de rokende man in de vensterbank tegenover ons. Ieder ander, echt íeder ander, als het maar niet Frida's Adam was.

Ik trok het jasje steviger om me heen. Het was zo zacht en het rook naar appelshampoo en Pleasures. Het was een bewijs van vriendschap. Een bewijs van trouw. Een bewijs van loyaliteit. Ik moest het doen. Nu.

'Nee,' zei ik. 'Het wás Frida's jasje. Ik heb het gekregen.'

'Heel duur.'

'Hm.'

Ik moest het doen. Nu. Nu. Nu.

'Ze... ze vindt jou leuk. Had je dat nog niet begrepen?'

Nu had ik het gezegd. Ik keek op naar hem. Tot mijn verbazing zuchtte hij. Niet stomverbaasd en gelukkig. Nee, dat niet.

'Ja, dat heb ik gemerkt,' zei hij.

Ik wist niet wat ik moest zeggen. Ik bleef hem gewoon vragend aankijken. Hij keek vluchtig terug.

'Ze is niet echt subtiel, bedoel ik. Het was vandaag echt pijnlijk tijdens de repetities.'

'Jij... kuste haar toch,' zei ik.

Het klonk als een beschuldiging.

'Ja inderdaad, maar ik wilde alleen Sebbe en die anderen eens goed op hun nummer zetten. Die zijn zo ontzettend kinderachtig. Ze fluiten en gillen om alles. Maar toen klemde ze zich aan me vast, ik wist gewoon niet wat ik moest!'

Ik was verontwaardigd in Frida's plaats, maar tegelijkertijd borrelde er een lach in me op.

'Je kon ook helemaal niets,' zei ik. 'Want je was dood.'

'Gelukkig maar,' zei hij. 'Als je dood bent, hoef je niets te beantwoorden.'

Binnen in me woedde een hevige strijd. Het ene leger schreeuwde dat dit heiligschennis was en trok ten strijde tegen het andere leger dat juichte omdat hij zo weinig enthousiast leek over Frida's hartstocht.

'De meeste jongens zouden uit hun dak gaan,' zei ik. 'Frida is het mooiste meisje van de hele school. Iedereen vindt haar leuk.'

Adam keek me aan.

'Ja,' zei hij. 'Maar ik niet. Niet op die manier. Ze heeft gewoon besloten dat ze mij moest hebben. Daarom zijn de andere jongens kwaad op me, maar ik kan er toch niets aan doen! De enige die niet flauw doet, is Andreas en die heeft jou, dus dat is niet zo gek. Ik wil je vriendin echt geen verdriet doen, dat begrijp je toch wel, maar ik ben niet van plan... ik wil gewoon niets met haar.'

Ik ontmoette zijn blik en zag dat hij de waarheid sprak. Hij wilde Frida echt niet. Het was onbegrijpelijk, maar waar.

'Je kent haar nog niet zo goed,' zei ik. Ik dacht dat dat natuurlijk de reden moest zijn. 'Als je haar beter leert kennen, zul je haar echt leuk vinden.'

Adam gaf geen antwoord. Hij boog zich voorover en kriebelde Tarzan, die genotzuchtig op zijn rug ging liggen. Er was iets met Adams manier van bewegen dat me recht in mijn hart trof en dat maakte dat ik me heel duidelijk aanwezig voelde. Als ik hier zo een tijdje mocht blijven zitten, nog heel even, gewoon alleen maar naast hem zitten, dan zou ik alles aankunnen. Er was niets verkeerds aan om hier met hem te zitten praten, dat zou zelfs Frida niet kunnen vinden. Ik was toch niet van plan om stiekem met hem af te spreken, ik kon er toch niets aan doen dat hij hier vandaag naartoe was gekomen. Misschien kon ik het deze keer zelfs wel aan Frida vertellen, dan zou ik helemaal niets verkeerd hebben gedaan. Maar dan moest ik wel vertellen dat hij haar eigenlijk niet... Mijn gedachten bleven plotseling steken, opeens er schoot een mogelijke verklaring door mijn hoofd. Voordat ik die gedachte kon tegenhouden, floepte hij door mijn mond naar buiten.

'Je bent toch geen... ik bedoel, hou je misschien helemaal niet van meisjes?'

Adam keek me stomverbaasd aan, toen glinsterden zijn ogen met de kleur van onweerswolken opeens, daarna kwam zijn lach.

'Is het echt zó onbegrijpelijk dat ik niets met Frida wil? Dat je denkt dat ik dan wel een homo moet zijn?' vroeg hij.

Ik knikte zonder iets te zeggen.

'Ik hou meer van meisjes,' zei hij. 'Als je het graag wilt weten.'

Hij zag er opeens een beetje verlegen uit en ik kreeg weer bijna geen lucht. Dit kwam te dichtbij. Mijn handen wilden zich naar hem uitstrekken, hem aanraken, zijn nek vasthouden. Ik wist niet dat handen een eigen wil konden hebben, dat handen konden verlangen. Ik moest iets bedenken waar we over konden praten. Nu. Snel. Iets anders.

'Vertel eens iets over je vader,' zei ik.

Het klonk als een noodkreet. Maar ik wilde het ook echt weten. Ik wilde weten wat hij dacht en wat hij voelde en geloofde en wist. Niet alleen over zijn vader, maar over alles. Ik wilde zijn stem horen als hij vertelde.

Zijn blik dwaalde af naar het riviertje. Er dreef een tak voorbij met een kalm vaartje, hij bleef ergens steken, draaide een half rondje en vervolgde toen zijn tocht over het bruingroene water.

'Er valt niet zoveel te vertellen,' zei hij. 'Ik heb hem nog nooit gezien. Toen mijn moeder zwanger was, zei hij dat hij nog niet klaar was voor een vaste relatie en is hij ervandoor gegaan. Hij was jong. Maar mijn moeder was nog jonger. Zeventien pas.'

Zeventien.

Twee jaar ouder dan wij.

Ik probeerde me voor te stellen hoe dat moet zijn geweest. Zeventien jaar en er dan eerst achter komen dat er een kind in je lichaam groeit en vervolgens worden gedumpt door de jongen die de vader van dat kind is. Kon je dan niet beter abortus plegen?

Ik keek verschrikt naar Adam, alsof mijn gedachte hem in het niets zou kunnen laten verdwijnen, maar hij zat er nog en staarde naar het water.

'Mijn moeder heeft hem later nog een schattige foto van mij gestuurd,' ging hij verder terwijl hij me vluchtig aankeek en glimlachte. 'Van toen ik nog heel klein en lief was. Ze dacht waarschijnlijk dat hij wel spijt zou krijgen als hij dat mollige baby'tje zag. Maar hij schreef alleen een kaartje om te bedanken voor de foto. Verder niets. Ik geloof wel dat ze weet waar hij woont. Hoe zou ze anders weten dat hij voor de EU werkt in Brussel?'

Brussel. Misschien kwamen alle verdwenen ouders daar terecht, net als alle sokken die in de was verdwijnen in één bepaalde baai terechtkomen. Dat heb ik eens gelezen in een van Viktors stripboeken.

'Een paar jaar geleden woonde er een man bij ons in het trappenhuis die dacht dat God in het hoge noorden woonde,' zei ik.

Adam keek me verbaasd aan. Ik lachte.

'Echt waar! Hij hield me een keer tegen op de trap en vroeg of ik in God geloofde. Ik vroeg welke God hij bedoelde. "*God*, je weet wel," zei hij toen, "Hij daarboven!" "Wáárboven?" vroeg ik, want we hadden het er net over gehad thuis, dat er nog steeds mensen zijn die geloven dat God ergens boven in de hemel zit, op een wolk of zo. "Daarboven in het hoge noorden!" zei die man.'

Adam glimlachte.

'Wie weet?' zei hij. 'Op zich lijkt het me waarschijnlijker dat God in het hoge noorden woont dan ergens op een wolk!'

'Geloof jij in God?'

Hij schudde zijn hoofd. Zijn gezicht stond weer serieus.

'Jij?'

'Nee.'

We zeiden een poosje niets. Er kwamen een paar eenden aanvliegen, ze landden in het water voor ons. Tarzan kwam overeind en keek belangstellend naar ze.

'Ik denk dat ik het ga proberen,' zei ik.

'In God geloven?'

'Nee, Maria zoeken.'

Hij knikte.

Toen stond ik op, hoewel ieder atoom in mijn lichaam luid schreeuwend protesteerde. Echt alles in mij wilde daar bij hem blijven. Maar mijn wandeling met de hond had al veel te lang geduurd om nog normaal te zijn.

'Ik moet weg,' zei ik. 'Frida wacht op me.'

'Kun jij haar niet voorzichtig vertellen dat ik niet zo… geïnteresseerd ben? Jij bent toch haar beste vriendin?'

Ik schudde mijn hoofd.

'Nee. Ik weet niet hoe ik dat zou moeten zeggen. En ook niet hoe ik haar zou moeten uitleggen waarom je dat aan mij hebt verteld. En je zult er trouwens spijt van krijgen.'

'Denk je?'

'Zeker. Nog een paar keer die zelfmoordscène repeteren en dan…'

'Ach,' zei Adam. 'Praat me er niet van. Af en toe zou ik willen dat het Romeo en George was geweest! Terwijl ik écht hetero ben!'

Ik hoorde de telefoon al overgaan toen ik nog op de trap was. Drie keer, vier keer, vijf keer. Dat was natuurlijk Frida die zich afvroeg waar ik bleef. Na zes keer overgaan had ik de deur open en midden in het zevende belsignaal griste ik de telefoon naar me toe en constateerde dat ik het nummer op de display niet herkende.

'Met Katrina Kaspersson!' hijgde ik.

'Hoi, met Andreas,' zei Andreas.

Ik voelde dat het veel te lang duurde voordat ik eindelijk een antwoord kon uitbrengen.

'Hoi... ik ben net binnen.'

'Was je buiten?'

Intelligente vraag.

'Ja. Met de hond.'

'O. Mag ik even langskomen? Hier is iedereen thuis, dus...'

'Frida wacht op me, ik heb haar beloofd dat ik mee de stad in zou gaan.'

Nu was het Andreas' beurt om een te lange pauze te laten vallen.

'O.'

Ik hoorde twee korte piepjes in de telefoon. Nu wist ik heel zeker dat het Frida was. Ik vroeg Andreas of hij even wilde wachten, drukte op R2 en nam het tweede gesprek aan. Maar het was weer niet Frida.

'Hallo,' zei Kasper, 'ben je thuis?'

Het was vandaag duidelijk de dag van de intelligente vragen.

'Ja,' zei ik. 'Maar ik heb iemand aan de telefoon.'

'Sorry,' zei Kasper. 'Maar ik vond dat ik je even moest bellen. Denk je dat je hiernaartoe kunt komen?'

'Nu? Maar ik ga de stad in met Frida.'

'O, eh, ja, maar... nou ja, het heeft niet zoveel haast. Ik wilde je alleen even laten weten dat er een mail voor je is. Van Ingrid.'

De hal om me heen vervaagde en ik hapte naar adem. Het was te veel. Ik kon dit niet allemaal tegelijk verwerken.

'Heb je... heb je hem gelezen?' vroeg ik met een stem die ik nauwelijks herkende.

In tegenstelling tot wat ik had gedacht, hoopte ik dat hij ja zou zeggen. Ik had opeens het gevoel dat ik een brandwerende muur nodig had. Een waterdicht schot.

'Ik was bang dat ze je verdriet zou doen,' zei hij. 'Ik wil me er niet mee bemoeien, ik wil niet in jouw post snuffelen, maar... Katrina, jij en Viktor zijn het allerbelangrijkst in mijn leven. Ik wil er alles aan doen om te voorkomen dat iemand jullie verdriet doet.'

'Dus... ik zal er niet verdrietig van worden? Want dan zou je me niet over het mailtje vertellen?'

'Ik vind het eigenlijk best een goede brief. Ook voor mij, al was dat misschien niet de bedoeling. Wil je liever dat ik hem uitprint en meeneem als ik naar huis kom?'

Nee. Dat wilde ik niet. Ik wilde hem veilig achter het vierkante glas van het beeldscherm houden in het kantoortje. Niet op een levend vel papier hier in huis.

'Ik kom wel naar je toe,' zei ik. 'Straks.'

'Neem maar zoveel tijd als je nodig hebt,' zei Kasper.

Ik hing op en staarde een paar seconden naar de grauwe muur tegenover me. Ik kon helemaal niet nadenken. Het leek wel of mijn hersenen een time-out nodig hadden. Toen herinnerde ik me opeens dat ik Andreas in de wacht had gezet en ik zocht snel zijn nummer weer op op de display, maar toen ik de cijfers had ingetoetst, kreeg ik de ingesprektoon. Hij zat natuurlijk nog te wachten met de telefoon aan zijn oor. En ik had zijn mobiele nummer niet.

Toen belde ik Frida.

'Eindelijk!' zei ze. 'Ik dacht al dat je de weg kwijt was!'

Dat was ik misschien ook wel. Die beschrijving klopte eigenlijk heel aardig.

'Ik... ik kan niet mee,' zei ik. 'Ik moet naar de studio.'

'Moet je werken?'

Het was het makkelijkst geweest om gewoon maar ja te zeggen. Maar ik had mezelf bezworen dat ik nooit meer tegen Frida zou liegen, dus ik vertelde haar over de mail van mijn moeder.

'Ik weet niet of je begrijpt hoe belangrijk dat voor me is,' legde ik uit. 'Ik kan nu gewoon niet de stad in gaan alsof er niets aan de hand is en hem dan later lezen, als ik tijd heb. En ik kan hem ook niet eerst even gaan lezen en daarna gewoon de stad in gaan alsof er niets aan de hand is. Snap je dat?'

'Natuurlijk,' zei Frida. 'No problem. Dan gaan we gewoon een andere keer naar een jasje kijken.'

Wat je niet begrijpt, kun je op z'n minst respecteren. Dat had ik toch wel van Frida moeten weten en ik schaamde me ervoor dat ik er zelfs maar aan had gedacht om tegen haar te liegen. Misschien kon ik haar ook wel vertellen van mijn ontmoeting met Adam. Maar niet nu.

Toen we hadden opgehangen, probeerde ik Andreas nog een keer te bellen. Nu ging de telefoon wel over. Na twee keer nam hij op.

'Sorry,' zei ik. 'Ik geloof dat ik een beetje onhandig was, ik heb op het verkeerde knopje gedrukt.'

'Ik dacht dat je me was vergeten.'

'Nee, joh, maar toen ik terugbelde was je in gesprek.'

'Kunnen we niet iets afspreken? Als je terugkomt of zo?'

'Ik... ik denk dat ik ziek word. Ik voel me een beetje koortsig en raar.'

Dat laatste was tenminste waar.

'Maar je kunt wel met Frida de stad in?' vroeg hij beledigd.

'Nee, dat gaat ook niet door.'

Stilte.

'Sorry,' zei hij toen. 'Ik geloof dat ik toch een beetje jaloers op haar ben.'

Je hoeft echt niet jaloers op háár te zijn, dacht ik, maar ik zei niets. Ik zei dat ik van plan was om even te gaan liggen en dat was in ieder geval geen leugen. Toen we hadden opgehangen, ging ik naar mijn kamer en kroop in elkaar op bed.

Het was eigenlijk best een goede brief, had Kasper gezegd. Wat betekende dat? Was het een brief waar ik blij van zou worden of alleen een brief die me niet direct verdriet zou doen? Een brief zoals die andere die ik in mijn schoenendoos had, een gladde buitenkant waar je niet doorheen kon dringen? Of was het een brief die werkelijk iets zei? En was er eigenlijk wel iets wat ze mij kon vertellen zonder me te kwetsen? En waarom had ze dat dan niet eerder gedaan? Was het een lange brief, of alleen een paar regels? Wilde ik hem eigenlijk wel lezen? Wat zou er daarna gebeuren? Zou ik willen dat ik hem nooit had gelezen?

16 32 51.

Het telefoonnummer dat Frida had genoemd, zat helder en duidelijk in mijn hoofd.

Zou het heel verkeerd zijn om hem te bellen over iets waar we het net nog over hadden gehad? Hij had toch gevraagd of ze had teruggeschreven.

Voordat ik erbij nadacht, schoot ik overeind en liep de gang in.

Mijn vingers trilden terwijl ze de cijfers intoetsten en toen de telefoon overging, voelde ik het koude zweet in mijn handen en ik huiverde. Net toen ik wilde ophangen, werd er opgenomen.

'Met Axelsson,' zei een vrouwenstem.

Adams moeder. In mijn hoofd was ze zeventien, zwanger en

in de steek gelaten en ik was eigenlijk een beetje verbaasd dat ik haar stem niet herkende.

'Is... is Adam thuis?' stamelde ik.

'Nee, hij is er niet. Zal ik vragen of hij je terugbelt?'

Wat was ik een idioot! Natuurlijk was hij nog niet thuis. Misschien zat hij zelfs nog wel op de bank in het paviljoentje. Het kon niet veel meer dan een kwartier geleden zijn dat we uit elkaar waren gegaan.

'Nee, dat hoeft niet,' zei ik vlug. 'Ik... wilde hem alleen iets vragen over het huiswerk, ik bel wel iemand anders.'

'Ben jij Frida?' vroeg Adams moeder opeens. 'Die Julia speelt?'

Het duurde even voordat ik antwoord kon uitbrengen. Hij had het thuis over haar gehad. Dus hij dacht wel aan haar.

'Nee,' zei ik.

'O. Eh, ik vroeg het me gewoon af. Dus ik hoef niet te vragen of hij terugbelt?'

'Nee, bedankt.'

Ik hing op en vroeg me af hoe ik toch zo ongelooflijk stom had kunnen zijn. Waarom dacht ik trouwens dat het hem ook maar íets kon schelen dat ik een mail van mijn moeder had gekregen? Ik kon hem niet eens vertellen wat erin stond. Bovendien was hij niet naar het park gekomen omdat hij meer wilde horen over mijn stomme familieproblemen, maar omdat hij me zijn hond wilde laten zien! Het was misschien maar goed ook dat ik zo stom was geweest naar zijn huis te bellen voordat hij weer thuis kon zijn.

Ik kroop weer in elkaar op mijn bed. Ik had het gevoel dat mijn ogen brandden achter mijn oogleden terwijl de rest van mijn lichaam het koud had. Wat was er toch met me aan de hand? Hoe was het zover gekomen? Ik loog tegen mijn vriendje, ik verried mijn beste vriendin en ik verlangde naar de enige jongen die ik absoluut niet kon krijgen. Bovendien had ik Maria zes jaar lang zonder enige aanleiding gepest. Mijn moeders brief kon alles niet eens erger maken dan het al was. Je kon toch niet minder dan nul moeders hebben.

Na een tijdje kwam ik overeind, langzaam, als een oud vrouwtje met jicht.

In het trappenhuis kwam ik Viktor tegen. Zijn hoofd was gebogen, hij zei vlug 'hoi' en probeerde langs me heen te glippen, maar ik pakte hem bij zijn mouw. Hij had een grote blauwe plek in zijn gezicht en een schaafwond vol grind op zijn voorhoofd. Er druppelde een straaltje bloed over zijn slaap.

'Wat is er met jou gebeurd?'

'Ik ben gevallen.'

'Waar?'

'Op... op de stoep. Ik struikelde over zo'n watergoot.'

'Loop je naar zwarte gaten te kijken of zo?'

Hij gaf geen antwoord. Ik stak mijn hand uit en streek zijn pony opzij. Het was een hele tijd geleden dat ik hem had aangeraakt. Toen hij nog klein was, mocht ik hem zoveel knuffelen als ik wilde, maar dat kon nu natuurlijk niet meer.

'Zal ik je helpen om het schoon te maken?'

'Nee. Dat kan ik zelf wel.'

Ik knikte en liep verder de trap af. Buiten was nog steeds dezelfde hoge, heldere lucht die ik net nog samen met Adam had ingeademd. Toen ik die lucht opzoog, werd ik wat rustiger. Hij had me in elk geval Dombo willen laten zien. Frida wist niets van Dombo of van Adams geheime paden in het Hagapark of van zijn vader in Brussel. Als ze tenminste niet net zoveel geheimhield voor mij als ik voor haar.

Ik stopte midden op de stoep en bleef even doodstil staan in mijn nieuwe, duizelingwekkende wereld waarin niets zeker was en niemand te vertrouwen. De wereld die afgelopen zaterdag was begonnen, toen bleek dat Kasper al die jaren contact met mijn moeder had gehouden. Dat het door hem kwam dat ze niets meer van zich had laten horen. Nee, trouwens, die wereld was helemaal niet toen begonnen. Die was er altijd al geweest. Ik had er alleen in rondgelopen en gedacht dat hij anders was dan hij was.

Maar toch. Ik streelde zacht met mijn hand over het leren jasje. Ik zette de kraag omhoog en snoof de geur op. Nee, Frida niet. Zij niet. Zij was niet klein en zwak zoals ik. Zij zou mij niet verraden. Alleen al door die gedachte verried ik haar weer.

'Zoals de waard is, vertrouwt hij zijn gasten,' zei tante Birgitta altijd voordat ze een hersenbloeding kreeg en al haar spreekwoorden en wijsheden opdroogden. De laatste keer dat we bij haar en oom Sven op bezoek waren geweest in Strömsund, had ze al haar energie nodig gehad om haar omgeving haar meest basale behoeften mee te delen: eten, slapen, plassen.

Dat moet minstens vier jaar geleden zijn geweest. Waarom had Kasper bijna geen contact met zijn enige zus? Was onze hele familie door en door verrot? Hoeveel onaangename geheimen droegen wij eigenlijk bij ons? Het was ook zo gek dat we maar met zo weinig waren. Mijn oma en opa van moederskant waren al dood toen ik geboren werd. Mijn oma van vaderskant ging dood toen ik twee was en mijn opa een jaar later. Ik had geen neefjes en nichtjes en voor zover ik wist had ik ook geen ooms en tantes van moederskant en geen ooms van vaderskant. Tante Birgitta was de enige en die had ik in mijn hele leven maar vijf of zes keer gezien.

In de studio was het rustig. Kasper kwam uit de donkere kamer toen hij de zoemer van de deur hoorde.

'Hallo,' zei hij. 'Ben je er al?'

Ik haalde mijn schouders op.

'Het heeft geen zin om het voor me uit te schuiven.'

'De computer staat al op de inbox. Wil je alleen zijn als je het leest, of zal ik met je meegaan?'

'Ik wil graag alleen zijn. Maar je hoeft je ook weer niet op te sluiten in de donkere kamer. Ik bedoel, je bent hier toch wel als ik... klaar ben met lezen?'

Hij knikte.

'Natuurlijk. Mag ik je iets vragen?'

'Wat?'

'Wat heb je haar geschreven?'

'Dat vertel ik straks wel.'

'Oké.'

Ik ging het kantoor binnen en ging op de draaistoel voor de computer zitten. De laatste binnengekomen mail was van Ingrid Kaspersson en bij het onderwerp stond 'voor Katrina'.

Ik ging met de cursor naar de regel en bleef even stil zitten voordat ik klikte.

*Hallo Katrina,*

*(Als je deze brief krijgt, maar dat hoop ik wel.)*

*Dit is niet makkelijk voor me, maar dat is het natuurlijk ook niet voor jou. Misschien zou ik eerst wat beter moeten nadenken over de inhoud voordat ik schrijf, maar ik vind dat je recht hebt op een snel antwoord. Ik wil dat je begrijpt dat jouw berichtje mij echt wel heeft geraakt.*

*We kennen elkaar niet, jij en ik. Je bent nu vijftien. Bijna volwassen. Als ik aan jou denk, zie ik een klein meisje van een jaar of vijf, zes voor me. Ik weet niet hoe jij mij ziet in je gedachten. Ik vraag me wel eens af hoeveel je je nog herinnert.*

*Ik wil proberen je te vertellen hoe het is gegaan. Het is niet meer dan rechtvaardig dat je ook mijn versie van het verhaal krijgt.*

*Ik was tweeëntwintig toen ik Olof leerde kennen.*

*Ik was echt op hem gesteld, we hadden het heel leuk samen, maar ik was eigenlijk niet serieus van plan om bij hem te blijven. Daarom was het voor mij ook een hele schok toen ik ontdekte dat ik zwanger was. Toen ik het aan hem vertelde, had ik me er helemaal op ingesteld dat ik abortus zou plegen. Dat klinkt misschien verschrikkelijk in jouw oren, maar je moet bedenken dat dat helemaal niets met jou als persoon te maken had. Jij was nog niet meer dan een klompje cellen in mijn buik.*

*Maar Olof was helemaal uitzinnig van blijdschap toen ik hem vertelde dat ik zwanger was, zo blij dat ik het niet over* mijn hart kon verkrijgen tegen hem te zeggen dat ik helemaal geen kind wilde en zelfs niet eens een toekomst samen met hem. Ik schoof de beslissing steeds maar voor me uit totdat het te laat was.

Ik was al behoorlijk ver met mijn studie en ik droomde ervan om in het buitenland te gaan werken. Dat leek opeens allemaal onmogelijk. Misschien vind je dat egoïstisch en misschien vind je dat ik geen rekening hield met anderen, maar mijn belangrijkste dromen vielen op dat moment in duigen.

Natuurlijk was het laf van me dat ik toen niet eerlijk ben geweest tegenover Olof, maar hij en onze omgeving oefenden grote druk op me uit. Een vrouw moet blij zijn met haar groeiende buik, alles wat daarvan afwijkt is duidelijk abnormaal. Ik heb echt mijn best gedaan, Katrina. Misschien geloof je dat niet, maar het is echt zo. Ik heb jou ter wereld gebracht en ik heb voor je gezorgd. En omdat Olof het zo graag wilde, en mijn leven toch niet was geworden wat ik ervan had verwacht, stemde ik er na verloop van tijd mee in om nog een kind te krijgen en toen werd Viktor geboren. Het doet ontzettend veel pijn om een kind te krijgen, Katrina! Laat niemand je ooit iets anders wijsmaken! In de verloskundigenpraktijk zullen ze zeggen dat het natuurlijk is, dat het een positieve pijn is en dat onze lichamen ervoor zijn gemaakt. Allemaal leugens! De enige keren in mijn leven dat ik graag dood wilde, was tijdens mijn bevallingen.

Later heb ik begrepen dat dat het je kennelijk allemaal waard is als je echt kinderen wilt. Maar laat je niet voor de gek houden, Katrina! Zorg dat je goed beschermd bent totdat je heel zeker weet dat je dat wilt doormaken!

Nou ja, hoe dan ook: Olof was een heel goede ouder. Veel beter dan ik. Wat ik uit plichtsgevoel deed, deed hij met veel plezier. Hij kon zelfs blij zijn met een poepluier omdat dat bewees dat jouw buikje goed functioneerde! Ik begreep hem *niet. Ik dacht dat hij meer van jou en Viktor hield dan van mij, terwijl ik me toch voor hem had opgeofferd.*

*Kinderen zijn veeleisend. Dat is normaal. Kinderen vragen voortdurend iets van je. Je moet op ze letten, ze vragen je aandacht, ze hebben eten nodig, schone kleren, liefde, liefde en nog eens liefde. Kinderen begrijpen niet dat je af en toe even rustig wilt zitten, of dat je even alleen een boek wilt lezen. Ik was nog niet rijp voor die veeleisendheid. Daar ben ik niet trots op. Zeker niet. Maar zo is het.*

*Nu weet je hoe het is gegaan. Na ruim zes jaar kreeg ik een heel goede baan aangeboden in Brussel. Ik dacht dat jullie me niet nodig hadden. Jullie hadden elkaar toch. Jullie hadden samen iets waarvan ik geen deel uitmaakte.*

*Eigenlijk ging ik meer van jullie houden nadat ik was vertrokken. Ik vond het fijn om brieven en kaarten van jou en Viktor te krijgen, hoewel ze me natuurlijk een slecht geweten bezorgden. Ik probeerde vrolijke, opgewekte brieven terug te schrijven. Brieven die jullie een blik zouden gunnen in de wereld buiten, de wereld waarnaar ik zelf zo sterk had verlangd. Ik zorgde ervoor dat ik niet sentimenteel werd, want ik wilde jullie absoluut niet verdrietig maken. Ik heb jullie nooit verdriet willen doen, dat mag je niet denken.*

*Ik was mislukt als vrouw, maar geslaagd in mijn werk. Ik werk heel hard en ik heb veel succes en daar schaam ik me niet voor. Ik heb mijn kinderen in de steek gelaten, daar schaam ik me voor, maar ik had het niet in me om een goede moeder te zijn.*

*Het deed pijn om de woorden die je me gisteren stuurde te lezen en dat was waarschijnlijk ook je bedoeling. Ik denk dat ik je meer pijn heb gedaan dan ik me heb gerealiseerd. Maar Katrina, je heb mij niet gemist in je leven! Je hebt een goede moeder gemist, dus niet mij.*

*Ik heb mezelf ingebeeld dat die Maria de rol van plaatsver-*

*vangend moeder op zich had genomen en dat heeft mijn*
*geweten in de loop der jaren gesust. Maar ik had het kenne-*
*lijk bij het verkeerde eind. Ik weet dat ze jong is. Misschien is*
*ze nog net zo weinig rijp als het om kinderen gaat als ik. Als*
*dat zo is, is het heel naar voor jullie. En niet erg slim van*
*Olof.*
*Nu heb ik denk ik gezegd wat ik wilde zeggen toen ik aan*
*deze mail begon. Ik denk niet dat het zin heeft om sorry te*
*zeggen, Katrina. Wat ik heb gedaan, is niet iets waarvoor je*
*sorry zegt en waarschijnlijk ook niet iets wat je me zult kun-*
*nen vergeven. Maar ik hoop wel op een beetje begrip. Wat ik*
*je vandaag heb verteld, is geen excuus, alleen een poging om*
*het uit te leggen.*
*Misschien vind je het leuk om een keer bij me op bezoek te*
*komen? Als dat zo is, betaal ik graag mee aan je ticket. Laat*
*me maar weten of je er iets voor voelt. Je bent nu oud genoeg*
*om zelf te bepalen wat je wilt, volwassen genoeg om dingen*
*te begrijpen en afwegingen te maken. Misschien hebben we*
*nog een kans om elkaar te leren kennen en iets van wat we*
*kwijt zijn geraakt, in te halen.*
*Hartelijke groeten,*
*Ingrid*

De tranen stroomden over mijn wangen, ze wilden niet meer ophouden. Ik huilde niet hardop, geen gesnik en gesnotter, maar terwijl ik de mail telkens opnieuw las, bleven de tranen maar komen.

Ze begreep er helemaal niets van, ze had het mis over alles waarover je het maar mis kunt hebben en ik haatte haar. Maar ze werd ook voor het eerst een echt mens. Een ongevoelig, egocentrisch mens weliswaar, maar toch iemand die bestond en dacht en voelde en het deed pijn dat ze echt bestond en iemand was die ergens achter een computer zat en een brief naar me schreef, maar het was ook goed, want op de een of andere manier werd ze opeens ook kleiner. Een dom klein meisje dat per ongeluk zwanger was geraakt en vervolgens te laf was geweest om er iets aan te doen.

Na een tijdje ging ik naar Kasper toe in de studio. Hij rommelde wat met lampen en probeerde eruit te zien alsof hij niet op me zat te wachten, maar ik wist dat hij dat wel deed. Hij rechtte zijn rug en keek me aan en ik keek terug. Zijn donkere, grijzende krullen, zijn lichte, ietwat vermoeide ogen, zijn blauw met zwarte trui die om zijn hoekige schouders hing, zijn lange armen en zijn handen die me hadden opgetild en getroost en eten voor me hadden klaargemaakt. Viktor had dezelfde neus, smal en licht gebogen. Zijn mond was duidelijk getekend, met een scherpe cupidoboog en een volle onderlip en voor het eerst zag ik de gelijkenis met mijn eigen mond. Maar dat was niet het belangrijkste dat ik zag toen ik zo naar hem stond te kijken. Vóór alles zag ik de man die mijn leven had gered. De man die mij zó graag wilde dat de vrouw die dat niet wilde, zich gedwongen had gevoeld hem zijn zin te geven. De man die me had gered door zijn blijdschap over het feit dat ik bestond.

Ik dacht aan Adam.

Ik had ons zielig gevonden, ik dacht dat we allebei in de steek gelaten en verlaten waren. Maar eigenlijk was het precies andersom. Want we leefden en ademden alleen maar omdat we een ouder hadden die ons écht wilde, iemand die ons ondanks alles wilde hebben. Die wilde dat we zouden bestaan, dat we ons zouden ontwikkelen, dat we zouden leven en ademen.

Hoeveel kinderen waren zó gewenst als wij? Hij door zijn moeder, ik door mijn vader.

'En,' zei Kasper voorzichtig. 'Heb je het gelezen?'

Ik knikte.

'Ik zal haar ook terugschrijven,' zei ik. 'Wil je erbij zijn?'

'Als het mag.'

Ik liep het kantoortje weer in en Kasper kwam achter me aan. Er waren misschien wel meer dingen waarop ik antwoord moest geven, maar die konden wachten. Maar één ding was heel belangrijk, dat moest meteen worden rechtgezet. Ik klikte op 'beantwoorden' en schreef:

*Hallo Ingrid,*
*Ik heb je brief gelezen.*
*Je vergist je wat Maria betreft. Maria is oké. Wij waren te beschadigd om te kunnen aannemen wat ze ons wilde geven.*
*Ik geloof niet dat ik iets te zoeken heb in Brussel.*
*Katrina.*

Ik keek Kasper aan. Hij deed zijn mond open, maar voordat hij iets kon zeggen klikte ik op 'verzenden' en toen deed hij hem weer dicht. Hij hield zijn rechterduim en -wijsvinger een paar seconden tegen zijn oogleden gedrukt.

Daarna zei hij met schorre stem: 'Als je je vader niet wilt zien huilen, kun je maar beter even naar buiten gaan.'

'Ik ga helemaal nergens heen,' zei ik.

'Ik moet sterk zijn en jóu troosten,' zei hij.

'Misschien moeten we af en toe elkaar troosten,' zei ik.

Hij trok me overeind van de bureaustoel en sloeg zijn armen stevig om me heen en ik klemde me als een klein kind aan hem vast. Misschien huilden we ook. Ik weet het niet precies.

Toen de deurzoemer ging, liet Kasper me los, viste een verfrommelde zakdoek uit zijn zak en snoot zijn neus.

'Eh, ja,' mompelde hij. 'Ik moet nog een kind fotograferen.'

'Moet ik helpen?'

'Nee, het lukt wel. Maar ik zou het heel fijn vinden als je me een tijdje kunt komen helpen op de woensdagmiddagen.'

'Ja, dat kan wel.'

'Fijn.'

Hij glimlachte zwakjes en streek even met zijn wijsvinger over mijn wang, toen ging hij naar de studio om zijn klanten te ontvangen.

Ik bleef nog een tijdje bij de computer staan en probeerde te bedenken of ik de mail zou printen zodat Viktor hem ook zou kunnen lezen, maar ik deed het niet, zette de computer uit en ging weg.

Niet meer dan een kwartiertje lopen vanaf de studio lag de Knip-o-theek. De laatste klanten van die dag waren duidelijk klaar, want de meisjes die er werkten waren druk bezig met opruimen en schoonmaken. Ik bedacht dat ik daar mijn haar kort zou laten knippen als ik mijn eerste loon van Kasper had gekregen.

Opnieuw zoog ik de milde septemberlucht diep in mijn longen en ik bedacht dat het naar vrijheid rook. Vreemd. Wat kwam er vrij in de herfst? Alle vallende bladeren misschien. Die rukten zich los van hun takken en vlogen en fladderden eventjes door de straten voordat het tijd werd om te gaan liggen en weg te rotten in een beschut hoekje waar de wind niet kwam. Maar vrijheid was eigenlijk ook niet alles. Ik voelde me zelfs meestal vrijer midden in het schooljaar, hoewel het leven dan meer gestructureerd en voorspelbaar was dan in de zomervakantie. In de vakantie zwierf ik maar wat rond door de stad en voelde me gevangen, als een dier in een kooi, maar zoiets kon ik natuurlijk aan niemand vertellen. Zelfs niet aan Frida. Als je erover nadacht, was dat korte moment van vrijheid van de blaadjes ook niet alles. Ze werden verstoten door hun boom en waren dan het slachtoffer van de grillige wind die hen heen en weer slingerde terwijl ze langzamerhand droger en breekbaarder werden of natter en steeds verder verteerden. Gedoemd tot de ondergang, zonder de voeding van de boom.

Ik duwde met mijn voet tegen een klein, geel herfstblaadje dat langs de rand van de stoep lag. Mijn probleem was dat ik te veel nadacht. En over te vreemde dingen.

Viktor zat naar een actiefilm te kijken toen ik thuiskwam. Ik bleef in de deuropening van de woonkamer staan en vroeg me af of ik de mail niet toch had moeten printen en meenemen. Hij had toch net zoveel recht op Ingrid Kaspersson als ik. Net zoveel recht op de waarheid. Maar hij zou zo verdrietig worden van alles wat ze vertelde. Ik keek naar zijn tengere nek en zijn haar dat daar een beetje krulde en ik voelde dat ik hem de brief waarschijnlijk nooit zou kunnen geven. In elk geval nog heel lang niet.

Opeens draaide hij zich om.

'Er heeft iemand gebeld,' zei hij.

'Voor mij?'

Viktor keek weer naar de film.

'Hm. Ik geloof dat hij Adam heette.'

Mijn hart sloeg een slag over. Hij had gebeld! Zijn stem had door de telefoon in onze gang geklonken. Hij had naar mij gevraagd. Ik had de belangrijkste gebeurtenis van de eeuw gemist vanwege een achterlijke brief.

'Wanneer... hoe... hoe lang is dat geleden?' vroeg ik.

Ik probeerde onverschillig te klinken, maar dat lukte niet zo erg denk ik, want Viktor keek nog een keer op van de televisie en hij keek me nieuwsgierig aan.

'Een halfuurtje of zo. Vind je hem leuk? Maar je hebt toch verkering met Andreas?'

'Nee, jawel, nou eh... ik kan niet op al je vragen tegelijk antwoord geven en bovendien gaat het jou niets aan!'

Viktor glimlachte plagerig.

'Je bent verliefd op hem!' zei hij met een zelfverzekerd lachje; toen keek hij weer verder naar de film.

'Hou je kop!' snauwde ik.

Ik liep naar de gang en staarde naar de telefoon.

16 32 51.

Ik drukte op het knopje en zag het nummer tevoorschijn komen op de display. Het klopte. Hij had gebeld. Kon ik hem nu terugbellen? Zou het raar zijn om nog een keer te bellen? Stel je voor dat zijn moeder opnam. Wat moest ik dan zeggen? Ik kon toch niet weer met datzelfde verhaal over huiswerk komen. Ik had trouwens al gezegd dat ik iemand anders zou bellen. Nee, dat kon niet. Dat zou heel pijnlijk zijn. En eigenlijk wist ik ook niet wat ik moest zeggen als hij zelf opnam. Ik kon hem toch niet van de mail vertellen, nu Viktor thuis was. Mijn broertje had de beste oren van het westelijk halfrond.

Ik drukte het nummer weer weg. Waarom had ik geen ja gezegd toen Kasper had aangeboden de brief te printen en mee naar huis te nemen? Ik had best een paar uurtjes kunnen wachten met lezen! Dan was ik thuis geweest toen Adam belde. Ik zou echt nooit meer bij de telefoon vandaan gaan!

Alsof ik met mijn gedachten een soort bezwering had uitgesproken, verschenen de cijfers opeens weer op de display. Ik staarde er stomverbaasd naar, ik begreep er niets van. Toen ging de telefoon over en mijn hersenen begonnen weer te werken. Hij belde. Nu. Precies op dit moment, terwijl ik naar de telefoon zat te staren. Hij belde. Mij.

Ik sloot mijn hand om de telefoon en liet hem nog een keer overgaan terwijl ik probeerde mijn ademhaling weer onder controle te krijgen en me te herinneren hoe ik ook alweer heette. Toen nam ik op.

'Met Katrina Kaspersson.'

Het klonk een beetje hees, maar het was tenminste verstaanbaar.

'Hoi, met Adam,' zei Adam.

Hij klonk zo dichtbij. Vlak naast me.

'Hoi…' zei ik.

'Je had me gebeld,' zei hij.

'Ja,' zei ik. 'Maar… ik heb niet gezegd wie ik was.'

'Nee, maar ik zag het op de nummerweergave.'

Hij had mijn nummer herkend! *Hij kende mijn telefoonnummer!* Ik beet hard op mijn lip en probeerde me te beheersen. Het zou natuurlijk ook kunnen dat hij gewoon inlichtingen had gebeld toen hij een nummer zag dat hij niet herkende.

'Ik wilde je gewoon… iets vertellen,' wist ik uit te brengen. 'Maar dat kan nu even niet.'

'Heb je Maria gevonden?'

'Nee. Dat ga ik morgen doen.'

Toen vroeg ik het. Zonder erbij na te denken. Het floepte er gewoon uit.

'Ga je mee?'

Het bleef even stil, het leek wel of ik mijn hart kon horen kloppen terwijl ik wachtte. Ik durfde bijna niet te ademen. Ik hoopte dat hij nee zou zeggen. En ik hoopte nog meer dat hij ja zou zeggen.

'Ja, ik kan wel,' zei hij toen. 'Als jij het wilt.'

Mijn hand die de telefoon vasthield begon pijn te doen en ik merkte dat ik hem zo hard vastklemde dat mijn knokkels wit waren geworden.

'Zullen we bij het riviertje afspreken?' vroeg ik. 'Na school?'

'Oké.'

Toen ik ophing, had ik het gevoel dat ik zou ontploffen. Ik wilde heel hard rondrennen en als een idioot schreeuwen, maar dat doe je natuurlijk niet. Niet waar je broertje bij is tenminste. Dus in plaats daarvan deed ik Tarzan zijn riem om. Hij keek me verbaasd aan.

'Ik ga even uit met de hond!' riep ik naar de woonkamer die vol was met schietgeluiden van een heftige scène in de film.

'Hm,' zei Viktor zonder enige interesse.

Toen sjeesde ik de trappen af en naar buiten. Tarzan holde dolblij naast me toen ik ervandoor ging over de stoep. De zon stond al laag en kleurde alles oranjerood. Ik zigzagde tussen de bomen van de Järnvägsstraat door, sloeg de Köpmansstraat in en liep verder naar de grote parkeerplaats achter de grote super-markt. Toen kon ik me niet langer inhouden, ik gaf een lange, onbeheerste schreeuw. Tarzan sprong om me heen en ik lachte hardop en danste in het rond zodat hij nog harder begon te springen. Toen ik tussen een paar auto's door terugrende naar de Köpmansstraat zag ik dat een oude dame haar tasje paniekerig tegen haar borst klemde terwijl ze naar me staarde. Ik glimlach-te breed en zwaaide naar haar terwijl ik verder rende.

Mijn voeten roffelden zijn naam op het asfalt, in een ritmisch patroon langs de stoep. Adam, Adam, Adam.

Nacht.

Ik was verstrikt in mijn dekbed, alsof het de python van mijn geweten was, ik had het beurtelings warm en koud, alsof ik koorts had. Hoe had ik zoiets stoms kunnen doen? Had ik mezelf niet bij alles wat me heilig was bezworen dat ik nooit meer iets achter Frida's rug om zou doen? Nu kon ik niet langer meer beweren dat ik toevallig in een situatie was beland waarover ik niets tegen haar kon zeggen. Nu had ik heel bewust met hem afgesproken. Ik had hem gevraagd of hij met me mee wilde gaan en ik had ook nog eens als een idioot staan gillen en schreeuwen omdat hij ja had gezegd.

Hoe kon ik zo onbetrouwbaar zijn? Waren dat Ingrids genen die in mij naar boven kwamen? Kwamen ze uit het donker aangeslopen en veranderden ze me in iemand die ik helemaal niet wilde zijn? Steeds als het me lukte om weg te doezelen, vermengden de woorden uit haar mail zich met beelden van Adam en Frida en dan schrok ik weer wakker.

Om kwart over drie stapte ik uit bed en ging naar de badkamer. Het gezicht dat me in de badkamerspiegel aankeek was bleekblauw zoals het 's nachts in het licht van een tl-lamp altijd is. Mijn lange, donkerbruine haar viel slordig over mijn schouders.

Ingrids haar.

Ik pakte de schaar uit het kastje en speelde even met de scherpe kant langs mijn lokken. Ik wilde niet op mijn loon wachten. Ik wilde het er nú af. Mijn haar kleefde aan me vast als een nachtmerrie waaruit je maar niet wakker kunt worden.

Ik borstelde al mijn haar bij elkaar in een lange staart en die maakte ik boven op mijn hoofd vast met een blauw elastiekje. Toen pakte ik de schaar en kneep hem ongeveer één centimeter boven het elastiekje hard dicht. Het lukte me niet om mijn staart in één grote, dramatische knip af te knippen, zoals ik het me had voorgesteld; ik moest stukje bij beetje door mijn dikke haar heen snijden. Lokken van een halve meter vielen in de wastafel en op de grond rond mijn blote voeten.

Jij hebt mij ooit weggeknipt, Ingrid Kaspersson, dacht ik. Nu knip ik jou weg. Jij hebt er ooit voor gekozen dat je mij niet wilde. Ik krijg nu pas de kans om ervoor te kiezen dat ik jou niet wil. Je dacht zeker dat ik een gat in de lucht zou springen van geluk dat ik eindelijk bij je op bezoek mag komen? Maar daarin heb je je vergist, Ingrid Kaspersson! Daarin heb je je vergist.

Toen ik mijn haar had afgeknipt en in de spiegel keek, zag ik mijn wijd opengesperde ogen. Een bleek gezicht met halfopen mond en een klein plukje haar boven op mijn hoofd. Ik durfde het elastiekje er niet af te halen. Nog niet. Dus ik ging naar de keuken, schonk een glas melk in en ging in het donker aan de keukentafel zitten.

Buiten was het heel stil. Er reed geen auto voorbij. De straatlantaarns beschenen de lege stoep en midden op de straat lag een plastic tas onbeweeglijk stil. Het had een foto kunnen zijn. Een stilstaand filmbeeldje. Maar toen ging schuin tegenover ons opeens het licht aan achter een raam. Ik keek op en zag dat de magere roker het raam opendeed en een asbak neerzette voordat hij ging zitten en een sigaret opstak.

Automatisch keek ik omhoog naar het raam met de groene gordijnen. Ik had het nog niet eerder gezien, maar door die gordijnen heen schemerde vaag licht. Misschien waren ze wakker, die twee in dat bed met de gouden knoppen. Of misschien waren ze in elkaars armen in slaap gevallen en vergeten het bedlampje uit te doen. Misschien was de man achter de groene gordijnen de beste vriend van de roker; misschien zat de roker daar 's nachts omdat hij verliefd was op de vrouw van zijn beste vriend.

Zou hij zich ervan kunnen weerhouden om met haar af te spreken? Zou hij de verleiding kunnen weerstaan om haar te ontmoeten en met haar te praten over dingen waar zijn beste vriend niets vanaf wist? Misschien zat hij daar 's nachts omdat hij zo verlangde naar alles waar hij afstand van had gedaan. Of misschien zat hij daar wel omdat hij werd gekweld door een slecht geweten omdat hij dingen had gedaan die hij beter niet had kunnen doen.

Maar wat had ik eigenlijk gedaan?

Ik was Adam tegengekomen in het park, de eerste keer toevallig, de tweede keer omdat hij daar op me had gewacht zonder dat ik het wist. Hij had me een keer vastgehouden en ik had mijn armen ook om hém heen geslagen, maar alleen als vrienden, alleen omdat ik had gehuild en hij me wilde troosten. We hadden over bepaalde dingen gepraat omdat we bepaalde dingen met elkaar gemeen hadden, omdat we elkaar begrepen en ik had hem gevraagd of hij met me mee wilde gaan als ik Maria ging zoeken omdat ik wist dat hij begreep waarom alles zo gelopen was tussen Maria en mij, en omdat hij me niets verweet hoewel hij wist dat ik iets verkeerds had gedaan.

Niets van dat alles hoefde tussen hem en Frida te komen.

Maar ik voelde dat ik mezelf voor de gek hield. Het ging er niet om wat ik had gedaan, het ging er eerder om wat ik níet had gedaan.

Ik had haar verraden omdat ik haar niets had verteld. Als ik meteen na die eerste ontmoeting in het Videbergspark naar huis was gerend en Frida had gebeld, had het allemaal niet zo ingewikkeld hoeven worden. Misschien had ze het zelfs wel begrepen. Maar ik had net als Ingrid gedaan, ik had het steeds voor me uit geschoven totdat het te laat was.

Mijn vingers voelden voorzichtig aan het plukje haar boven

op mijn hoofd. Nu had ik haar weggeknipt. Ik wilde niet worden zoals zij. Ik zou morgen samen met Adam Maria gaan zoeken en dan zou het afgelopen zijn.

Echt. Ik begreep wel dat ik het eigenlijk zou moeten afzeggen. Dat ik moest proberen om Adam morgen te spreken te krijgen en tegen hem moest zeggen dat ik er spijt van had gekregen, dat het allemaal niet doorging. Maar dat kon ik niet. Alleen al bij de gedachte deed mijn hele lijf pijn. Ik moest dit laatste hebben. Alleen dit nog. Nog één keer naast hem lopen en over dingen praten. Vertellen van de mail en van mijn antwoord. Zien hoe hij Maria ontmoette. En daarna niets meer. Frida zou er nooit achterkomen en na morgen zou er ook niets meer zijn om achter te komen.

Ik dronk mijn melk op en stond op.

Waarom zat ik hier nog te piekeren? Ik had geen keus. Dit was het enige dat ik kon doen. Ik ging terug naar de badkamer, veegde zorgvuldig al mijn haar bij elkaar en deed het in een plastic zak die ik in de prullenbak onder mijn bureau gooide. Toen ging ik vastbesloten naar bed.

Maar even later was de chaos weer terug. Ik viel in slaap, droomde en werd wakker, viel weer in slaap en werd weer wakker. Het elastiekje ging los en mijn haar plakte nat van het zweet op mijn voorhoofd en wangen. Wat had ik eigenlijk gedaan? Hoe zag ik eruit? Kón ik morgen wel naar school?

Na een nacht die een eeuwigheid duurde, ging de wekker, net toen ik uitgeput even was ingedommeld. Ik draaide me om en ging zitten alsof iemand me had betrapt op iets verbodens. Alles plakte.

Vlug schoot ik de badkamer in en stapte onder de douche, voordat iemand anders me voor zou zijn. Het hete water brandde en verzachtte tegelijk. Ik deed shampoo in het vreemde haar dat op mijn hoofd zat. Ik voelde een paar keer hoe het opeens ophield als ik mijn vingers erdoorheen wilde halen. Ik zeepte mijn hele lichaam in alsof ik tot in het kleinste detail grondig gereinigd moest worden en spoelde alles weer af met nog meer heet water.

Terwijl ik me hardhandig afdroogde met een badlaken, werd er op de deur geklopt. Het was Kasper.

'Ben je bijna klaar, liverd? Ik moet plassen!'

Ik woonde mijn hele leven al samen met Kasper en Viktor, dus ik wist dat als mannen moeten plassen, ze ook écht moeten plassen. Ze kunnen niet wachten, zoals ik zelf zo vaak deed. Ze kunnen ook niet plassen voordat ze van huis gaan, zodat ze niet onmiddellijk op zoek moeten naar een wc als ze ergens aankomen. Ze kunnen niet plassen uit voorzorg dus. Ze kunnen alleen maar plassen als hun blaas helemaal vol is en dan hebben ze natuurlijk haast. En 's morgens hebben ze de grootste haast.

Ik wikkelde een badlaken om me heen, draaide een handdoek om mijn haar en stapte naar buiten in een wolk stoom.

'Wat was je in godsnaam aan het doen? Het lijkt hier wel een sauna!' zei Kasper voordat hij de badkamer in glipte en de deur achter zich dichtdeed.

Ik ging naar mijn kamer, wreef mijn haar lang en zorgvuldig droog met de handdoek en ging toen voor de spiegel staan. Ik hield mijn adem in en keek op.

Een ander iemand keek me aan vanuit de spiegel. Een heel ander iemand dan ik gewend was. Ik vond dat alles was veranderd, mijn schouders, mijn hals, mijn gezicht. Ze keek me verbaasd aan, alsof ik voor haar net zo onbekend was als zij voor mij.

Ik ging dichterbij staan en onderzocht mijn haar zorgvuldig.

Tot mijn verbazing stond het niet recht overeind of alle kanten op, maar viel het golvend rond mijn hoofd en mijn gezicht. Het krulde! Niet zo erg, maar het was overduidelijk. Kaspers krullen.

Heel lang stond ik alleen maar te kijken. Mijn ogen waren

rood en vermoeid, maar wat maakte het uit? Ingrids genen hadden het op moeten geven en terug moeten kruipen naar het donker. In ieder geval voorlopig. Ik moest natuurlijk op mijn hoede blijven, ook in de toekomst, maar nu, op dit moment, was dat niet belangrijk.

Mijn kleren zagen er ook anders uit toen ik ze aantrok. Mijn favoriete gestreepte top stond opeens niet meer zo goed, terwijl de zwarte met de lange mouwen, die ik niet bij me vond passen, ineens heel leuk stond.

Het was bijna halfacht toen ik eindelijk de keuken binnenging. Kasper en Viktor hadden al gegeten, maar ze zaten nog aan tafel. Kasper keek op van de ochtendkrant.

'Ik vroeg me net af of je...' begon hij.

Toen stopte hij en staarde me aan.

'Wat heb je nou gedaan?!'

Viktor stopte met het ronddraaien van het laatste stukje cornflakes door zijn kom en keek nieuwsgierig op. De verbaasde uitdrukking die eerst op zijn gezicht verscheen, maakte algauw plaats voor een waarderend knikje.

'Leuk,' zei hij. 'Heel leuk. Komt zeker door die Adam, hè?'

'Hou op!' zei ik en ik ging aan tafel zitten.

'Welke Adam?' vroeg Kasper. 'Is dat een nachtkapper?'

'Ze is verlie-hiefd!' zei Viktor.

'Rotjoch,' zei ik. 'Eet je pap en hou je smoel!'

Viktor grijnsde en schraapte het eenzame stukje cornflakes uit zijn kom.

'Je ziet er anders uit,' zei Kasper. 'Lief. Heel lief. Maar wel anders. Heb je dat echt zelf gedaan? Gisteravond had je toch nog lang haar, of niet?'

'Ja,' zei ik. 'Is het brood op?'

Kasper keek verward rond.

'Wat? Nee, er is nog meer in de broodtrommel... Zeg, Katrina, je zegt het toch wel als je ergens geld voor nodig hebt, hè? Ik bedoel, het is natuurlijk zonde om geld uit te geven aan de kapper als je het zelf zo goed kunt, maar in principe, nou ja...'

'Heb je dan geld?'

'Nee, nou ja, niet zoveel, misschien, maar als er een crisis is of zo, dan...'

'Dat is er,' zei Viktor vlug. 'Ik heb vijftig euro nodig!'

Kasper keek hem verwonderd aan.

'Waarvoor dan?'

'IJshockeyspullen! Er stond gisteren een advertentie in het krantje voor...'

Viktor hield opeens op en keek me ongerust aan.

'Als Andreas tenminste nog met me wil trainen als jij het uitmaakt!'

Ik voelde mijn wangen warm worden en stond vlug op. Met mijn rug naar de tafel haalde ik het brood uit de trommel.

'Ik ga het niet uitmaken met Andreas!'

'Maar je kunt toch geen verkering met hem hebben als je verliefd bent op iemand anders?'

'Jezus, man, hou op!' riep ik dreigend. 'Ik ben niet verliefd op iemand anders! Die Adam waar je maar over doorzeurt heeft trouwens iets met Frida, als je het per se weten wilt, eikel!'

'Nou zeg, schei eens uit!' zei Kasper streng. 'Wat een taalgebruik!'

'O jee,' zei Viktor. 'Ik geloof dat ik iets verkeerds heb gezegd! Moet je eens kijken wat een rooie kop ze krijgt!'

Kasper liet zijn hoofd in zijn handen zakken.

'Kun je niet gewoon ophouden met je zus plagen en naar school gaan? Volgens mij moet je over twintig minuten op school zijn, of niet?'

De plagerige uitdrukking verdween onmiddellijk van Viktors gezicht en hij keek naar zijn kom.

'Ik... ik wil eerst nog even wat cornflakes eten. En ik heb keelpijn.'

'Je praat wel veel voor iemand die keelpijn heeft,' mompelde ik terwijl ik een boterham met kaas maakte.

'Het was maar een grapje,' zei Viktor.

'Ha, ha,' zei ik.

Kasper keek ongerust naar Viktor.

'Heb je keelpijn? Had je dat vorige week niet ook al?'

'Hoezo?'

'Ik kwam je juf tegen in de supermarkt en die zei dat je vorige week twee keer eerder naar huis bent gegaan omdat je je niet lekker voelde. Waarom heb je dat niet tegen mij gezegd?'

'Ik... ik ben het gewoon vergeten. Het ging weer over.'

'Maar nu heb je weer keelpijn?'

'Hm.'

Ik keek verbaasd naar Viktor. Dat was echt het laatste dat ik me kon voorstellen, dat hij zou spijbelen. Hij niet. Hij hoefde zijn leerboeken maar één keer in te kijken en dan herinnerde hij zich ieder woord.

Kasper gaf hem een klopje op zijn schouder.

'We spreken het zo af,' zei hij. 'Je gaat gewoon naar school en als het erger wordt, ga je naar huis en bel je mij en dan ga ik met je mee naar de dokter, oké?'

Viktor knikte zonder op te kijken van zijn kom. Hij deed er nog een scheut melk en wat cornflakes in, maar hij zat er alleen maar wat in te roeren met zijn lepel in plaats van te eten.

Ik kon zelf de boterham die ik had gemaakt ook bijna niet wegkrijgen. Niet dat ik keelpijn had of zo, maar ik had het gevoel dat ik vandaag over een dun laagje ijs over een meer moest lopen. Het ijs knapte en kraakte onder mijn voeten. Maar tegelijkertijd voelde ik een verlangen. Ik wilde het niet voelen, maar ik voelde het toch.

Alleen vandaag, zei ik tegen mezelf. Echt, echt, echt, alleen vandaag maar. Dan is het afgelopen. Ik heb geen keus.

'Maar je had zult prachtig haar,' zei Andreas een beetje sip.

'Het staat haar toch hartstikke leuk!' protesteerde Frida. 'Echt cool! Dat je het niet veel eerder hebt gedaan!'

'Ik wist toch niet hoe het eruit zou zien,' zei ik.

We zaten in café Garfield en er waren nog maar tien minuten van de grote pauze over.

'Dat je het zélf durfde te knippen!' zei Rachel. 'Dat zou ik nooit gedaan hebben!'

Elina ging met haar hand door haar zwarte haar.

'Ik vraag me af hoe het er bij mij uit zou zien... Heb je echt gewoon je staart afgeknipt? Gewoon, zo recht eraf?'

Ik knikte.

Adam was er niet. Hij kwam haast nooit in Garfield. Maar hij had die ochtend wel naar me gekeken. Een paar keer.

Ik was opeens heel bang geworden dat hij iets over gisteren zou zeggen. Of erger nog, over vanmiddag. Maar dat deed hij niet. Misschien had hij nu begrepen dat Frida het niet wist. Dat ik dit achter haar rug om deed. Dat ik een verrader was.

Ik krabbelde heel voorzichtig rond over mijn dunne laagje ijs en ik stond die dag maar één keer op het punt erdoor te zakken. Dat was toen we op weg waren naar het laatste lesuur en Frida me vroeg of we dan vanmiddag de stad in konden gaan voor een leren jasje. Toen moest ik doen wat ik had gehoopt dat ik niet zou hoeven doen. Ik moest mijn belofte breken en recht in Frida's gezicht liegen.

'Nee... ik heb Kasper beloofd dat ik hem zou helpen... hij heeft ontzettend veel werk op het moment.'

Ik zag een kans om vlug over te gaan op de waarheid, om

weer vaste grond onder mijn voeten te krijgen nadat deze dag voorbij was.

'Morgenmiddag moet ik ook werken,' zei ik. 'Maar misschien daarna? Donderdag?'

'Oké.'

Ik streek met mijn hand over het jasje dat over mijn schouders hing. Ik wilde het echt niet in mijn kluisje stoppen, hoewel de leraren niet wilden dat we jassen mee de klas in namen.

'Het is echt heel mooi,' zei ik.

'Het staat je goed. Helemaal met dat nieuwe kapsel.'

'Dank je.'

Ik wilde dat ik niet had hoeven liegen. Leugens blijven aan je kleven, ze blijven voor altijd aan je hangen, ze verdwijnen niet in de grote molen van de tijd, zoals een achtergehouden waarheid. In de molen van de tijd wordt alleen fijngemalen wat er echt is geweest.

Het laatste uur ging veel te traag en veel te snel. Om tien over drie was het eindelijk en onverbiddelijk afgelopen. Toen ik naar mijn kluisje liep, mijn boeken eruit haalde, doei zei tegen Frida en snel naar huis ging, voelden mijn benen verraderlijk zwak en trillerig. Ik probeerde niet uit te kijken naar Adam en ik zag hem ook niet. Misschien was hij al weg. Ik wist niet eens waar hij woonde.

Thuis voelde ik me zenuwachtig en zweterig, maar ik durfde niet te douchen en andere kleren aan te trekken, want dat zou tijd kosten en dan zou Adam misschien geen zin meer hebben om te wachten en weggaan. Ik trok snel mijn shirt over mijn hoofd en plensde wat water in mijn gezicht terwijl Tarzan ongeduldig stond te trappelen in de deuropening.

Steeds als ik mezelf in de spiegel zag, was ik weer verbaasd. Dat een ander kapsel zo'n groot verschil kan maken! Ik weet niet zeker of ik er mooier door was geworden, maar ik was zo totaal anders. Ik voelde me nog niet echt thuis in die nieuwe persoon in de spiegel. Zij was die sterke, eerlijke persoon die ik wilde worden. Niet die oude kopie van Ingrid die haar beste vriendin verried.

Verried?

Zo was het toch niet echt. Was dit hetzelfde als iemand verraden? Er ging een merkwaardig kriebelend gevoel door mijn lijf toen ik daaraan dacht, alsof iemand heel zachtjes met een veer door mijn hele lijf ging.

Adam.

'Alleen vandaag,' fluisterde ik tegen mijn spiegelbeeld. 'Alleen vandaag nog. Ik zweer het. En we gaan alleen... ik wil alleen even bij hem zijn en met hem praten. Ik wil alleen dat hij erbij is als ik Maria weer zie.'

Ik kon het niet laten om met kohl een paar dunne lijntjes onder mijn ogen te trekken en een beetje mascara op te doen. Niet zodat je het zou zien. Ik wilde alleen mijn ogen wat groter en helderder laten lijken. Ze zagen er niet meer zo moe uit. Ik boog me naar de spiegel en onderwierp mijn neus en wangen aan een kritisch onderzoek. Ik vond een pijnlijk rood plekje links van mijn neus, misschien een beginnend puistje. Als het zich nog maar een paar uurtjes gedeisd hield.

Tarzan zuchtte demonstratief achter mijn rug en ik stopte met mijn inspectie, trok mijn schoenen en mijn leren lasje aan, deed Tarzan zijn riem om en liep het trappenhuis in. Toen bleef ik staan, draaide me om en ging weer naar binnen. Ik kon dit niet doen terwijl ik Frida's jasje aanhad. Ik kon niet achter haar rug om met Adam afspreken en haar verraden met het leren jasje aan. Ik hing het op een hanger in de gang en trok mijn oude spijkerjasje aan. Toen maakte ik het zilveren kettinkje met het bergkristal los en liet het voorzichtig in de zak van het zachte, bruine jasje glijden. Ik voelde verdrietig aan de lege plek die het achterliet om mijn hals, ik aarzelde een paar seconden, maar toen liep ik samen met Tarzan de trappen af.

Alleen vandaag nog, dacht ik nog eens. Alleen deze ene keer. Daarna nooit, nooit meer.

Mijn benen bewogen zich razendsnel naar het Videbergspark. Het leek wel of ik ze niet meer kon tegenhouden, ook niet als ik dat had gewild. Ze gingen naar Maria toe en dat zouden ze naast Adams lange, rustige stappen doen.

Ik zag hem niet toen ik het grindpad naar het riviertje afliep, maar ik bedacht dat hij waarschijnlijk al zat te wachten in het paviljoentje achter de hoge heg. Dat was toch ons plekje. Als ik aan Adam dacht, zag ik hem precies daar, zittend op een bankje met zijn blik op het water gericht. Tarzan mocht de grote eer krijgen om hem het eerst te zien, dus ik maakte zijn riem los. Maar hij zocht niet eens. Hij rende gewoon wat rond en snuffelde hier en daar. Misschien was zijn reukvermogen toch niet zo geweldig als ik dacht.

Ik kwam bij de groene muur en liep de hoek om en door de opening naar binnen. Toen bleef ik in verwarring staan. Adam zat ook niet in het paviljoentje. Een lichte windvlaag ritselde door de herfstbladeren op de grond, verder was het doodstil. Hij was er niet.

Het was nooit bij me opgekomen dat hij misschien niet zou komen.

Stom natuurlijk. Er kon toch iets tussen zijn gekomen of misschien had hij gewoon spijt gekregen. Eigenlijk had hij natuurlijk ook niets met mijn familieproblemen te maken, dus waarom zou het hem iets kunnen schelen?

Maar daar had ik helemaal niet aan gedacht, ik had gewoon als vanzelfsprekend aangenomen dat hij er zou zijn, dat hij al op me zou zitten wachten, en eerst was ik eerder verbaasd dan verdrietig. Toen kwam de teleurstelling, zo groot en donker en onhanteerbaar dat ik hem op een afstand moest houden. Ik kon hem nog niet toelaten, ik liep twee keer het trapje van het paviljoentje op en af, aaide Tarzan, keek naar het riviertje, hield het donker op afstand. Ik kon dit toch alleen doen, ik moest gewoon beginnen, gewoon op weg gaan en haar zoeken en het was eigenlijk maar goed ook, want nu hoefde ik geen slecht geweten te hebben tegenover Frida, ik hoefde me geen verrader te voelen, ik hoefde niets geheim te houden, want er was niets, ik had het me alleen maar verbeeld, er was helemaal niets.

Toen ik weer terugliep door de opening in de heg brandden mijn ogen. Scherpe, hete tranen prikten achter mijn oogleden en ik beet hard op mijn wang, ik probeerde de wereld stil te zetten, zodat het noodweer niet los zou barsten.

Toen stak Tarzan zijn kop omhoog en snuffelde in de wind. Daarna ging hij er in volle vaart vandoor over het grasveld en sneed af naar het grindpad dat naar het speeltuintje leidde. Ik keek op en zag Adam komen aanrennen.

Ik zag hem een beetje onscherp, maar er was geen twijfel mogelijk dat hij het was, zijn rennende voetstappen knersten op het grind. Het zachte briesje voerde het geluid in mijn richting en dat maakte hem echt. Toen hij me zag, hield hij in en zwaaide. Hij liep verder met lange passen. Tarzan sprong wild om hem heen en hij lachte. Ik hapte naar adem. Het leek wel of de automatische piloot werd uitgezet toen ik hem zag en ik op eigen kracht moest ademen.

'Hoi!' zei hij toen hij nog maar een paar meter van me af was. 'Ik was bang dat je al weg zou zijn!'

Híj was bang dat ík al weg zou zijn. De woorden drongen tot me door, verspreidden zich in mijn binnenste en legden zich als een warme deken over mijn teleurstelling. Het kon hem iets schelen. Hij was bang geweest dat ik niet had gewacht, dat ik zonder hem was gegaan. Hij wilde mee.

Ik gaf geen antwoord. Ik had nog steeds al mijn aandacht nodig om te ademen. Ik vroeg me af of ik glimlachte. Ik had mijn gezicht niet onder controle.

'Mijn moeder was gestruikeld op de trap en ze had haar voet

verzwikt, ik moest haar eerst even helpen voordat ik hiernaartoe kon komen.'

Hij stond voor me. Keek me aan.

'Ben je verdrietig? Is er iets gebeurd?'

Opeens voelde ik dat er een traan over mijn wang rolde. Ik had totaal geen controle meer! Ik bracht vlug mijn hand naar mijn wang en veegde hem weg. Ik probeerde mijn stem terug te vinden. Kom op nou!

'Nee, hoor,' zei ik. 'Alleen een beetje zenuwachtig. Om Maria te zien, bedoel ik.'

Adam glimlachte.

'Het gaat vast heel goed. Je wílt het toch echt? Of niet?'

'Ja. Echt. Absoluut.'

Zijn blik dwaalde een paar seconden over mijn lichaam. Over mijn schouders, mijn hals, mijn gezicht en via mijn hoofd naar boven. Ik had het gevoel dat hij me aanraakte. Dat ik zijn blik kon voelen als een lichte streling die warmte en een prettig soort zwaarte door me heen verspreidde.

'Je ziet er anders uit,' zei hij.

'Beter of slechter?' vroeg ik.

Hij twijfelde.

'Anders,' zei hij nog een keer. 'Minder... engelachtig. Maar wel mooier misschien. Of, minder sprookjesachtig mooi, maar... sexyer... als je het wilt weten.'

Hij werd een beetje rood toen hij dat zei. Een heel klein beetje maar, maar ik zag het en ik moest mezelf er weer aan herinneren dat ik adem moest halen. Ik begreep niet hoe ik mezelf had kunnen wijsmaken dat ik ooit eerder verliefd was geweest. Ik had echt geen idee gehad. Niet het minste vermoeden.

Adam deed een stap naar achteren, zodat er wat meer lucht tussen ons in kwam. Hij aaide Tarzan.

'Zullen we gaan?' vroeg hij.

Ik knikte. Toen bedacht ik dat hij dat niet kon zien omdat hij over Tarzan heen gebogen stond, dus ik knikte nog een keer. Mijn hersenen waren duidelijk met vakantie. Die lagen ergens op een ligstoel op het strand van Mauritius of zo en dronken tequila, of wat ze ook drinken op Mauritius.

Adam richtte zich op voordat ik weer zover bij mijn positieven was gekomen dat ik iets kon zeggen.

'Weet je waar dat reclamebureau is?' vroeg hij.

Ik begreep dat ik dat natuurlijk had moeten nakijken. Dat ik Sörgrens had moeten opzoeken in het telefoonboek. Maar dat had ik dus niet gedaan.

'Nee,' zei ik beschaamd. 'Ik weet zelfs niet eens zeker hoe het heet. Ze zei alleen maar "Sörgrens". Dan zal de eigenaar wel Sörgren heten. Misschien...'

'Ik denk dat ik wel weet waar we het kunnen vragen,' zei Adam. 'Kom mee!'

Ik maakte Tarzans riem vast en liep met Adam mee het park uit.

Tien minuten later stonden we op de advertentieafdeling van de plaatselijke krant te praten met een lange, magere man van een jaar of veertig.

'Jawel,' zei hij. 'Reclamebureau Sörgrens bestaat al heel lang. Maar ze heten tegenwoordig "sorgrens.com". Hun kantoor is in de Storstraat, tegenover Intersport.'

'Dat heb ik nog nooit gezien,' zei ik.

'Ze hebben geen grote reclameborden nodig. Ze hebben toch wel genoeg klanten. De ingang is rechts van Intersport.'

We bedankten de man, gingen weer naar buiten en maakten Tarzan los, die we hadden vastgebonden aan een fietsenrek.

'Je zou privé-detective moeten worden of zo,' zei ik.

'Ja, inderdaad,' zei Adam. 'Elementair, mijn beste Watson.'

Er stond inderdaad 'sorgrens.com' op een klein koperen naamplaatje naast de ingang. Niet het soort naambord dat je zou verwachten van een reclamebureau. Maar wat wist ik daar eigenlijk van? Een reclamebureau dat geen reclame hoeft te maken, dat moet toch wel goed zijn. Logisch dat Maria hier graag wilde werken...

Ik bond Tarzan weer vast en Adam en ik gingen naar binnen en liepen de trap op. Het trappenhuis was lichtblauw geschilderd en het rook er naar schoonmaakmiddel. De ingang van sorgrens.com werd gevormd door dubbele deuren met geslepen glas en een modern naambord met de naam van het bureau en een kleurrijk logo.

De beelden schoten door mijn hoofd. Maria in de slaapkamer. Haar verdrietige, boze blik. De versleten tas met de slordig opgevouwen kleren.

'Ben je nou nóg niet tevreden?' hoorde ik haar stem in mijn hoofd. 'Jezus, ik ga toch weg, is dat dan nóg niet genoeg?!'

Ik bleef staan voor de dubbele deuren. Achter het glas bewoog een in het rood geklede gestalte zich van rechts naar links. Adam keek me aan.

'Gaat het?' vroeg hij.

'Ik weet het niet,' zei ik. 'Misschien... is het wel een dom idee.'

Hij schudde zijn hoofd.

'Nee,' zei hij. 'Maar misschien vind je het eng?'

Ik knikte.

'Soms moet je iets doen wat je eng vindt,' zei Adam met een

glimlach. 'Anders ben je geen mens maar een waardeloze drol.'

Ik glimlachte terug.

'Ik vond "De gebroeders Leeuwenhart" vroeger een prachtig boek,' zei ik. 'Het was mijn lievelingsboek.'

'Het mijne ook,' zei Adam. 'Ik wilde altijd dat ik ook zo'n moedige grote broer had. Zullen we naar binnen gaan?'

Ik knikte.

Adam opende een van de deuren en we kwamen in een korte, brede gang met een glimmende vloer en litho's aan de muren.

Aan beide kanten van de gang waren halfgeopende deuren en aan het einde was weer een dubbele deur, die dicht was. Een blonde vrouw met een rood vest kwam uit het eerste kantoor aan onze linkerhand. Dat was vast degene die ik door de glazen deuren heen had gezien. Ze keek ons vragend aan. We zagen er waarschijnlijk heel anders uit dan de meeste klanten van sorgrens.com.

'Hallo?'

'Hallo,' zei ik. 'We zijn op zoek naar Maria Dahl.'

De vrouw schudde haar hoofd. Een blonde lok viel over haar voorhoofd.

'Die ken ik niet. Is ze een klant van ons?'

Voor de tweede keer die dag was ik volkomen uit het veld geslagen. Ik kon blijkbaar van tevoren geen alternatieven bedenken.

'Ze werkt hier,' zei ik dom. 'Of… ze zei tenminste dat ze hier zou gaan werken. Dat was half augustus of zo.'

Er verscheen een rimpeltje tussen de ogen van de vrouw.

'Weet je het zeker? Ik heb haar naam nooit gehoord. Maar misschien… willen jullie even wachten?'

Ik knikte. De vrouw liep naar de deur aan het einde van de gang rechts, klopte snel aan en ging toen naar binnen.

Adam keek me vragend aan en ik haalde mijn schouders op.

Na een paar minuten kwam de vrouw weer naar buiten, met

een man van middelbare leeftijd. Hij haalde snel zijn hand door zijn haar, waarna hij hem uitstak en ons begroette.

'Anders Sörgren,' zei hij. 'Zo, dus jullie zoeken Maria? Zijn jullie vrienden van haar?'

Ik knikte stom en dacht dat dat niet helemaal waar was. Maar ik hoopte wel dat het waar zou worden.

Anders Sörgren keek ons onderzoekend aan.

'Nou,' zei hij, 'jullie mogen haar de groeten doen als jullie haar zien en vertel haar dan maar dat die baan nog steeds vrij is. Ik heb nog steeds niemand gevonden die ik liever op die plek wil hebben.'

'Maar...' stamelde ik, 'is ze dan helemaal niet komen opdagen of zo?'

'Jawel. Ze is gekomen om te zeggen dat ze zich had bedacht, dat ze hier uiteindelijk toch niet wilde werken. Heel jammer. Goede baan, goed salaris, slim meisje. Zeg dat maar tegen haar.'

'Als we haar vinden,' zei Adam.

Anders Sörgren tikte met zijn wijsvinger tegen zijn voorhoofd, alsof hij voorzichtig probeerde daarbinnen een gedachte wakker te schudden.

'Ik geloof dat ik wel ergens een adres heb,' zei hij. 'Wacht even!'

Hij verdween weer in zijn kantoor en ik keek naar Adam. Dan zouden we Maria toch vinden!

Maar toen Anders Sörgren terugkwam en me vriendelijk een papiertje in mijn hand drukte, verdween mijn hoop weer. Ik kende het adres dat daar stond. Heel goed zelfs. Het was mijn eigen adres.

'Bedankt,' zei ik, 'maar daar woont ze niet meer.'

'O nee?' zei Anders Sörgren. 'Echt niet? Nou, dan weet ik het niet meer.'

We verlieten het reclamebureau en stonden weer in de Storstraat. Tarzan snuffelde nieuwsgierig aan me toen ik hem losmaakte, alsof hij erachter wilde komen waar we eigenlijk hadden gezeten.

'Misschien is ze de stad wel uitgegaan,' zei ik.

'Heeft ze geen familie hier die we kunnen proberen te vinden?' vroeg Adam. 'Ouders misschien?'

Ik haalde mijn schouders op. 'Ik schaam me dood, maar ik weet echt helemaal niets van haar.'

'Denk eens na. Je moet toch wel íets weten? Iets over haar leven voordat ze bij jullie kwam.'

'Nee. Jawel, toch, dat ze eigenlijk kapster is. Maar daar hebben we waarschijnlijk niet veel aan.'

'Maar mijn beste Watson!' zei Adam enthousiast. 'Jij hebt de feiten, ik heb het genie!'

Ik moest lachen.

'Waar heb je het nu weer over?'

'Ze is kapster! Ze moet toch ergens van leven! Waarom zou ze niet in een kapsalon werken?'

'Waarom zou ze als kapster gaan werken als ze bij ons is weggegaan omdat ze zo'n goede baan kon krijgen bij Sörgrens?' vroeg ik aarzelend.

'Het is in elk geval de enige aanwijzing die we hebben,' zei Adam. 'En bovendien is ze niet bij jullie weggegaan vanwege die baan, maar omdat je vader niet wilde dat ze die baan zou némen. Zo was het toch?'

'Is dat dan niet hetzelfde?'

Adam schudde zijn hoofd.

'Nee. Dat is nou precies het verschil tussen de reden waarom Maria is weggegaan en de reden waarom je moeder is weggegaan. Je moeder ging weg vanwege een baan. Maria ging weg omdat ze zich gebruikt of niet begrepen voelde, of allebei. Zo zie ik het tenminste. Heb ik het mis?'

'Nee,' zei ik. 'Misschien niet. Maar wat moeten we dan doen? Alle kapsalons in de hele stad afgaan om naar haar te vragen?'

'Ik denk dat het gemakkelijker is om het telefoonboek te pakken en te bellen!'

'Slim bedacht, mijn beste Holmes!' zei ik.

'We kunnen naar mijn huis gaan, als je wilt,' zei Adam. 'Als je niet wilt dat je vader en je broertje het weten, bedoel ik.'

Ik knikte en voelde dat mijn hart sneller begon te kloppen. Ik zou naar zijn huis gaan en zien hoe hij woonde zodat ik me dat tenminste zou kunnen herinneren, morgen, als alles voorbij was. Misschien zouden we Maria ook nog vinden. Als dat lukte, had ik het aan Adam te danken. In mijn eentje had ik het vast allang opgegeven.

Ik keek stiekem naar hem terwijl we liepen. Zijn profiel. Zijn licht gebogen neus en zijn lange hals, zijn warrige haardos en zijn nek die ik wilde aanraken. Als ik naar hem keek, werden mijn handen wakker. Ze wilden zich uitstrekken en voelen. Die schouders en die hals strelen. Door zijn haar kruipen en zijn warmte voelen. Ik klemde mijn handen stevig om Tarzans riem en beheerste me. Ik dwong mezelf recht naar voren te kijken.

Ik hou van hem, dacht ik. Van die jongen die hier naast me loopt. Ik hou van hem. Ik kan het niet helpen. Het is nou eenmaal zo. Ik moet alleen zorgen dat ik me beheers. Het onder controle houden.

Adam bleef voor een deur staan en toetste een code in. Ik zag per ongeluk de cijfers en ze hechtten zich onmiddellijk vast in mijn hoofd, net zoals zijn telefoonnummer. De code van de deur was 2821.

We waren maar een paar blokken van school vandaan. Het gebouw, dat vijf verdiepingen hoog was, was lichtgeel geschilderd. Ik keek of ik een straatnaambordje zag, maar dat zag ik niet. Het was een van de parallel lopende straten die naar graansoorten zijn genoemd. De Korenlaan of zo.

Ik keek of ik iets zag waar ik Tarzan aan vast kon binden, maar ik vond geen geschikte plek.

'Neem hem maar mee naar binnen,' zei Adam.

'Maar je moeder is toch allergisch.'

'Hij kan gewoon in de hal blijven. Daar gaat ze heus niet dood van.'

We gingen met de lift naar de vijfde verdieping. Tarzan keek heel verbaasd toen hij op een totaal andere plek dan waar we erin waren gestapt weer uit dat kleine kamertje stapte en ik bedacht dat hij waarschijnlijk nog nooit eerder in een lift was geweest, terwijl hij toch een stadshond was.

Op de brievenbus was met tape een handgeschreven briefje met de naam 'Axelsson' geplakt. Adam deed de deur open met zijn sleutel en hield hem voor me open, terwijl ik verlegen naar binnen stapte.

'Adam?' riep een stem ergens binnen in de flat. 'Ben jij dat?'

Deze keer herkende ik de stem. Die had ik aan de telefoon gehad.

'Ja,' zei Adam. 'Hoe gaat het?'

'Het doet pijn! Ik ben eigenlijk bang dat er iets gebroken is.'

We trokken onze schoenen uit en ik zei tegen Tarzan dat hij bij de deur moest gaan liggen. Adam liep voor me uit de gang door.

'Kom,' zei hij.

Ik liep achter hem aan naar een grote woonkamer met lichte meubelen. Adams moeder zat in een beige fauteuil met een krukje ervoor. Je zag meteen dat het Adams moeder was. Ze leken zo erg op elkaar dat je bijna zou denken dat er helemaal geen vader aan te pas was gekomen. Ik vond haar mooi.

'Hallo!' zei ze terwijl ze me nieuwsgierig aankeek.

'Dit is Katrina,' zei Adam. 'We spelen privédetective en daarvoor hebben we de telefoon en het telefoonboek nodig.'

Adams moeder lachte. Ze had witte, regelmatige tanden, zoals in een tandpastareclame.

'Zijn jullie niet een beetje te oud om detective te spelen?'

vroeg ze. 'Toen ik zo oud was als jullie, speelde ik liever doktertje of zo.'

Ik voelde dat ik rood werd. Maar Adam grijnsde alleen.

'Ja, en we weten allemaal wat daarvan is gekomen!' zei hij.

Zijn moeder lachte. Zelfs hun lach was hetzelfde.

'Sorry,' zei ze tegen mij. 'Ik heet Camilla. Milla mag ook. Het
was niet mijn bedoeling om je verlegen te maken. Nemen jullie
wat te drinken en te eten? Ik kan helaas niet zelf iets voor jullie
maken.'

Ze knikte naar haar voet die onder een opgevouwen fleece-
plaid op het krukje lag. Adam liep erheen en tilde de plaid op.

'Jezus, wat is hij dik geworden!' zei hij.

Camilla knikte.

'Het doet heel veel pijn. Denk je dat er iets gebroken is?'

'Misschien moet je toch even naar de eerste hulp gaan om
ernaar te laten kijken. Zal ik een taxi voor je bellen?'

'Hm... als je me naar beneden helpt als hij komt. En wil je
alsjeblieft eerst een pijnstiller voor me pakken voordat je gaat
bellen?'

'Natuurlijk. We hebben nog Aspro-bruis, is dat goed?'

'Maakt niet uit.'

'Oké.

Adam glimlachte even toen hij langs me heen liep. Hij raakte
heel zacht mijn arm aan.

'Als je wilt, kun je naar mijn kamer gaan. Of je kunt hier
gaan zitten. Ik moet alleen even een pijnstiller halen en een taxi
bellen.'

'Houd mij maar even gezelschap!' zei Camilla. 'Het kan wel
even duren voordat je een taxi te pakken hebt rond deze tijd!'

Bij die woorden keek ik naar de klok. Tien over vijf. De tijd
was omgevlogen. Hoeveel kapsalons zouden we nog kunnen bellen voor sluitingstijd?

Ik ging voorzichtig op de gebroken witte bank zitten. Ik vroeg me af hoe je zo'n bank vlekvrij hield. De linnen gordijnen die aan weerskanten van het grote raam hingen, waren ook gebroken wit. Langs de wanden stonden witte boekenkasten met heel veel boeken erin. Hier en daar was er een artistieke opening tussen de boeken gelaten. Zo kwam er ruimte vrij voor een enkel siervoorwerp. Een aardewerken vaas of een bronzen paard. In een van de hoeken stond een kleine televisie, in de vensterbank stonden groene planten, de vloer was van hout en er lag een beige met wit geruit kleed onder de salontafel, een glazen blad met lichte houten poten eronder.

'Wat hebben jullie een mooi huis,' zei ik.

'Had ik jou gisteren aan de telefoon?' vroeg Camilla.

Ik knikte.

'Ik dacht al dat ik je stem herkende,' zei ze tevreden. 'Sorry dat ik jullie detectivetijd inpik, maar ik ben gevallen op de trap, vanmiddag, vlak voordat Adam thuiskwam. Ik dacht dat mijn enkel verzwikt was, maar het doet heel erge pijn, dus ik moet er toch maar even naar laten kijken.'

Ik knikte nog eens. Ik wist niet wat ik moest zeggen. Camilla keek me vriendelijk, maar ook een beetje onderzoekend aan.

'Adam neemt niet vaak meisjes mee naar huis,' zei ze.

'O. Maar… hij zou me alleen met iets helpen. Om iemand te vinden.'

'Iemand die verdwenen is?'

'Zo zou je het kunnen zeggen.'

Ze veranderde van houding, haar gezicht vertrok van de pijn en ze leunde met een zucht weer achterover.

'Maar hij vindt je wel leuk,' zei ze. 'Dat kon ik duidelijk zien.'

Ik voelde dat ik weer rood werd. Adam kwam binnen en zette een glas water voor haar neer waarin twee bruistabletten sissend naar boven kwamen.

'Let maar niet op mijn moeder,' zei hij. 'Ze praat te veel. Ze denkt nooit na voordat ze iets doet. Echt iets voor haar om op de trap te vallen als ze ook gewoon de lift had kunnen nemen!'

'Ik probeer aan mijn figuur te denken!' zei Camilla. 'Ik probeer mooi en slank te blijven. Wie weet, misschien kom ik ook nog wel eens iemand tegen met wie ik detective wil spelen!'

'Nou, straks mag je in elk geval doktertje spelen,' zei Adam. 'Of patiënt liever gezegd!'

Hij liep naar de gang, pakte het telefoonboek uit een la van het telefoontafeltje en verdween toen uit het zicht. Misschien stond er een krukje naast de telefoon. Ik hoorde hem bladeren. Het dunne, knisperende geluid van bladzijden van een telefoonboek die worden omgeslagen.

'Hè verdorie, wat een pech,' mompelde Camilla.

'Wat doe je voor werk?' vroeg ik.

Vooral om iets te zeggen te hebben. Maar ook omdat ik er nieuwsgierig naar was. Ik wilde alles weten van Adam en zijn familie en zijn leven, en vandaag was mijn enige kans. Dat gevoel had ik tenminste.

'Zie je dat niet?' vroeg Adam terwijl hij de cijfers intoetste op de telefoon in de gang.

'Inrichting,' zei Camilla. 'Ik ben binnenhuisarchitecte.'

'O,' zei ik. 'Ja, dat kun je wel zien.'

Camilla glimlachte naar me en ik bedacht dat ik me heel erg had vergist. Om de een of andere reden was ik ervan uitgegaan dat Adams moeder laag opgeleid was, dat ze bij de thuiszorg zou werken of zo, of achter de kassa in de supermarkt. Dat kwam waarschijnlijk doordat ze een in de steek gelaten, zwangere tiener was. Het clichébeeld van de alleenstaande moeder. Maar eigenlijk had ik aan Adams manier van praten en discussiëren wel kunnen merken dat ik het bij het verkeerde eind had. Jongens van mijn leeftijd waren meestal verbaal niet zo sterk.

'Ze verandert de inrichting steeds, je kunt hier niet eens een boterham eten voor de televisie,' zei Adam vanuit de gang.

'Rustgevend,' zei Camilla. 'Het is belangrijk dat je thuiskomt in een rustgevende omgeving. Geen kruimels en vetvlekken die half verstopt zitten onder kussens met veel te drukke patronen!'

'Ik dacht dat patronen in de mode waren,' zei ik. 'Groen en bruin en oranje en zo. Een beetje retro bedoel ik.'

'Klopt precies,' zei Camilla en ze keek me waarderend aan. 'Maar ik wil met mijn woonkamer niet met de trends meedoen, ik wil dat het een plek is waar ik tot rust kan komen. Zeker nu ik op mijn werk te maken heb met die drukke patronen.'

Het duurde niet zo lang voordat Adam een taxi te pakken had. Tien minuten later liepen we voorzichtig met Camilla tussen ons in naar de lift. Ze had echt pijn. Toen we eindelijk beneden waren, stond de taxi al te wachten in de straat. Ze had kleine zweetdruppeltjes op haar voorhoofd.

'Oké,' zei Adam toen de taxi weg was. 'Terug naar het telefoonboek. We hebben niet zoveel tijd meer!'

Terwijl hij aan de telefoon zat te wachten tot hij een taxi te pakken had, had Adam in de Gouden Gids de pagina's met kappers al opgezocht. Er waren heel veel kapsalons in de stad. Echt héél veel. En het was al halfzes.

'En het is niet eens zeker dat ze in een van die salons werkt,' zei ik.

'Heb jij dan een beter idee?'

Ik schudde mijn hoofd.

'Oké,' zei Adam. 'We bellen om de beurt. Ik begin wel.'

Het ging sneller dan ik had gedacht. Een korte vraag, bedankt en dag, en dan weer een nieuw nummer. Ik denk dat we een keer of acht, tien hadden gebeld toen ik opeens beet had.

'Maria Dahl?' zei de stem. 'Nee, die werkt bij de "X" verderop in de straat. Ze heeft eerst hier gesolliciteerd, maar wij hadden geen vacature.'

Ik bedankte verbaasd en hing op. Ze werkte echt als kapster! Adam had gelijk. Als het tenminste geen andere Maria Dahl was.

'De X?' zei Adam. 'We hadden onderaan moeten beginnen, dan was het veel sneller gegaan.'

Ik keek in het telefoonboek.

'Kvarnsteeg. Waar is dat ergens?'

'Dat moet je mij niet vragen. Ik woon hier nog maar net.'

Het was kwart voor zes. Ik bladerde naar de stadsplattegronden en zocht de Kvarnsteeg op. Het was een klein straatje tussen de Storstraat en het Lilla Torg, aan de westkant van het centrum. Niet zo heel ver van Adams huis. Maar misschien toch te ver om binnen een kwartier te halen.

'Ik heb een fiets,' zei Adam. 'Kan Tarzan naast ons rennen als we fietsen?'

'Ik fietste heel vaak met hem voordat mijn fiets werd gejat.'

'Kom op, dan gaan we!'

Met mij op de bagagedrager en Tarzan aan de riem reed Adam de heuvel af naar het centrum. Eerst wist ik niet wat ik met mijn handen moest doen, maar toen we een bocht om gingen, moest ik mijn armen wel om de bestuurder heen slaan en me vasthouden. Tarzan strekte blij zijn poten uit naast de fiets en ik was heel dicht bij Adam, ik voelde zijn ademhaling. Ik wilde mijn wang tegen zijn rug leggen, maar ik durfde niet. Zijn geur vulde mijn neusgaten. Vertrouwd en nieuw tegelijk. Ik wilde daar voor eeuwig en altijd blijven zitten. De acht minuten voordat Adam afremde op de hoek van de Storstraat en de Kvarnsteeg gingen veel te snel voorbij. Maar ik wist dat ik ze zou bewaren, dat ze een klein hoofdstukje waren in het verhaal dat al in mijn hoofd was opgeslagen en dat ik nooit meer kwijt zou raken.

'De X' stond er in felrode letters op de grote etalageruit. Binnen veegde een jong meisje de vloer tussen de stoelen en de spiegels aan. Ik bond Tarzan buiten vast en Adam en ik gingen door de glazen deur naar binnen. Het meisje keek op.

'We werken zonder afspraak,' zei ze, 'en we gaan bijna sluiten.'

'Wij zoeken Maria,' zei ik. 'Maria Dahl.'

'Die is al weg.'

Ik voelde alle lucht uit me wegstromen. We waren zo dichtbij! We hadden haar bijna. Nu moest ik de volgende keer alleen hiernaartoe gaan.

Maar Adam had het nog steeds niet opgegeven.

'We zijn vrienden van haar,' zei hij, 'maar ze is vergeten om ons haar nieuwe adres door te geven. Waar woont ze nu?'

Het meisje zuchtte even, maar zette toen toch haar bezem weg en liep naar een ruimte achter de kapsalon.

'Je bent een genie, Sherlock!' fluisterde ik.

'Elementair, mijn beste Watson!' zei Adam tevreden.

Na een paar seconden kwam het meisje weer tevoorschijn; ze bladerde in een versleten adresboek. Ze sloeg een bladzij open en ging er met haar wijsvinger langs totdat ze had gevonden wat ze zocht.

'Vedstraat 5,' zei ze.

'Weet jij waar dat is?' vroeg ik.

'Geen flauw idee.'

'Mogen we jullie telefoonboek even lenen?' vroeg Adam.

'We gaan eigenlijk sluiten,' zei het meisje.

'Mooi, dan kun jij rustig verdergaan met vegen terwijl wij op de plattegrond kijken,' zei ik, want ik was niet van plan om het nu op te geven.

Het meisje zuchtte weer, iets harder dit keer, maar ze ging toch het telefoonboek halen en gaf het aan Adam.

'Maar wel een beetje opschieten, hè?' zei ze.

Hij bladerde zonder te antwoorden. Toen keek hij me aan.

'Het is maar een paar straten verderop. Iets verder naar het westen.'

Ik voelde mijn hart bonken. We hadden haar gevonden. Als ze tenminste thuis was natuurlijk.

Adam nam zijn fiets aan de hand mee en we liepen het laatste stuk naar de Vedstraat 5 naast elkaar.

'Ik heb iets bedacht,' zei ik toen we bij de voordeur stonden. 'Gisteren. Iets waar ik nog nooit eerder bij stil had gestaan.'

Hij keek me aan. Wachtte.

Ik glimlachte even.

'Eigenlijk hebben we heel veel geluk gehad. Ik bedoel, ze wilden ons in elk geval heel graag, de twee die overgebleven zijn. Jouw moeder en mijn vader bedoel ik. Die moeten ons echt ontzettend graag hebben gewild.'

Het leek wel of er iets bewoog in zijn ogen. Ik voelde een

soort duizeligheid, alsof ik op het punt stond om te verdwijnen in die zwarte pupillen midden in het blauwgrijs van zijn ogen.

'Ik heb gisteren een mail van mijn moeder gekregen,' zei ik vlug. Want opeens drong het tot me door dat mijn tijd bijna op was en dat ik nog niet alles had verteld wat ik wilde vertellen.

'En dat zeg je nu pas!'

'Ik was het vergeten… maar we zijn er,' zei ik. 'We weten nu waar ze woont. Kunnen we niet even ergens gaan zitten voordat we naar binnen gaan?'

Adam knikte in de richting van een kleine pizzeria schuin aan de overkant van de straat.

'Daar,' zei hij. 'Ik heb ontzettende honger.'

'Ik heb geen geld,' zei ik.

'We kunnen samen één pizza nemen,' zei hij en hij haalde een briefje van tien en een verkreukeld briefje van vijf euro uit zijn zak.

Ik voelde dat ik niets liever wilde dan daar in die onooglijke kleine afhaalpizzeria op een plastic stoel zitten en samen met Adam een pizza eten.

Er stonden drie witte tafeltjes vol krassen, elk met twee stoeltjes erbij. TL-balken aan het plafond en vijfentachtig soorten pizza waaruit je kon kiezen.

'Welke wil jij?' vroeg Adam.

'Het maakt me niet uit,' zei ik.

'Oké,' zei Adam. 'Noem één ding dat je lekker vindt op een pizza.'

'Ananas.'

'Met kerrie of met ham?'

'Liever ham.'

Zo had hij me toch laten kiezen. Adam bestelde een pizza Hawaï en terwijl de geur van pizza steeds sterker werd in het kleine restaurantje, vertelde ik hem over de mail. Ik merkte tot mijn eigen verbazing dat ik hem bijna uit mijn hoofd kende.

Alsof de woorden zich tegen mijn wil in me hadden vastgebrand.

Adam zei niets, hij luisterde totdat ik was uitverteld. Toen sloeg hij zijn ogen op en keek me aan.

'Het was vast heel pijnlijk om dat te lezen,' zei hij. 'Maar ik ben ook wel een beetje jaloers, geloof ik. Mijn vader heeft me nog nooit één letter geschreven. Niet eens een kaartje.'

'Maar,' zei ik, 'hij heeft jou ook nog nooit gezien. Hij weet niet wie je bent. Hij heeft nooit de kans gekregen om van je te gaan houden. Of ik bedoel, hij heeft die kans niet waargenomen. Mijn moeder heeft zes jaar voor me gezorgd en toen is ze toch vertrokken. Ze heeft ervoor gekozen om míj niet meer te zien. Begrijp je dat? Niet iemand die ze nooit heeft gekend, maar iemand die ze al kende. Dat is het verschil tussen abortus plegen en een kind dat je al hebt in de steek laten.'

Adam knikte langzaam.

'Zo heb ik het nog nooit bekeken, maar het klopt natuurlijk wel,' zei hij. 'Voel je er ook maar íets voor om haar te ontmoeten?'

Ik schudde mijn hoofd.

'Nu niet in elk geval. Maar soms denk ik wel eens dat ik er stiekem naartoe wil gaan om te kijken. Om te kijken hoe ze eruitziet en wat ze doet.'

Adam glimlachte.

'Misschien kunnen we dat wel doen,' zei hij. 'Er deze zomer naartoe gaan met Interrail?'

Ik keek hem aan en zag dat hij het serieus meende. Mijn hart ging zo tekeer dat ik bijna geen lucht kreeg. Niet vanwege het idee dat ik stiekem naar Ingrid zou gaan kijken, maar vanwege het idee dat ik samen met Adam op reis zou gaan. Alleen hij en ik. Ik wist dat dat nooit zou kunnen, maar mijn hele lichaam vulde zich met warmte en een zoet gevoel. Alleen omdat hij het voorstelde. Alleen omdat het iets betekende. Dat hij bij me wilde zijn. Dat hij samen met mij iets groots wilde ondernemen.

Ik probeerde te bedenken dat het misschien toch niet helemaal onmogelijk was. Als hij verkering met Frida zou krijgen en ik zou nog steeds met Andreas zijn, konden we met z'n vieren gaan, maar tegelijkertijd wist ik ook dat dat misschien niet meer zo'n goed idee was. Dat het voortdurend pijn zou doen. Het deed nu al pijn als ik dacht aan Frida en Adam samen, in innige omhelzing, en het was nog niet eens gebeurd. Als ik probeerde na te denken, galoppeerde de angst als een wild paard door me heen. Hoe had ik het toch zover kunnen laten komen? Hoe moest ik hier ooit nog uit komen?

Adam zat me zwijgend aan te kijken en ik begreep dat hij op een reactie wachtte. Zijn glimlach was verdwenen. Misschien zag hij dat er allerlei gevoelens door me heen raasden.

'Nee, dat kan niet,' zei ik ten slotte.

'Waarom niet? Zou je vader je niet laten gaan?'

Het leek wel of hij niet begreep waarom het niet kon. Ik keek hem onderzoekend aan om te kijken of hij me alleen maar zat te plagen, maar daar leek het niet op. Godzijdank landde precies op dat moment de dampende pizza tussen ons in en hoefde ik het dus niet uit te leggen.

Adam deelde de pizza in tweeën en we aten van hetzelfde bord. Even daarvoor had ik nog een reuzentrek gehad, maar nu kon ik opeens geen hap door mijn keel krijgen. De omstandigheden hadden ons ongemerkt ingehaald. Frida. Het was me gelukt om alles een paar uur op afstand te houden, maar nu kwam het weer naar boven en ik had het gevoel dat mijn hals koud werd op de plek waar het kristal ontbrak. Adam moest een stuk van mijn halve pizza opeten. Het laatste stukje rolde hij op en dat nam hij mee naar buiten voor Tarzan, die het gulzig opschrokte.

Ik keek naar het huizenblok schuin aan de overkant van de straat. Het was nu bijna helemaal donker en achter veel ramen brandde licht. Ik vroeg me af welk raam van Maria was.

'Ben je er klaar voor?' vroeg Adam.

'Mm,' zei ik. 'Ik geloof het wel.'

Tarzan mocht mee naar binnen. Op het bordje naast de voordeur stond haar naam op een stukje tape. Onder de tape zat een andere naam, een langere. Die eindigde op 'nsson'. Het was de tweede verdieping. Er was een lift, maar we gingen met de trap. Dat hadden we niet echt besloten of zo, we deden het gewoon.

Op de brievenbus stond Annabel Torstensson, maar iets hoger op de deur waren twee papiertjes vastgemaakt met tape. Op het ene stond: 'geen reclame aub' en op het andere 'Maria Dahl'. Opeens was die naam vreemd voor me. Alsof ik haar heel lang niet had gezien. Misschien had ik haar nog nooit gezien. Niet echt.

Adam hield zijn wijsvinger voor het witte knopje naast de deur en keek me vragend aan. Ik knikte en hij belde aan. We hoorden een onverwacht dof 'ding dong'.

Ik dacht al bijna dat ze niet open zou doen, ik zuchtte al bijna met een mengeling van opluchting en teleurstelling, toen het slot opeens klikte en de deur op een kier openging.

Daar stond Maria in een blauwe ochtendjas. Haar haar was nat. Eerst keek ze naar Adam, toen naar mij. Verbaasd.

'Katrina?' zei ze, alsof ze niet zeker wist of ik het echt was.

'Hallo,' zei ik. 'Dit is Adam.'

'Hallo,' zei Maria.

'Hallo,' zei Adam. 'Je mag me ook wel Sherlock Holmes noemen. We hebben de hele stad afgezocht naar jou.'

Maria glimlachte even. Toen keek ze opeens ongerust.

'Is er iets gebeurd?'

Eerst wist ik niet wat ik moest antwoorden. Er was heel veel gebeurd. Mijn hele leven stond op zijn kop. Maar dat bedoelde ze waarschijnlijk niet. Ze vroeg zich waarschijnlijk af of Kasper onder een auto was gekomen of zo.

'Nee,' zei ik. 'Ik wilde je alleen maar even zien. Je was zo... je was opeens zo helemaal verdwenen.'

'Ik dacht dat je daar blij om was,' zei ze. Maar toen deed ze een stap opzij en zwaaide de deur wijdopen.

'Kom binnen. Sorry, let niet op wat ik aanheb. Ik kom net onder de douche vandaan.'

Tarzan vergaf het haar meteen. Hij stormde naar binnen, begroette Maria onstuimig en jankte gelukkig. Na een paar minuutjes zei ik tegen hem dat hij in de gang moest gaan liggen en hij gehoorzaamde braaf.

Het appartement had twee kamers en een keuken. Veel kleden, lage meubels. Aardetinten. Het rook er vaag naar wierook.

'Wie is Annabel?' vroeg ik.

'Een oude vriendin van me,' zei Maria. 'Ik mocht een halfjaar in haar appartement wonen. Ze is in India. Ontwikkelingswerk. Willen jullie iets hebben?'

'We hebben net pizza gegeten,' zei Adam.

'Thee?'

'Ja graag,' zei ik. 'Lekker.'

Maria ging naar de keuken en liet ons in de deuropening van de woonkamer staan. Adam keek rond.

'Best leuk,' zei hij. 'Een beetje hippie-achtig.'

Ik was zo blij dat hij mee was. Ik wilde het tegen hem zeggen, maar ik wist niet goed hoe. Zonder erbij na te denken stak ik mijn hand uit en raakte zijn wang aan. De aanraking met zijn warme huid zond een elektrische schok door me heen. Ik voelde het in mijn hele lijf. Alles in me schreeuwde om meer.

'Vind je het moeilijk?' fluisterde hij en ik knikte.

Maar eigenlijk gaf ik antwoord op een heel andere vraag dan die hij me had gesteld.

Dit met Maria was misschien ook wel moeilijk. Maar daar kon ik me op dat moment niet echt op concentreren. Ik was helemaal vol van Adam. Ik verdrong al het andere.

De aardewerken bekers die Maria op de lage salontafel zette, waren steenrood en de theepot was een grote glazen bol met een tuit. Hij lag half in een rieten houder met een handvat, dat een beetje kraakte toen ze hem optilde om in te schenken. Ik had nog nooit zo'n theepot gezien. Toen Maria klaar was met inschenken dwarrelden de theeblaadjes zachtjes naar de bodem, zoals de sneeuwvlokjes in zo'n schudbol van toen je nog klein was.

'Mooie theepot,' zei ik.

'Annabel heeft heel veel mooie, bijzondere spullen uit alle uithoeken van de wereld,' zei Maria.

Ze streek haar nog vochtige haar naar achteren en ging in de stoel tegenover ons zitten. Ze wachtte. Ik had eigenlijk niet echt bedacht wat ik wilde zeggen. Hoe ik het moest formuleren. Het was zoveel. Veel meer dan je met woorden kon zeggen, vond ik. Maar ik wilde wel dat ze het zou begrijpen. Dat het feit dat ik haar nu had opgespoord, genoeg was. Maar zo was het natuurlijk niet. Misschien moest ik zelfs wel blij zijn dat ze me had binnengelaten!

'Ik ben hier omdat... ik wil mijn excuses aanbieden,' zei ik ten slotte.

Er kwam een verraste uitdrukking op haar gezicht. Dit was niet wat ze had verwacht. Misschien had ze gedacht dat ik was gekomen om over Kasper te praten. Maar ze zei niets. Ze hielp me niet. Vreemd genoeg was mijn moeder degene die me had geholpen. Doordat ze zoiets onrechtvaardigs in haar mail had geschreven, dat Maria net zomin rijp was als zij.

'We… we zijn een beetje beschadigd, Viktor en ik,' zei ik. 'En Kasper misschien ook, op zijn eigen manier. Toen Ingrid ons in de steek liet, zijn we beschadigd. Ze heeft ons gewoon gedumpt. Misschien is het daarna wel moeilijk om nog iemand te vertrouwen. Om van een nieuw iemand te houden. Van jou, bedoel ik. Ik denk dat ik niet van je durfde te houden. Dat was niet jouw schuld. Dat was Ingrids schuld. Maar dat begreep ik toen niet. Dat begreep ik pas… later. Toen jij weg was en ik met Adam over alles heb gepraat…'

Ik keek snel naar Adam en hij glimlachte voorzichtig. Hij zag er bijna trots uit. Dat gaf me moed. Ik rechtte mijn rug en keek Maria aan. Ik ontmoette haar blik en ik zag dat haar ogen heel groot en glanzend waren. Er rolde een traan uit en die liep over haar wang; toen tilde ze snel haar hand op en veegde hem weg. Ze schraapte haar keel.

'Dat wist ik wel,' zei ze. 'Ik wist het natuurlijk van Ingrid, anders had ik het niet zo lang uitgehouden. Maar ook als je dat weet, dan is het nóg moeilijk om je altijd… ongewenst te voelen. Om nooit deel van het gezin uit te maken, al ben je jaren verder en woon je er midden tussenin!'

Ik knikte.

'Maar Kasper verdedigde jou altijd…'

'Als jullie erbij waren misschien. Soms. Als het te erg werd. Maar als we alleen waren, koos hij altijd jullie kant. Als een leeuwin die haar jongen tegen elke prijs wil verdedigen.'

'Misschien hebben we dat wel nodig,' zei ik. 'Misschien hebben we wel iemand nodig die ons tegen elke prijs verdedigt. We hebben alleen hem maar.'

'Jullie hadden mij ook kunnen hebben,' zei Maria. 'Ik wilde heel graag. Ook al zou het tijd kosten.'

'Ik heb je toch net uitgelegd dat het niet jouw schuld was,' begon ik geïrriteerd, 'maar dat we…'

Maria verborg haar gezicht heel even in haar handen, toen

onderbrak ze me: 'Ik weet het! Sorry! Ik ben heel blij dat je hiernaartoe bent gekomen om te zeggen wat je net hebt gezegd! Het betekent heel veel voor me. Misschien wel meer dan je begrijpt.'

Het werd stil in de kamer. Het enige dat je nog hoorde was een vaag gedruis van verkeer in de verte. Maria strekte haar hand uit naar haar theebeker. Ze hield hem met beide handen vast, zonder te drinken, alsof ze zich alleen maar wilde verwarmen. Ze glimlachte even naar ons.

'Hebben jullie... verkering?'

Ik kon niet antwoorden. Mijn mond wilde niet open, hij weigerde te zeggen: 'nee, we zijn alleen vrienden', hoe ik ook probeerde hem te dwingen. Ik voelde dat mijn wangen rood werden.

'Katrina is zo dom geweest om een andere jongen te kiezen,' zei Adam. 'Maar ik hoop dat ze snel tot inkeer komt.'

Maakte hij een grapje, of meende hij dat serieus?

Ik durfde hem niet aan te kijken. Het bloed kolkte door mijn aderen, het klopte in mijn keel en in mijn slapen, mijn vingertoppen werden warm, het leek wel of ze opzwollen.

'Je moet iemand hebben met wie je kunt praten,' zei Maria. 'Ik kon altijd met Kasper praten. Behalve misschien als het over zijn kinderen ging.'

Ik greep de gelegenheid aan om over te gaan op een ander onderwerp dan Adam.

'Hij houdt van je,' zei ik. 'Kasper houdt heel veel van je. Hij is dertig jaar ouder geworden sinds je bent weggegaan.'

Terwijl ik dat zei, bedacht ik dat dat hem er misschien niet echt aantrekkelijker op zou maken in haar ogen. Hij was zo ook al een stuk ouder dan zij.

Maria keek naar de grond.

'Hij heeft heel veel spijt,' ging ik verder. 'Over dat met die baan, bedoel ik. Hij begrijpt nu dat hij fout zat, dat het egoïstisch van hem was en...'

Ik stopte en vroeg me af of het waar was wat ik zei. Maar dat moest haast wel. Ik wist het bijna zeker.

'Waarom werk je daar trouwens niet?' vroeg ik toen. 'Bij Sörgrens?'

'Zijn jullie daar geweest om naar me te vragen?'

'Dat was het enige spoor dat we hadden.'

'Maar ze wisten waarschijnlijk niets?'

'Nee, maar ik wist dat je kapster was en...'

'Dus dat wist je nog?'

Ik knikte. Ik herinnerde me haar handen in mijn hals en op mijn slapen, maar ik wilde er nu even niet over praten.

'Waarom heb je die baan niet genomen?' hield ik vol.

Ze aarzelde. Ze keek van mij naar Adam en weer terug.

'Om verschillende redenen,' zei ze. 'Een van de redenen was dat die baan er de oorzaak van was dat alles fout was gelopen. Ik zou daar niet iedere dag kunnen werken zonder dat ik werd herinnerd aan de prijs die ik ervoor had moeten betalen.'

'Een ouwe vent en twee rotkinderen?' zei ik.

Maria glimlachte.

'Precies. Dat kan een hoge prijs zijn.'

'Je had hem wat meer tijd moeten geven,' zei ik. 'Je had hem flink moeten uitschelden en dan blijven terwijl hij erover nadacht en spijt kreeg. Jullie hadden erover kunnen praten. Je hoefde toch niet... zomaar weg te lopen!'

'Maar dan had jij nu nog steeds stiekem mijn kleren gepikt en ze naar me gegooid als ik ze terug wilde.'

Ze klonk niet boos. Eerder een beetje plagerig. Bijna vriendelijk.

'Misschien wel,' zei ik.

Maria werd meteen weer serieus.

'En er is nog iets wat je niet weet,' zei ze.

Ik keek haar vragend aan. Ze bewoog haar slanke vingers onrustig rond haar theebeker. Ze aarzelde. Toen leek ze een besluit te hebben genomen, ze zette de beker op het tafeltje, stond op, ging met haar zij naar ons toe staan en trok de ochtendjas strak tegen haar lijf. Haar vroeger zo platte buik was duidelijk bol. Niet zo heel erg, maar er was geen twijfel mogelijk.

Opeens begreep ik het, en het inzicht drong diep door tot in alle vezels van mijn lichaam. Ze was zwanger! Maria kreeg een baby!

Ze ging weer zitten en pakte haar thee.

'Dat was de tweede reden dat ik die baan niet heb genomen,' zei ze. 'Als ik hen had verteld wat er aan de hand was, had ik die baan nooit gekregen en als ik niets had gezegd, dan was ik niet eerlijk tegen hen geweest, dus…'

'Weet… weet Kasper dat je…?' stamelde ik.

Maria schudde haar hoofd.

'Ik heb het hem niet meer kunnen vertellen. Ik was van plan om het tegelijk met dat van die baan te vertellen, maar…'

Ze nam een slokje van haar thee. Voorzichtig, alsof hij nog steeds kokend heet was. Streek met haar vingertoppen langs de rand van de beker.

'… en later dacht ik dat het maar goed was ook. Toen hij zo reageerde en… het was waarschijnlijk toch heel moeilijk geworden. Ik liep er al een hele tijd mee rond. Ik durfde het niet te zeggen. Ik dacht dat jullie nooit zouden accepteren dat er een nieuw gezinslid bij kwam. Dat hij zou worden buitengesloten. Of zij.'

Toen pas drong het tot me door dat het kind in haar buik familie van me was! Een klein baby'tje dat mijn broertje of zusje was! Ik was vast ontzettend traag van begrip, maar dat was nog niet tot me doorgedrongen. Waarschijnlijk was het te veel ineens voor mijn kleine hersentjes.

'Wanneer moet je… ik bedoel, wanneer komt het…?' vroeg ik onzeker.

'Ik ben nu bijna vier maanden zwanger,' zei ze, 'als je dat bedoelt.'

Ik telde op mijn vingers.

'Dus eind februari krijg ik er een zusje bij! Of nog een broertje!'

Maria keek me door half dichtgeknepen ogen aan; ze probeerde door me heen te kijken.

'Ben je er blij mee?' vroeg ze.

'Het is echt supergaaf,' zei ik. 'Je moet naar huis komen!'

Opeens leek het allemaal zo logisch. Kasper zou een gat in de lucht springen als hij het hoorde. Maar Maria schudde haar hoofd.

'Het is waarschijnlijk beter zo. Ik heb me er nu op ingesteld. Ik red het wel in mijn eentje. Als Kasper toch alleen een hulpje voor in de studio wil, kan hij maar beter iemand anders zoeken. Ik zal binnenkort toch meer in de weg lopen dan dat ik echt kan helpen. Hij heeft trouwens helemaal niets van zich laten horen, dus ik denk dat hij het ook maar het beste vindt zo. Wat jij ook denkt.'

'Hij weet toch niet waar je bent!'

'Dat wist jij ook niet. En toch zit je hier nu. En wij hadden nou niet bepaald... een goede band.'

Ik probeerde na te denken. Ergens had ze wel gelijk. Als je het echt wilde, kon je haar vinden. Maar tegelijkertijd zat ze er zo verschrikkelijk naast.

'Als Kasper van de baby hoort, zal hij...' begon ik, maar Maria onderbrak me.

'Je houdt je mond erover tegen hem!' zei ze hard. 'Ik heb je dit in vertrouwen verteld! Omdat je hiernaartoe bent gekomen. Zodat je het zou begrijpen. Ik wil niet dat hij me terugneemt uit plichtsgevoel, of als een noodzakelijk, maar ongewenst omhulsel rond wat hij éigenlijk wil. *Als* hij dat tenminste wil. Als hij contact wil met zijn kind, dan zullen we dat wel regelen. Later. Maar ik wil niet dat hij me vraagt terug te komen vanwege de baby. Begrijp je dat, Katrina?!'

Ik hapte wanhopig naar adem om iets te zeggen, maar ik wist

niet wat. Ik wilde haar uit haar stoel trekken en die vastbera-
denheid uit haar schudden, maar ik begreep dat dat nergens toe
zou leiden. Ze had er goed over nagedacht. Ik had een gevoel
van onmacht, maar tegelijkertijd begreep ik haar op de een of
andere manier ook wel. Ja, ik begreep het. Hoewel ze het mis
had.

We waren een tijdje stil.

Toen glimlachte ze. Ze veranderde van onderwerp.

'Je nieuwe kapsel staat je echt heel leuk. Ik herkende je bijna
niet toen je voor de deur stond. Heel anders. Wanneer heb je het
afgeknipt?'

'Vannacht.'

Ze knikte. Voor haar was het kennelijk geen verrassing dat ik
mijn haar zelf had afgeknipt. Maar zij had er natuurlijk verstand
van.

'Het is echt heel leuk,' zei ze. 'Veel... warmer.'

Ik bedacht wat Adam had gezegd over mijn haar en ik keek
vlug zijn kant op. Misschien dacht hij wel hetzelfde, want hij
ontweek verlegen mijn blik toen ik naar hem keek.

We bleven nog ruim een uur bij Maria. Ik vertelde haar over
Ingrid, wat ik me nog van haar herinnerde, over de brieven in de
schoenendoos en over de mail die ik de vorige dag van haar had
gekregen.

Maria vertelde dat haar ouders in het noorden woonden, in
Värmland. Haar moeder zat in een rolstoel, dat kwam door een
ongeluk dat was gebeurd toen Maria nog klein was. Ze reisden
niet veel.

'Ze zeuren al jaren dat ze mijn familie eens willen ontmoeten,' zei Maria. 'Maar ik verzon steeds allerlei smoesjes. Ik denk
dat ze heel graag opa en oma wilden worden van Kaspers kinderen. Maar zoals de zaken ervoor stonden, leek me dat niet zo'n
goed idee. Ik wilde wachten totdat alles beter zou gaan. Tot ik
jullie vertrouwen zou hebben gewonnen.'

Ze glimlachte een beetje verbitterd.

'En nu is het te laat,' zei ze.

Ik wilde zeggen dat het nog niet te laat was, dat we opnieuw konden beginnen, dat ze alleen haar oude, bruine tas maar hoefde in te pakken en naar huis te komen, maar ik slikte alle woorden weer in. Ik kon niet ongedaan maken wat er allemaal was gebeurd.

We stonden op om te gaan. Maria liep met ons mee naar de deur. Haar haar was nu droog en ze zag er minder tenger uit. Misschien was ze zelfs wel iets aangekomen.

'Hoe oud ben je eigenlijk?' vroeg ik toen ik mijn schoenen had aangetrokken.

Het duurde een paar seconden voordat ze antwoordde. Misschien was ze verbaasd dat ik dat niet eens wist.

'Achtentwintig.'

'Dus je was nog maar tweeëntwintig toen Kasper en jij…?'

Ze knikte.

'Ik was zo vreselijk verliefd op hem. Ik hou nog steeds van hem, ook al is hij een sufferd. Dat gaat niet zomaar over.'

Ik moest me beheersen om niet naar Adam te kijken, die naast mij de veters van zijn gympen strikte; de onrust kronkelde als een slang door mijn lijf.

Maria legde haar hand op mijn arm. Een beetje onhandig.

'Ik ben heel blij dat jullie zijn gekomen,' zei ze. 'Echt heel blij.'

'Ik ook,' zei ik. 'En… hoe het verder ook gaat tussen jou en Kasper, ik wil best wel eens oppassen af en toe. Mag dat?'

Ze knikte. Haar ene mondhoek trilde een beetje.

'Bedankt,' zei ik en toen omhelsde ik haar.

Ze omhelsde mij, en Adam kreeg ook een knuffel.

Daarna maakten we Tarzans riem vast en gingen weg.

Adam liep met zijn fiets aan de hand en ik had Tarzan aan de riem terwijl we langzaam door het centrum liepen. Ik was bang dat hij meteen naar huis zou gaan, maar dat deed hij niet. Hij bleef gewoon naast me lopen. Aan de rand van het Videbergspark zette hij zijn fiets neer, ik maakte Tarzans riem los en liet hem onder de bomen door het park in rennen. Langs het brede grindpad dat door het hele park liep, stonden ronde lantaarns. Die vormden grote koepels van licht in het donker. Het rook naar vochtige herfstbladeren en er kwam een koude mist uit het riviertje. We hadden helemaal niet afgesproken dat we daar weer naartoe zouden gaan, het ging gewoon vanzelf, en ik bedacht dat het vaak zo ging met Adam, dat we gewoon iets deden zonder dat we dat van tevoren hadden afgesproken. Alsof onze gedachten dezelfde richting op gingen. Alsof we op hetzelfde spoor zaten.

Terwijl we in en uit die lichtkoepels liepen, praatten we over Maria.

'Ik weet niet hoe ik het moet uitleggen,' zei ik, 'maar het lijkt wel een soort rode draad... Jouw moeder, mijn moeder en Maria. Allemaal onbedoeld zwanger.'

'Misschien is dat ook weer niet zo heel erg ongewoon,' zei Adam.

'Nee, maar... juist dit. Dat ik dit net nú allemaal te horen heb gekregen. Vroeger, toen ik klein was, had ik van die puzzelboekjes, je weet wel, waar je een geheimzinnig plaatje tevoorschijn kon toveren als je de zwarte puntjes op de juiste manier met elkaar verbond. Herinner je je die nog?'

Adam knikte.

'Zo voelt het,' zei ik. 'Alsof jouw moeder en Ingrid en Maria van die puntjes zijn.'

Ik keek vluchtig naar hem en hij lachte een beetje.

'Vind je me totaal gestoord?' vroeg ik glimlachend.

'Nee, niet echt. Maar ik vraag me af wat voor plaatje je tevoorschijn denkt te toveren.'

Ik haalde mijn schouders op.

'Misschien ben ik gewoon niet helemaal goed bij mijn hoofd.'

Hij schudde zijn hoofd. Hij ging nog langzamer lopen, hoewel we al zo langzaam liepen dat we bijna niet vooruitkwamen.

'Ben je verliefd op Andreas?' vroeg hij.

Ik aarzelde.

Vandaag was alles wat ik had. Alleen deze avond, die bijna voorbij was. Daarna zou ik hier nooit meer samen met hem lopen.

'Nee,' zei ik. 'Maar dat wist je toch al.'

'Ik weet helemaal niets,' zei Adam. 'Maar je hebt toch verkering met hem?'

'Ja,' zei ik. 'Weet je waarom?'

En toen vertelde ik het. Dat was misschien dom, ik had misschien beter mijn mond kunnen houden, maar dat deed ik niet. Ik vertelde hem over het plannetje dat Frida en ik hadden bedacht, dat we met z'n vieren dingen zouden doen, en dat ik het eerst een heel goed idee had gevonden omdat ik dan Frida niet zou kwijtraken aan Adam en dat ik het daarna eigenlijk meer een goed idee vond omdat ik dan Adam niet zou kwijtraken aan Frida. Niet helemaal tenminste.

Adam keek me verbaasd aan.

'Wat zitten meisjes soms toch vreemd in elkaar,' zei hij.

Ik moest lachen.

'Ja, dat kan best. Het klinkt inderdaad wel dom nu. Maar ik wist niet dat... dit zou gebeuren.'

Adam bleef stilstaan.

'Hoe bedoel je, dat wat zou gebeuren?'

'Dat weet je toch wel,' zei ik. 'Ik weet dat je het weet.'

'Ik wil het horen.'

Ik keek naar de grote kastanjeboom die het dichtst bij ons stond. Ging met mijn blik omhoog langs de stam, tussen de takken en het uitgedunde bladerdek. Ik bedacht dat ik dit eigenlijk niet moest doen. Bedacht dat ik afscheid van hem moest nemen en zo snel mogelijk naar huis moest gaan. Maar dat was het nou juist. Dat kon ik niet. Het ging gewoon niet. Ik richtte mijn blik weer op Adam en haalde diep adem.

'Ik ben verliefd op je,' zei ik. 'Helemaal, verschrikkelijk, krankzinnig verliefd.'

Adam glimlachte vluchtig. Keek opzij. Keek naar de grond. Keek me aan.

'Ben jij wel eens zo blij geweest dat je bijna moet schreeuwen en rondjes rennen van blijdschap?' vroeg hij toen.

'Ja. Toen jij zei dat je mee wilde om Maria te zoeken. Toen ben ik gillend en schreeuwend de straat op gerend en heb ik me vreselijk aangesteld en oude dametjes de stuipen op het lijf gejaagd.'

Adam lachte. Toen werd hij weer serieus. Opeens. Alsof iemand een lamp had uitgedaan.

'Ik hou zoveel van je dat ik bijna doodga,' zei hij. 'Ik denk aan niets anders dan aan jou. Ik denk dat ik er bijna gek van word.'

Mijn hart sprong op, er ging een vloedgolf van warm bloed door mijn lijf en mijn benen begaven het bijna onder me. Ik weet niet precies wie het eerst zijn armen uitstrekte naar wie, maar het volgende moment stond ik heel dicht tegen hem aan en klemde me aan hem vast alsof ik zou verdrinken als hij er niet was, en hij hield me stevig vast, hij zocht mijn mond met de zijne en we kusten, we verkenden elkaar en zochten naar meer, steeds meer en elke vezel in mijn lichaam wilde hem, brandde, verlangde, zong en kreunde om hem, mijn handen om zijn nek, nu pas wist ik hoe vaak mijn ogen naar die nek hadden gekeken, nu mijn vingers mochten voelen en strelen en zoekend omhoogkruipen door zijn haar en weer terug naar zijn schouders, ik wilde nóg dichter bij hem zijn, me nóg harder tegen hem aandrukken, mijn onderlichaam tegen het zijne, dij tegen dij, ik zocht met mijn handen onder zijn jack en onder zijn trui en ik vond warme, naakte huid die vlammen door me heen zond en zich vermengde met zijn smaak en zijn geur tot een kloppend, oncontroleerbaar verlangen. Ik voelde zijn warme ademhaling in mijn hals en in mijn haar en ik voelde zijn lippen tegen mijn oor toen hij me opeens tegenhield, hij hield me vast in zijn warmte en zijn ver- langen en ik voelde hoe alles in me klopte en hoe zwaar mijn lichaam was tegen het zijne, heel, heel dichtbij.

'Stop,' fluisterde hij. 'Wacht even. Rustig aan, want anders duw ik je hier ter plekke in het gras en maak ik zo'n puntje in een van die puzzelboekjes van je…!'

Ik giechelde hijgend tegen zijn schouder. Dat het zó kon zijn. Dat het zó kon voelen. Dat hij er zomaar was. Ik moest het zeggen, ook al wilde mijn tong me nauwelijks gehoor- zamen.

'Dat jij er zomaar bent…!'

Ik voelde zijn glimlach tegen mijn wang.

'Dat jíj er bent.'

'Ben jij er dan niet?'

Hij aarzelde.

'Jawel,' fluisterde hij toen. 'Ik denk dat ik er meer ben dan ooit tevoren. Ik wil bij je zijn. Altijd. Vierentwintig uur per dag, voor altijd en eeuwig.'

De werkelijkheid drong tot me door, stroomde als ijskoud water naar binnen in alles wat zo mooi en warm was geweest.

'Het kan niet,' zei ik. 'Het kan gewoon niet!'

Hij hield mijn schouders vast. Probeerde mijn blik te vangen. 'Wat kan niet?'

'Frida,' mompelde ik halfverstikt.

'Frida? Ik wil Frida helemaal niet, heb je dat dan nóg niet begrepen?'

'Maar dat maakt niet uit, snap je dat dan niet?! Frida is immers mijn beste vriendin, ze vertrouwt me, zoiets zou ik haar nooit kunnen aandoen... het kan nooit iets worden tussen jou en mij! Het kan gewoon niet!'

Hij liet me los.

'Het ís al iets,' zei hij. 'Je kunt me toch niet zomaar dumpen... en alles wat wij samen hebben, gewoon weggooien vanwege Frida?'

'Zoiets doe je niet tegen je vriendin,' probeerde ik. 'Frida zou zoiets nooit tegen mij doen. Begrijp je dat dan niet?'

Adam deed een paar stappen naar achteren. Zijn ogen waren bijna zwart in het donker.

'Nee,' zei hij. 'Maar ik begrijp wel dat het niet zo is als ik net even dacht. Ik... ga naar huis. Dag.'

Toen draaide hij zich om en liep weg.

'Adam!'

Mijn stem klonk bijna schril. Hij sloeg over. Adam bleef staan en keek me een paar seconden aan, maar ik wist niet wat ik moest zeggen en na een poosje begon hij weer te lopen in de richting waar we vandaan waren gekomen. Sneller nu. Hij rende bijna.

Ik had het koud. Mijn hele lijf trilde. Of misschien huilde ik wel. Huilde ik vanbinnen, een huilen dat te groot was om een opening te vinden waardoor het naar buiten kon komen. Ik probeerde te ademen, de controle over mijn trillende lichaam terug te krijgen.

Het kon niet anders, dat had ik al die tijd geweten, en toch had ik het zover laten komen dat ik er nu helemaal kapot van was, dat ik het niet overleefde, dat ik nooit meer dezelfde zou zijn. Maar ik had geen keus. Ik had gewoon geen keus!

Stijf liepen mijn benen verder door het park, schuin tegen de helling op naar de Bredastraat, ze wilden niet in de buurt komen van die hoge heg met het paviljoentje, wilden alleen maar naar huis, naar binnen naar mijn kamer en onder mijn dekbed. Als Tarzan niet uit het donker was komen aanrennen en hijgend om zijn riem had gevraagd, was ik hem vergeten.

Misschien dacht ik dat ik me kon verstoppen, dat het mogelijk was om je dekbed over je hoofd te trekken en te vluchten in de nacht en in je dromen, maar ik had het mis. Heel erg, verschrikkelijk mis. In het donker en de eenzaamheid was Adam zo mogelijk nóg meer aanwezig dan wanneer we bij elkaar waren, als dat tenminste kon. Zijn ogen, zijn stem, zijn lichaam, zijn manier van bewegen, van ademen, er zijn. Zijn glimlach, zijn ernst, de manier waarop hij zijn ogen een beetje dichtkneep als hij nadacht, dat alles droeg ik bij me, in me, en ik lag te woelen tussen de lakens, van een bijna krampachtig verlangen naar hem.

Om 03.15 uur zat ik aan het hoofdeinde van mijn bed met mijn dekbed stevig om me heen getrokken en mijn gezicht in mijn handen, ik wiegde heen een weer als een krankzinnige. Ik zou nooit meer kunnen slapen, voortaan zou het altijd zo zijn. Ze zeggen dat het overgaat, maar ze weten er niets van, zo was het en het zou nooit meer overgaan. Ik was getroffen door een chronische ziekte, een koorts die me niet meer losliet uit zijn greep, een virus dat zich razendsnel had verspreid en nu even talrijk was als het aantal cellen in mijn lichaam, er was niet één plekje te vinden dat niet naar Adam verlangde.

Ik dacht dat ik wel eens eerder verliefd was geweest. Dat ik naar iemand had verlangd. Dat ik al eens eerder was gekust. Maar ik had er echt geen idee van gehad wat verliefd zijn was. Geen flauw benul. Als ik dit had geweten, was ik echt bij Adam uit de buurt gebleven, dan was ik naar een andere klas gegaan, een andere school, een andere stad! Maar nu was het te laat, ik was er met open ogen ingelopen en al zou ik naar een andere planeet gaan, naar Jupiter, dan zou ik nog tot in het kleinste atoom vol zijn van Adam.

Hij hield van mij. Hij zei dat hij van me hield!

Hoe kunnen grenzeloze blijdschap en oneindig verdriet naast elkaar bestaan? Kun je tegelijk overlopen van blijdschap en ineenkrimpen van wanhoop?

03.16 uur.

Deze nacht zou nooit voorbijgaan. En als het toch gebeurde, zou Kasper de volgende ochtend een verschrompeld oud vrouwtje met wit haar in mijn bed vinden, een vrouwtje met waterige, halfblinde ogen en helemaal blinde hersenen, een vrouwtje aan wie het leven voorbij was gegaan, dat was overgeslagen door het leven.

Ik stond op het punt krankzinnig te worden. Volkomen, totaal geschift.

Ik keek weer naar de klok. Nog steeds 03.16 uur.

Ik dacht aan zijn telefoonnummer. Ik mompelde het een paar keer achter elkaar, als een mantra, een geheime formule die alles zou kunnen veranderen. Ik stond op, liep de gang in en toetste het nummer in op de telefoon, zonder echt te bellen. Ik toetste het steeds opnieuw in. Mompelde tegen hem in mijn hoofd. Adam, het spijt me, Frida kan me niet meer schelen, ik wil niet zonder jou leven, ik kan niet zonder jou, het is te laat, veel te laat, Adam, hoor je me, ik wil jou, ga niet weg, ren niet weg, Frida kan me niet meer schelen...

Toen zag ik het jasje. Ik stond op, haalde het van de kapstok en nam het mee naar mijn kamer. Kroop weer in mijn bed, wikkelde mijn dekbed weer om me heen. Ik klemde het jasje tegen me aan, het zachte leer tegen mijn hals en wang. Ik haalde het kristal uit de zak en deed het om. Nu had ik het echt verdiend. Frida? Ja toch?

Ik huilde.

Huilde tot het dure jasje nat was van mijn tranen.

De cijfers van mijn wekkerradio waren wazig en mijn ogen deden pijn.

03.53 uur.

Ik vroeg me af of de roker in zijn vensterbank aan de overkant van de straat zou zitten. Ik kon het niet opbrengen om op te staan en naar de keuken te lopen om te kijken. Ik besloot dat hij er zat. Dan was ik niet zo vreselijk eenzaam. Ik ging weer liggen met het jasje stijf tegen me aan geklemd. Dicht tegen mijn eigenzinnige, koppige lichaam dat uit niets anders meer bestond dan verlangen.

Het werd toch ochtend.

Misschien had ik zelfs wel even geslapen, was ik even weggedommeld, zoals het schuim op de kop van een golf dat heel even op het strand blijft liggen, om zich daarna meteen weer terug te trekken in de kolkende zee. Mijn haar was niet wit geworden, maar mijn gezicht zag er vreselijk uit, het was rood en opgezet met diep weggezonken kleine oogjes. Nu hoefde ik tenminste niet naar school, het zou niet moeilijk zijn om eronderuit te komen. Als Viktor keelpijn kon hebben, dan kon ik griep hebben. Minstens.

Ik hoefde niet eens te liegen.

'Maar lieverd toch!' zei Kasper toen hij me zag. 'Voel je je niet lekker?'

'Nee,' zei ik.

'Kruip maar weer gauw in bed. Ik bel wel naar school voordat ik wegga. Bel me maar in de studio als het erger wordt!'

Ik knikte en sloop snel terug naar mijn kamer. Mooi zo. Ik zou hier blijven. Ik zou gewoon niet gaan en hoefde Frida en Andreas en Adam niet onder ogen te komen. Vandaag niet, nog niet.

Ik wikkelde me in mijn dekbed zoals een larf in zijn pop en zo bleef ik heel stil liggen. Ik probeerde iets anders te worden. Een vlinder. Ik wilde schoon en onbedorven tevoorschijn komen uit het larvenstadium dat ik zojuist achter me had gelaten.

Ik gleed weg in een soort roes. Het was niet echt slaap, meer een soort traagheid van mijn hersenen na de oververhitting van de voorbije nacht.

Even over elven ging de telefoon.

Adam! dacht ik met een automatisme dat totaal niet gebaseerd was op de werkelijkheid. Maar ik stond niet op. Ik bleef heel stil liggen en liet hem overgaan. Ik wendde en keerde de woorden steeds opnieuw in mijn hoofd. Ik probeerde het uit te leggen. Ik verlangde. Zijn stem zat binnen in me. Alles wat hij de avond ervoor had gezegd, was door mijn lichaam opgezogen.

Toen de telefoon stil werd, maakte ik me voorzichtig los uit mijn dekbed en stapte uit bed. Ik moest toch kijken. Ik kon het niet laten. Maar toen ik mijn hand uitstak om te kijken wie er had gebeld, ging de telefoon opeens weer en ik schrok me een ongeluk, alsof ik op heterdaad was betrapt bij het plegen van een strafbaar feit.

Het nummer dat op de display verscheen, was helemaal niet van Adam, het was het nummer van de studio. Ik probeerde een paar keer rustig in en uit te ademen en nam toen de telefoon op.

'Katrina!' zei Kasper. 'Ik was helemaal ongerust toen je niet opnam. Heb ik je wakker gemaakt?'

'Nee, ja, nou, misschien.'

'Hoe voel je je?'

'Beter, geloof ik. Ietsje.'

'Fijn. Je zag er verschrikkelijk uit vanochtend.'

'Hoe gaat het bij jou?' vroeg ik.

'Hier? Eh ja, het is behoorlijk druk. Ik had je echt heel goed kunnen gebruiken vanmiddag, maar daar is nu gewoon even niets aan te doen.'

'Ik kan straks nog wel even komen,' zei ik en ik voelde meteen dat dat precies was wat ik wilde.

Iets doen. Dan was ik gedwongen om los te breken uit dat eeuwige gepieker. Ik had een taak te volbrengen. Maria en de baby. Ik moest Kasper duidelijk zien te maken dat híj de eerste stap moest zetten. Dat hij moest laten merken dat hij om haar gaf. In de studio zou ik zeker de kans krijgen om met hem te praten. Misschien kon ik voor één keer eens iets goed doen. Als er íets was wat ik nodig had, dan was het dat ik voor één keer iets goed zou kunnen doen.

'Nee, nee, je bent toch ziek,' sputterde Kasper tegen aan de andere kant van de lijn, 'je moet lekker gaan slapen en...'

'Ik voel me alweer wat beter. Ik moet alleen even wat eten en dan kom ik eraan!'

Ik hing midden in een van Kaspers tegenwerpingen op en had opeens ontzettende haast om me te wassen en aan te kleden. Het leek wel of mijn hele leven ervan afhing of ik snel genoeg het huis uit zou komen. Maar ik kon niets eten. Waar ik ook naar keek in de koelkast, mijn maag kromp ineen tot een harde bal.

Tarzan keek me hoopvol aan toen ik het bruine leren jasje aantrok, maar ik aaide hem en legde hem uit dat hij thuis moest blijven. Adams handen hadden daar ook geaaid. Dat voelde ik. Alsof zijn strelingen sporen hadden achtergelaten in Tarzans vacht.

Buiten op straat stond een snijdend koude wind en ik moest stevig doorlopen om het niet koud te krijgen. Dat voelde goed. Het zorgde ervoor dat ik mijn aandacht erbij moest houden, ik moest mijn gedachten concentreren op de bewegingen van mijn lichaam. Stevig doorlopen. Mijn schoenen op het asfalt. De hoek om gaan. Het ene been voor het andere zetten. Met zulke concrete gedachten wist ik mezelf bij elkaar te houden in plaats van dat ik in kleine stukjes uiteenviel en werd meegevoerd op de wind, samen met de herfstbladeren die in dwarrelende wolken over de lange, smalle stroken gras tussen de flatgebouwen joegen. In minder dan een week was de helft van het blad van de bomen geel geworden en afgevallen. De bladeren zagen er eerder verdwaald uit dan bevrijd.

In de studio was het een behoorlijke chaos. Kasper probeerde filmpjes te ontwikkelen, foto's te snijden, de telefoon op te nemen en te fotograferen tegelijk en dat lukte niet al te best.

Toen ik de dingen waarbij ik kon helpen van hem overnam, keek hij me dankbaar aan.

'Weet je zeker dat het gaat?' vroeg hij.

'Dit is precies wat ik nodig heb,' zei ik. 'Het is gewoon medicijn.'

'En het is zéker precies wat ík nodig heb,' zei Kasper. 'Ik vraag me alleen af wat ze op school zullen zeggen.'

Ik schrok. School. Ik wilde niet aan school denken. Morgen moest ik wel aan school denken. Maar nu niet. Nog niet. De telefoon ging weer en ik glipte dankbaar weg om hem op te nemen.

'Doen jullie ook opdrachten onder water?' vroeg de vrouwenstem aan de telefoon.

'Wat?' zei ik.

'Doen jullie opdrachten onder water? Fotograferen jullie ook onder water?'

'Dat... geloof ik niet.'

'Geloof?'

'Ik bedoel, ik geloof niet dat we dat al eens hebben gedaan. Waarom...? Ik bedoel... hoezo?'

'Wij gaan trouwen in onze duikuitrusting. Er kan ook wel iemand van de duikclub fotograferen, maar ik heb liever een professionele fotograaf. Dan worden het tenminste echt mooie foto's.'

Ik zag een bellenblazende bruid voor me met een masker voor haar gezicht en een wapperend bosje zeewier in haar hand. Tegenover haar een gorgelende priester in zijn volledige priesterkostuum en ik moest een paar keer slikken voordat ik weer iets kon zeggen.

'Een moment!' wist ik uit te brengen voordat ik hysterisch giechelend de telefoon neerlegde en naar Kasper in de studio rende.

'Wil je een bruidspaar fotograferen onder water?' hikte ik. 'Ze gaan in hun duikpak trouwen!'

Kasper keek me een paar seconden stomverbaasd aan.

'Zeg maar dat ik hydrofobie heb,' zei hij toen.

'Wat?'

'Watervrees,' zei hij. 'Hydrofobie. En mijn camera's hebben ook hydrofobie.'

Ik hield het niet meer van het lachen. Ik maakte een wuivend gebaar naar de telefoon.

'Je mag het haar zelf vertellen!' piepte ik.

Kasper ging naar de wachtruimte en ik probeerde zo stil mogelijk te lachen, met mijn handen voor mijn gezicht. Het volgende moment sloeg mijn lachbui volledig om en opeens kwam er een stortvloed van tranen. Ik huilde krampachtig, de tranen vochten zich vanuit het diepst van mijn lichaam een weg naar buiten. Ik was niet goed wijs. Mijn gevoelens waren helemaal in de war. Ik had ze totaal niet meer onder controle. Ik was een wrak. Zou het voortaan altijd zo zijn?

Toen Kasper terugkwam, had ik mijn huilbui nog steeds niet helemaal in bedwang. Hij pakte me verschrikt bij mijn schouders.

'Maar lieveling, wat is er? Voel je je weer slechter? Heb je ergens pijn?'

Ik schudde mijn hoofd en probeerde tot rust te komen. Op dat moment schoot Maria door mijn hoofd. Haar ronde buikje onder de ochtendjas.

'Je, je moet Maria zoeken,' snikte ik.

'Wat? Waar heb je het over?'

'Maria!' zei ik en opeens was ik geïrriteerd. 'Het meisje met wie je een relatie had. Ze woonde bij ons, weet je nog? Klein, slank, bruin haar!'

'Ja, ja, natuurlijk weet ik dat nog, doe niet zo gek! Lieverd, ik weet dat het hier een beetje een chaos is, maar ik red me wel. Het komt wel goed. In het ergste geval kan ik iemand aannemen, voor halve dagen of zo.'

'Het gaat toch helemaal niet om de studio!' snauwde ik. 'Of was dat de enige reden dat je een relatie met haar had? Bedoel je dat ze toch gelijk had? Was ze alleen maar een gratis werkkracht?!'

De deurzoemer ging en een vrouw met donker haar en een dik, in het roze gekleed kindje op haar arm keek om het hoekje van de wachtruimte de studio in. De kleren van het meisje leken op een kanten taartkleedje en ze had roze zijden strikken in haar dunne haar.

'We zijn een beetje vroeg,' zei de vrouw, 'maar als jullie toch niemand hebben...'

'We zijn bezig!' zei ik. 'U moet daar wachten. En doe de deur dicht.'

De vrouw trok zich haastig terug en deed de deur weer dicht.

'Je moet wel beleefd zijn tegen de klanten!' zei Kasper verschrikt.

'Ik wil nú weten hoe het zit,' zei ik. 'Nu meteen.'

'Hoe wat zit?'

'Moet ik je hersens even wakker schudden of zo? Ik heb het over Maria!'

Kasper maakte een onwillig gebaar met zijn schouders.

'Katrina, lieverd, ik denk dat we het daar vanavond thuis maar over moeten hebben.'

'Nee, we hebben het er nú over,' zei ik. 'Anders ga ik naar die vrouw met haar roze gebakje toe en zeg ik dat je hydrofobie hebt en vandaag niet kunt werken.'

Hij glimlachte onwillekeurig. Hij gaf het op.

'Nou, oké dan. Wat wil je weten?'

'Hou je van haar?' vroeg ik. 'Hou je van Maria?'

Kasper keek me aan; hij begreep dat ik het serieus meende.

'Ja,' zei hij. 'Ik hou heel veel van haar.'

'En begrijp je dat je je als een idioot hebt gedragen toen ze je over die nieuwe baan vertelde?'

Hij zuchtte.

'Ja, ik heb me als een idioot gedragen. Ik kreeg de tijd niet om erover na te denken. Ik was zo van mijn stuk gebracht. Ik vond dat we het goed hadden, dat we goed samenwerkten. Het kwam allemaal zo onverwacht. Ze had me toch kunnen vertellen dat ze naar iets anders op zoek was.'

'Weet je dan of dat zo was?' vroeg ik. 'Misschien kreeg ze die baan wel gewoon aangeboden. Of misschien durfde ze het niet tegen je te zeggen omdat ze je geen verdriet wilde doen. Of misschien wist ze niet zeker of ze er geschikt voor was en wilde ze het niet vertellen voordat ze zeker wist dat ze hem had gekregen.'

'Dat kan best,' zei Kasper.

'Waarom heb je dan geen contact met haar opgenomen?' vroeg ik.

'Ik weet niet waar ze is.'

'Heb je dan geprobeerd om daarachter te komen?'

'Nee.'

'Waarom niet?'

'Is dit een verhoor of zo?'

'Ja.'

Kasper leek een beetje uit het veld geslagen.

'O, nou,' zei hij verward. 'Dat wilde ik alleen even weten.'

Hij keek naar de klok.

'Maar nu is het tijd. Voor dat roze gebakje, bedoel ik.'

'Waarom heb je geen contact opgenomen met Maria?' hield ik vol.

Kasper legde zijn handen op mijn schouders en zette zijn vadergezicht op.

'Je bedoelt het vast heel goed, lieverd, maar misschien ben je nog een beetje te jong om dit soort dingen te begrijpen... Als Maria contact met mij wilde, hoefde ze alleen iets van zich te laten horen. Ze weet waar ik ben. Dat ze wegblijft, betekent dat ze met rust gelaten wil worden. Misschien heeft ze er behoefte aan om een tijdje op zichzelf te zijn. Dat is niet zo gek.'

Ik schudde zijn handen van me af. Híj begreep het niet!

'Ze denkt natuurlijk dat je helemaal niets om haar geeft, snap je dat dan niet?!'

'Nee, ze weet best dat dat niet zo is. Ze weet dat ik van haar hou. Dat heb ik haar zo vaak gezegd. En nu moet ik echt aan de slag met dat gebakje!'

Hij liep naar de wachtruimte toe.

'Pappa!' riep ik.

Kasper bleef staan en draaide zich verwonderd om. Ik had hem in geen jaren 'pappa' genoemd. Het woord bleef als het ware tussen ons in hangen en even zag Kaspers gezicht er merkwaardig naakt uit.

'Ja?' zei hij toen.

'Je bent de meest achterlijke stommeling die ooit op deze aarde heeft rondgelopen,' zei ik toen.

'Dankjewel,' zei hij. 'Dat is heel lief van je.'

'Denk er nou alsjeblieft even over na,' smeekte ik. 'Over dat met Maria, bedoel ik.'

'Ik heb erover nagedacht,' zei hij. 'Veel meer dan je denkt.'

Toen deed hij de deur open en vroeg de moeder met haar dochtertje binnen te komen.

'Waar was je nou?' vroeg Viktor boos toen ik die avond om een uur of zeven samen met Kasper binnenkwam. 'Was je naar het ziekenhuis of zo?'

'Katrina was vanochtend ziek, maar vanmiddag voelde ze zich alweer wat beter en toen heeft ze me een beetje geholpen in de studio,' ratelde Kasper.

Het klonk alsof hij dat antwoord zorgvuldig had ingestudeerd.

'Nou, hij heeft een paar keer voor je gebeld,' zei Viktor.

Het leek wel of ik een stomp in mijn maag kreeg, en ik voelde het bloed naar mijn wangen schieten. Mijn oren begonnen te gloeien. Hij had gebeld! Wat wilde hij? Wilde hij proberen me over te halen? Of alleen praten? Misschien konden we gewoon vrienden zijn, hoefden we elkaar niet helemaal kwijt te raken, praten was toch niet verkeerd, je mocht toch wel met elkaar praten. Mijn benen werden helemaal slap en mijn hoofd begon te tollen bij de gedachte aan zijn stem in de telefoon.

'O...' zei ik schor. 'Wat was er... moest ik terugbellen of zo?'

'Hij wilde weten of we nog kwamen ijshockeyen morgen. Ik heb gezegd dat we kwamen. Dat is toch zo?'

Viktor keek me smekend aan, mijn hartslag ging weer omlaag en ik voelde een knoop van teleurstelling in mijn maag. O, díe 'hij' had gebeld.

Onmiddellijk na de teleurstelling kwam mijn slechte geweten. Die 'hij' was toevallig wel mijn vriendje. En ik was een walgelijke slet, ik had de avond ervoor staan zoenen met een andere jongen in het park! En ik wilde nog wel een nieuw, sterk, evenwichtig, betrouwbaar mens worden!

'Ja toch?' zeurde Viktor. 'Je hebt het beloofd!'

'Nee,' zei ik, 'ik heb het helemaal niet beloofd. Maar ik ga wel mee. Voor deze éne keer.'

Viktor juichte en begon toen meteen tegen Kasper: 'Ik heb geen ijshockeyspullen, je kunt niet ijshockeyen zonder ijshockeyspullen! Dat is gevaarlijk, je kunt jezelf heel erg verwonden!'

Kasper wees naar Viktors gezicht, waar de schaafwond intussen donker gekleurd was en de blauwe plek nog groter was geworden en groen zag.

'Het lijkt me dat jij ook een helm nodig hebt als je gewoon buiten loopt,' zei hij.

Viktors blik schoot een paar keer onrustig heen en weer en ik kreeg het vreemde gevoel dat hij had gelogen over zijn val op de stoep. Maar waarom zou hij dat hebben gedaan? Misschien was hij ergens geweest waar hij niet mocht komen. Op de schroothoop. Of bij het afvalverwerkingstation. Daar was van alles waar je op kon klimmen. Nou ja, als dat zo was, was het in ieder geval Kaspers probleem om erachter te komen. Ik was ook ergens geweest waar ik helemaal niet had mogen zijn. Gisteren. In Adams armen.

'We spreken het volgende af,' zei Kasper. 'Je kunt vast wel iets lenen in de ijshal. Je gaat een paar keer oefenen met Andreas en dan kijk je of je echt wilt doorgaan met dat ijshockeyen. Als je het echt heel leuk vindt en je wilt mee gaan trainen met het jongenselftal of hoe dat dan ook heet, kunnen we een tweedehands uitrusting voor je kopen. Oké?'

Viktor knikte teleurgesteld.

'Oké dan.'

Ik keek voor de zekerheid nog even op de nummerweergave. Andreas had drie keer gebeld en Frida twee keer. Aantal keer dat Adam had gebeld: nul.

Hoe kon ik zo stom zijn om te denken dat hij zou bellen? Hij was toch boos geworden gisteren. Hij was gekwetst en boos. Hij begreep het niet en ik kon het niet uitleggen. Het was nou eenmaal zoals het was. Drie keer toetste ik zijn nummer in, maar ik belde niet. Ik voelde alleen de cijfers onder mijn vingertoppen. Morgen zouden we in hetzelfde lokaal zitten, zijn nek schuin voor me. Zijn schouders en zijn rug, die er zo vreemd kwetsbaar uitzag. Alles wat ik had vastgehouden, gestreeld en omhelsd zou op drie of vier onoverbrugbare meters voor me zitten.

Ik zou eigenlijk Frida moeten bellen. Ik moest *echt* Frida bellen. Misschien moest ik eigenlijk ook Andreas bellen. Maar ik belde niemand.

Zonder dat ik echt wist waarom, haalde ik de brieven van Ingrid weer tevoorschijn. Misschien probeerde ik de ene pijn te bestrijden met de andere. Ik ging op bed zitten en las ze, maar ze lieten me vreemd onverschillig. Opeens speelde ze niet zo'n belangrijke rol meer. Ze was ver weg en onwerkelijk en ik vond haar niet eens aardig. Adam was dichtbij en echt en ik hield zoveel van hem dat ik vanbinnen in brand stond en werd verscheurd.

Toen ik het stapeltje brieven voor de zoveelste keer had doorgelezen, deed ik er een elastiekje om, liep het trappenhuis in, deed de deksel van de vuilstortkoker open en stak mijn hand erin met het stapeltje brieven tussen mijn duim en wijsvinger. Ik voelde dat ik ze zou kunnen laten vallen als ik zou willen. Ik hoefde alleen mijn duim en wijsvinger maar van elkaar te halen en dan liet ik haar net zo makkelijk vallen als zij mij had laten vallen. Maar ik deed het niet. Ik nam de brieven weer mee naar mijn kamer, stopte ze in de schoenendoos en schoof de doos boven in mijn kast. Maar het voelde niet als een mislukte actie. Meer als een keuze.

Morgen zou alles weer normaal worden. Ik zou luisteren naar Frida's geklets over Adam en ik zou Andreas' vriendinnetje zijn. Dat was me eerder gelukt, dus het moest me nu weer lukken.

Hoe lang zou het duren voordat Adam verliefd werd op Frida in plaats van op mij? Zij was mooier, slimmer, rijker, betrouwbaarder en zelfverzekerder dan ik. Het zou vast niet lang duren. Dat hij beweerde dat hij mij leuker vond, was vast alleen een kwestie van tijdelijke verstandsverbijstering.

Om drie uur 's nachts zat ik aan de keukentafel en keek naar het huis aan de overkant van de straat. Alle ramen waren donker. Zelfs de rokende man hield me geen gezelschap vannacht.

De krantenpagina met de kruiswoordpuzzels lag op het aanrecht. Ik zocht een puzzel die nog niet was ingevuld en pakte Kaspers vulpotlood. Om kwart over vier had ik drie woorden ingevuld die misschien klopten. Ik kon niet nadenken. Er waren tweeëndertig woorden met vier letters. A-d-a-m.

Toen ik terugsloop naar mijn kamer, zag ik dat het licht in Kaspers slaapkamer brandde. Ik keek voorzichtig door de kier van de deur. Kasper zat in de leunstoel naast het bed. Hij had zijn geruite kamerjas aan en er lag een boek open op zijn schoot, maar hij las niet. Zijn blik rustte op een plek ergens boven het boek. Misschien dacht hij toch na over wat ik had gezegd. Misschien zou hij haar toch gaan zoeken. Hij moest eens weten! Als ik maar iets mocht zeggen over de baby. Dan zou hij wel in actie komen. Hij zou haar meteen bellen, nu, midden in de nacht. Opeens kreeg ik zo'n ontzettende zin om naar binnen te gaan en het te vertellen dat ik hard op mijn lip moest bijten en mijn voeten moest dwingen om naar mijn eigen kamer te lopen om Maria's vertrouwen niet te beschamen.

Ik ging in bed liggen en voelde met mijn hand aan mijn buik. Ik vroeg me af hoe het zou voelen als daarbinnenin een klein mensje zat. Iemand die zou groeien en een plek op deze wereld zou innemen. Een ander iemand dan ikzelf.

De grote wijzer van de klok verplaatste zich langzaam in de richting van de zes. Halfvijf. Zou Adam wakker zijn? Zou hij nog steeds lijden onder die tijdelijke verstandsverbijstering? Zag zijn verlangen er net zo uit als het mijne, of zou hij het gewoon kunnen uitvlakken als het niets opleverde?

Uitvlakken en verdergaan. Naar Frida.

Ik kroop in elkaar onder mijn dekbed en dwong mezelf om mijn ogen dicht te doen. Niet nadenken. Slapen.

Toen ik zo moe was dat ik bijna niet meer kon, voelde ik hoe de slaap me omarmde en probeerde mee te nemen, alsof ik werd opgetild en rondgedraaid in de lucht, maar toen was ik weer terug in bed, nog steeds wakker.

Om halfzeven begon mijn wekker driftig te piepen, mijn lichaam voelde zwaar en traag toen ik overeind kwam. Mijn hoofd zat vol vloeibaar beton. Maar dat maakte niet uit. Het was zelfs een voordeel om zo ontzettend moe te zijn. Ik had al mijn aandacht nodig om me aan te kleden, te ontbijten en weg te gaan. Ik had geen energie meer over om na te denken.

Pas toen ik het schoolplein opliep, stak mijn onrust weer de kop op. Een merkwaardig soort onrust, een mengeling van angst, pijn, verlangen en verwachting. Frida en Andreas kwamen me met vragende gezichten tegemoet door de glazen deuren. Mijn eerste ingeving was om me om te draaien en weg te rennen. Maar ik beheerste me. Ik probeerde hun vragen te beantwoorden. Ja, ik was ziek geweest, maar ik had me 's middags beter gevoeld en was een poosje naar de studio gegaan, maar dat was waarschijnlijk niet zo verstandig geweest want toen ik weer thuiskwam, was ik zo verschrikkelijk moe dat ik tot niets meer in staat was. Nee, zelfs niet even bellen.

Dat was waar. Het was tenminste niet ónwaar. Ik wilde niet meer liegen. Ik was al verstrikt in een oerwoud van leugens, het leek wel of mijn armen en benen in lianen verstrengeld waren als ik me wilde bewegen.

Terwijl ik met Frida en Andreas probeerde te praten, voelde ik dat mijn ogen afdwaalden, tussen de kluisjes door omhoog langs het gedeelte van de trap dat zichtbaar was. Hij was hier ergens. Hij kon ieder moment opduiken. Hij was hier ergens en over enkele ogenblikken zouden we in hetzelfde klaslokaal zitten. Mijn hart klopte heel duidelijk in mijn borst en ik keek naar Frida en vroeg me af of ze echt net zo verliefd was als ik. Lag zij 's nachts ook wakker, gekweld en wanhopig? Toetste zij ook telkens weer zijn telefoonnummer in zonder echt te bellen? Woonde zijn stem binnen in haar? Zijn blik? Ieder woord dat ze hem had horen zeggen?

Stel je voor dat het zo was.

Stel je voor dat het echt zo was.

Maar zij zag er niet doodmoe en bleek uit. Zij was net zo mooi en frisroze als altijd en haar blonde haar zag er zacht en levendig uit. Maar er was natuurlijk wel een belangrijk verschil. Zij had nog hoop. Dat had ik niet meer. Niet als het waar was wat Frida zei. Niet als ze echt verliefd was.

Ik keek naar Andreas. Hij glimlachte aarzelend. Ongerust. Hij wilde weten hoe het zat tussen ons. Ik dwong mezelf om naar hem terug te glimlachen.

'Gaan we vanavond nog trainen?' vroeg ik.

Zijn voorzichtige glimlach werd breder.

'Natuurlijk. Als jij wilt.'

'Niet echt,' zei ik, 'maar Viktor wel. En misschien kan ik het leren. Het te willen, bedoel ik. Kan Viktor een stick en een helm en zo lenen in de ijshal?'

'Ja hoor. Heeft hij schaatsen?'

'Ik geloof het wel.'

'En jij?'

'Wat?'

'Heb jij schaatsen?'

Ik dacht aan mijn oude kunstschaatsen die ergens onder in mijn kast waren weggepropt tussen allerlei andere rommel. Die had ik vorig jaar bij de kringloopwinkel gekocht. Niet bepaald geschikte schaatsen om te ijshockeyen, maar ik kon er toch amper op vooruitkomen, dus dat maakte waarschijnlijk niet veel uit.

'Ze zijn goed genoeg,' zei ik.

'Ik heb er altijd van gedroomd dat ik een meisje zou vinden dat kan ijshockeyen,' zei Andreas.

'Dan moet je maar lekker verder dromen,' zei ik.

Adam was te laat. Ik dacht net dat hij helemaal niet meer zou komen, toen de deur openging en hij de klas in stapte met de gebruikelijke stapel papieren, schriften en boeken onder zijn arm. Ik werd overspoeld door blijdschap en angst tegelijk.

'Je droomprins heeft zich weer verslapen,' fluisterde Rachel tegen Frida terwijl Adam een excuus mompelde tegen miss Piggy en op zijn plek ging zitten zonder onze kant op te kijken.

'Hij ligt vast 's nachts Shakespeareteksten te leren!' fluisterde Ellen giechelend.

'Oh, Romeo!' fluisterde Rachel.

'Schei uit,' zei Frida. 'Jullie zijn zó kinderachtig.'

'Als Rachel en Ellen ook even deze kant op willen kijken, kunnen we misschien eindelijk beginnen!' zei miss Piggy vanachter haar bureau voor in de klas.

We moesten weer moleculen tekenen. Koolstofverbindingen. Frida en ik hadden er geen van beiden zin in.

'Hij kijkt niet eens deze kant op,' fluisterde Frida. 'Hij kijkt nooit naar me, behalve als hij écht niet anders kan omdat ik tegen hem praat! Of als we Romeo en Julia spelen. Waarom kuste hij me dan laatst? Dat staat toch echt niet in het script! Dat had hij toch niet hoeven doen!'

Ik wist niet wat ik moest zeggen. Adam keek niet naar ons, naar geen van beiden. Niet één keer. Ik ontmoette zijn blik niet eerder dan in de grote pauze, toen Frida en ik café Garfield binnenkwamen en Frida Anton, Sebbe en Adam aan een tafeltje zag zitten. Natuurlijk ging ze er meteen op af met haar koffiebeker in haar hand. Ik wilde en ik wilde ook weer niet, maar ik had natuurlijk geen keus, ik moest wel gewoon achter haar aan lopen. Ik probeerde niet naar hem te kijken toen ik ging zitten, maar mijn ogen werden toch naar hem toe getrokken en precies op dat moment keek hij terug en ik keek vlug weer voor me, mijn ogen wilden zich alweer vasthechten in die blauwgrijze blik.

Het was een ziekte. Een oncontroleerbaar, extreem resistent virus. Mijn hele lichaam reageerde als hij in de buurt was en als ik ook maar een tiende deel van een seconde in zijn ogen keek, sloeg mijn hart op hol en hield de automatische piloot ermee op. Ademhalen. Kijken naar het frisdrankflesje op de tafel. Het etiket lezen. Nog een keer ademhalen.

Een paar seconden later begon ik bijna in een god te geloven.

Ik begon bijna te denken dat er ergens een regisseur zat die kwaadaardig grijnsde en dacht: Nu is ze lekker zenuwachtig, ze ziet eruit alsof ze behoorlijk van haar stuk gebracht is, ze is duidelijk uit balans, ja ja, dan is het nu tijd voor de volgende zet, haha… want ik had nog maar net door hoe je bij iedere ademhaling voldoende zuurstof moest binnenkrijgen, toen de deur van Garfield weer openging en Andreas op het toneel verscheen.

Hij keek blij toen hij ons zag, kocht snel een cola en een kaneelbroodje en plofte neer op de stoel naast me. Hij legde zijn arm op mijn rugleuning.

'Ik vroeg me al af waar jullie waren gebleven!'

Frida glimlachte naar de anderen.

'Andreas kan het niet uitstaan als ik er met Katrina vandoor ga,' zei ze. 'Hij is zo ontzettend jaloers.'

'Ach,' snoof Andreas. 'Ik heb trouwens een manier gevonden om haar voor mezelf te hebben. Ze gaat ijshockeyen!'

Sebbe liet een van zijn idiote kreten horen en Anton lachte.

'Pas maar op,' zei Frida tegen Andreas. 'Katrina wordt vast veel beter dan jij. Misschien komt ze wel in het nationale team.'

Nu moest ik natuurlijk iets bijdehands zeggen, maar ik kon

geen geluid uitbrengen. Ik wist niet waar ik kijken moest. Er was geen natuurlijke plek waar ik mijn blik op kon vestigen.

Andreas' arm verplaatste zich van mijn rugleuning naar mijn schouders en hij drukte zachtjes.

'Als dat gebeurt, reis ik met haar mee de hele wereld over om haar aan te moedigen,' zei hij. 'En dan wijs ik naar de baan en roep ik "moet je die nummer tien zien, dan is míjn vriendinnetje!"'

Ik had het gevoel dat ik uit elkaar knalde. Ik moest daar weg. Ik stond stijfjes op, mompelde iets half onverstaanbaars over de wc en haastte me toen trillend naar buiten. Ik voelde de verbaasde blikken van de anderen in mijn rug.

Eerst wilde ik helemaal weggaan, naar huis gaan en weer in bed kruipen, maar toen bedacht ik dat ik alles weer zou moeten uitleggen als ik dat deed. De leraren, dat ging nog wel, maar Frida en Andreas? En hoe zou het daarna gaan? Ik kon toch niet de rest van mijn leven spijbelen? Ik moest ermee leren leven. Dat had ik hiervoor ook gedaan, dus nu moest het ook maar gaan. Ik dook de wc in en deed de deur op slot. Niet huilen. Dat zouden ze zien en dan zou ik het moeten uitleggen. Even rustig blijven zitten met mijn handen voor mijn gezicht. Ademen.

Toen ik naar buiten kwam, stond Frida er.

'Gaat het? Voel je je weer niet lekker? Zullen we even naar Alfred toe gaan?'

Ik schudde mijn hoofd.

'Het gaat wel weer.'

'Je was lijkbleek toen je wegliep. Ga je echt ijshockeyen?'

'Ik heb het Viktor beloofd.'

Frida glimlachte.

'Ja, natuurlijk, als je zo'n schattig broertje hebt...'

'Maar ik vind het niet leuk dat iedereen nu opeens denkt dat ik ga ijshockeyen alleen omdat Andreas het doet,' zei ik. 'Dat is toch ontzettend suf. Ik heb alleen beloofd dat ik de eerste keer meega, daarna moet Viktor er zelf maar naartoe gaan.'

Frida keek me waarderend aan.

'Heel goed,' zei ze. 'Je moet die jongens niet laten bepalen wat je doet.'

Jij hebt makkelijk praten, dacht ik. Maar wat doe je als je puur lichamelijk in hun macht bent? Wat doe je als je nauwelijks op je benen kunt staan en acuut gereanimeerd moet worden zodra hij bij je in de buurt komt? Als je niet kunt slapen en niet kunt eten en je hersenen volledig in de knoop raken als je probeert na te denken? Als je het ene moment moet huilen en het andere moment bijna moet overgeven?

Zou iemand niet eens de hoofdredacteurs van die meidenbladen kunnen schrijven om uit te leggen hoe het is om écht verliefd te zijn, zodat je er iets over kunt lezen en er vast een beetje op bent voorbereid als het gebeurt? Dat je eerlijke informatie krijgt. Het is per slot van rekening toch iets waar een heleboel mensen mee te maken krijgen. Een volksziekte. Waarom bestaan er geen foldertjes van het ministerie van Volksgezondheid? Geen medicijnen die de pijn kunnen verlichten? En hoe zit het eigenlijk met geld voor onderzoek. Iedereen kent de Kankerbestrijding, maar wie haalt er geld op voor onderzoek naar verliefdheid? Waar zijn de inzamelingsacties als je ze nodig hebt? Stort een bijdrage op giro 800 800 en help mij!

'Wat sta je te grijnzen?' vroeg Frida.

Deed ik dat? Geen idee. Echt nada. Rien. Niente. Ik schudde mezelf wakker.

'Nergens om. Ik ben alleen ontzettend moe, mijn gezicht doet gewoon wat het wil.'

Frida lachte.

'Pas dan maar op dat je geen lelijke gezichten tegen Andreas trekt!'

Ze had geen idee hoe dicht ze bij de waarheid was.

Ik keek op de klok. Nog een minuut voordat de een-na-laatste les van die dag begon. Maatschappijleer. We haalden onze boeken uit onze kluisjes en liepen de twee trappen op naar lokaal A34.

Toen we voor de deur stonden, zag ik dat ik per ongeluk mijn aardrijkskundeboek had gepakt. Ik kon nu dus kennelijk niet eens meer één ding tegelijk onthouden.

'Ik kom zo,' zei ik tegen Frida. 'Verkeerde boek.'

'Schiet op!' zei Frida. 'Granlund kan ieder moment komen.'

Ik rende de trappen weer af. Meneer Granlund was akelig precies en hij hield er niet van als je te laat kwam, zelfs niet een paar seconden. Bovendien waren zijn standjes altijd gemeen en sarcastisch. Toen Rachel een keer twee minuten te laat was, zei hij dat vrouwen óf zeer intelligent óf heel mooi moesten zijn als ze iets wilden bereiken in het leven en dat het toch best tragisch was dat sommigen noch het een noch het ander waren. Als hij dat tegen Frida had gezegd, was het alleen maar lachwekkend geweest. Maar hij zei het tegen Rachel. Ik wilde er liever niet achterkomen wat voor gemeens hij voor mij zou verzinnen.

De grote hal op de begane grond was al helemaal leeg. Ik rende buiten adem de hoek om naar de kluisjes van de derde en stak mijn sleutel in het slot.

'Katrina?'

Eerst dacht ik dat ik dingen hoorde die er niet waren. Dat ik Adams stem zo vaak in mijn hoofd had gehoord, dat ik me nu verbeeldde dat ik hem echt hoorde. Maar toen zag ik vanuit mijn ooghoek iets bewegen en ik draaide mijn hoofd om.

Hij stond twee meter van me vandaan. Twee meter te ver. Maar veel te dichtbij voor mijn overgevoelige automatische piloot. Adam aarzelde even. Hij keek naar de boeken die hij onder zijn arm had en toen weer naar mij.

'Ik wilde alleen even... sorry zeggen,' zei hij. 'Ik zag dat je alleen was, dus ik dacht... eh... dan moet ik het nu maar zeggen. Sorry dus.'

'Waarvoor?'

Mijn stem klonk iel en schor als een pimpelmeesje met tbc.

Ik snapte het niet. Ik kon de functies die nodig waren om een gesprek te voeren niet op gang krijgen. Daar stond hij opeens en hij praatte tegen me en hij en ik waren alleen.

'Voor gisteren,' zei Adam. 'Omdat ik zomaar wegliep en... ik bedoel, je hebt natuurlijk gewoon het recht om te zeggen wat je wilt. Dat respecteer ik natuurlijk. Ik was alleen zo... ik dacht... maar ik had het mis, dus... Nou ja, ik wilde dus alleen even sorry zeggen.'

Binnen in mijn hoofd verdrongen alle woorden van die nacht zich, hoeveel ik van hem hield en naar hem verlangde en hoe graag ik bij hem wilde zijn, en hoe ongelooflijk moeilijk het was om hem te laten gaan, om Frida trouw te zijn. De woorden buitelden over elkaar heen en bleven steken in mijn keel, zo hard dat het pijn deed. Niet één kwam er naar buiten. Het pimpelmeesje was veranderd in een voorntje. Een stom, naar adem happend visje, en ik stond daar maar met mijn hand om het sleuteltje van mijn kluisje en Adam stond tweeduizend millimeter bij me vandaan. Misschien zag ik er ook wel uit als een vis, mijn mond wijdopen en koud, want Adam glimlachte een beetje geforceerd en veranderde van onderwerp.

'Ben je echt van plan om te gaan ijshockeyen?' vroeg hij.

Ik schudde mijn hoofd. Probeerde mijn stem terug te vinden. Probeerde hem weer tot leven te wekken. Hallo! Ben je er nog!

'Nee,' kraste ik. 'Of ja. Of ik bedoel, ik ga niet écht ijshockeyen, alleen een keertje proberen, ik heb het mijn broertje beloofd. Het is niet... vanwege Andreas of zo.'

Het klonk dom. Het bevestigde alle vreselijke ideeën die ik over mezelf had: een verrader en ontzettend stom. Ik verried Andreas en dan was ik ook nog eens zo stom dat ik dat aan Adam liet zien. Maar ik wilde toch dat hij het wist, van het ijshockeyen.

'Ik doe helemaal geen sport,' zei Adam. 'Of ja, toch, ik ben waanzinnig goed in boter-kaas-en-eieren.'

Ik probeerde te glimlachen, maar het werd niet meer dan een raar vertrokken gezicht.

Adam keek op de klok.

'De les is al begonnen,' zei hij. 'Ga jij maar eerst. Dan kom ik wel een paar minuten later, zodat je geen problemen met Frida krijgt.'

Ik keek hem aan. Hoe had ik ooit kunnen denken dat hij het niet begreep? Hij had het precies begrepen. *Ik* had het niet begrepen. Ik had beweerd dat ik geen keus had. Maar dat had ik wel. Ik had Frida verkozen boven Adam. Omdat zij hem wilde hebben. Omdat zij hem had geclaimd op het moment dat hij de klas binnenstapte. Waren we niet een beetje te groot voor dat soort spelletjes? Had zij echt meer recht op hem dan ik?

Eén duizelingwekkend moment zag ik voor me hoe ik mijn boeken op de grond gooide, zijn hand pakte en hem mee naar buiten trok, naar de vrijheid. Ik zag voor me hoe we samen wegrenden van alles, hoe we lachten en elkaar omhelsden.

Het probleem was dat alles er nog zou zijn als we terugkwamen. Zou ik Frida ooit recht in de ogen kunnen kijken en haar vertellen dat ik Adam had ingepikt voordat zij dat had kunnen doen? Ik kon die gedachte niet eens vasthouden in mijn hoofd, laat staan dat ik hem helemaal kon denken.

Ik legde mijn aardrijkskundeboek in mijn kluisje en wurmde onhandig mijn boek voor maatschappijleer eruit. Mijn ogen prikten en alle woorden gingen nog steeds als stekels door me heen. Ze vulden de hele ruimte waar mijn longen zouden moeten zijn.

'Katrina,' zei Adam. 'Het had iets moois kunnen worden... tussen ons, bedoel ik.'

Ik knikte.

Toen draaide ik me om en liep de trappen op naar de klas. Ik was niet langer bang voor Granlund. Niets wat hij kon zeggen, zou me meer pijn kunnen doen dan ik al had.

Om halfvijf stonden Viktor en ik, met onze voeten ingesnoerd in verstikkende verpakkingen, ieder met een stick in onze hand op de harde, gladde ondergrond van de ijshal. Voor het doel stond Andreas, voorovergebogen, vizier voor zijn ogen, tralies voor zijn mond en brede handschoenen aan. Hij had een keeper-uitrusting geleend uit het berghok van de ijshal. Tussen ons en Andreas lag de puck als een rond, zwart blikje schoensmeer op het ijs.

'Schiet maar, dan kan ik zien wat jullie ervan kunnen!' riep hij.

Viktor wankelde naar de puck toe en gaf een harde klap. De klap raakte vooral het ijs, maar de puck bewoog toch een stukje in de richting van het doel voordat hij werd opgevangen door de stick van Andreas.

'Je moet niet naar me passen!' zei Andreas. 'Je moet proberen te scoren!'

Hij stuurde de puck weer onze kant op.

'Nu jij, Katrina!'

Mijn schaatstechniek hield in dat ik op de ene schaats stond en me met de kartels aan de voorkant van de andere schaats afzette. Op die manier wist ik naar het zwarte blikje toe te steppen. Ik was opeens boos. Die opmerking van Andreas tegen Viktor was onnodig neerbuigend geweest. Viktor had nog nooit eerder geijshockeyd.

'Kom maar op!' riep Andreas op een doorgewinterd coach-toontje. 'Maak een schijnbeweging! Dol me maar! Schiet hem er maar in!'

Wat een flauwekul.

Ik keek naar de linkerpaal, tilde mijn stick op en sloeg zo hard als ik kon. De puck schoot over het ijs en glipte vlak langs Andreas' knie het doel in, toen hij dook om hem tegen te houden met zijn beenbeschermer. Hij keek verbaasd om.

'Shit hé!' zei hij.

Viktor stond te springen op zijn schaatsen, hij juichte.

'Yéssss! Dat is mijn megacoole superzus!!!'

'Maar ik ben ook eigenlijk geen keeper,' zei Andreas.

Het was natuurlijk kinderachtig om trots te zijn op dat beginnersgeluk. Maar het zou net zo kinderachtig zijn om niet toe te geven dat ik trots was. Want dat was ik. Zo trots dat mijn gedachten gedurende een paar seconden echt alleen maar op de ijsbaan waren.

'Je keek zo duidelijk naar links dat ik bijna zeker wist dat je hem naar rechts zou spelen,' zei Andreas. 'Heel slim!'

Ja, hoor, dacht ik.

Ik hoefde hem natuurlijk niet wijs te maken dat ik echt niet in staat was om een andere kant op te schieten dan waar ik naartoe keek.

Andreas kwam uit het doel en probeerde Viktor te laten zien hoe hij zijn stick moest houden om het beste contact te krijgen met de puck. Viktor keek verbeten, vastbesloten dat hij dit wilde leren. Wat was er eigenlijk met hem aan de hand? Hij had nog nooit eerder belangstelling voor sport getoond. Hij had gewoon meegedaan met de gymlessen, niet meer en niet minder dan dat, hij zat liever achter de computer of las een boek dan dat hij buiten speelde met zijn vriendjes. Was hij opeens veranderd, of probeerde hij iemand te zijn die hij eigenlijk niet was?

'Kun je me niet leren hoe je iemand moet tackelen?' vroeg Viktor ongeduldig.

Andreas lachte.

'Dan moet je eerst beter leren schaatsen, want anders glijd je alleen maar uit en doe je jezelf pijn!'

Ondanks mijn geweldige schot kwam ik niet onder de instructies van Andreas uit. Hij had zijn keeperhandschoenen uitgedaan, kwam achter me rijden en sloeg zijn beide armen om me heen om me te laten zien hoe ik mijn stick moest vasthouden. Precies zoals een tennisleraar in een film die iemand wil versieren.

'Je moet gevoel in je polsen leggen,' zei Andreas. 'Niet alleen zo hard als je kunt meppen.'

Zijn lichaam voelde warm tegen het mijne en hij hield me steviger vast dan nodig was. Ik verstijfde vanbinnen.

'Ga je straks nog met me mee naar huis?' vroeg hij in mijn oor.

Ik zocht automatisch naar een excuus om nee te kunnen zeggen. Maar toen bedacht ik dat ik een beslissing moest nemen. Óf ik moest het uitmaken, óf ik moest het leuk vinden om bij hem te zijn. Misschien kon hij me wel helpen. Misschien konden zijn liefheid, zijn blije ogen en zijn voorzichtige handen mijn verlangen naar Adam verjagen. Misschien konden ze het minder hevig maken en me ervan genezen.

'Oké,' zei ik.

Het klonk niet echt enthousiast. Meer als een opoffering.

'Gaan we nog spelen of hoe zit het?' riep Viktor geïrriteerd.

'Zeker wel!' zei Andreas en hij liet me los. 'Nu gaan we een beetje passen! Denk aan je polsen! Viktor, jij en ik spelen over en Katrina moet proberen om ertussen te komen. Toe maar!'

Ik probeerde een tijdje de puck, die alle kanten op schoot over het ijs, te pakken te krijgen. Als Viktor hem miste, schaatste Andreas eromheen en ving hem zelf op. Ik keek naar de klok. Nog dertien lange minuten voordat de echte training begon en ik van het ijs af mocht. Dat van het nationale team kon ik wel vergeten, dat wist ik heel zeker.

Om tien voor vijf bleef ik per ongeluk met een van mijn gekartelde punten in het ijs haken en viel ik voorover. Ik kon nog net mijn handen voor me uit steken zodat ik niet plat op mijn gezicht viel, maar ik zei toch tegen Viktor en Andreas dat ze de rest van de tijd maar zonder mij moesten doen. Mijn carrière in het damesijshockey was alweer voorbij.

'En je hebt zo'n superschot!' probeerde Andreas nog, maar ik stepte van het ijs af en maakte mijn schaatsen los. Acht minuten later zat Viktor naast me op de bank. Andreas was in de kleedkamer met zijn teamgenoten.

'We gaan toch wel naar de training kijken, hè?' vroeg Viktor. 'Je leert vast ook heel veel van kijken!'

Ik knikte afwezig. Mijn gedachten waren mijlenver van de ijshockeybaan verwijderd, maar fysiek kon ik net zo goed dáár zitten als buiten in de kou gaan staan wachten. Ik had Andreas beloofd dat ik na de training met hem mee zou gaan en ik vond het de moeite niet om tussendoor naar huis te gaan.

Maar als ik ook maar een klein beetje normaal was geweest, was het natuurlijk heel erg de moeite geweest. Dan had ik naar huis kunnen gaan om te douchen, me om te kleden en een beetje make-up op te doen en me zo mooi te maken als ik kon totdat we weer alleen zouden zijn op zijn kamer, maar ik vond dat niet zo belangrijk. Ik had eerder het gevoel dat de avond die voor me lag iets was waar ik nou eenmaal doorheen moest.

Wat dacht Andreas? Was het tijd dat ik mijn maagdelijkheid ging verliezen? Misschien was dat maar goed ook. Ooit moest het er toch van komen en Andreas was tenminste lief en voorzichtig. En hij was mijn vriendje.

Mijn gedachten werden onderbroken doordat de spieren in mijn dijen pijn begonnen te doen en ik merkte dat ik onbewust mijn benen bij elkaar kneep, alsof iemand al had geprobeerd zich ertussen te wringen.

Nee, Andreas moest nog maar even wachten. Hij moest maar genoegen nemen met een beetje vrijen en zoenen. Hij leek me nou ook niet direct ontevreden de afgelopen dagen. En dat was ik trouwens ook niet. Het was niet vervelend of zo.

Het probleem was dat ik nu wist hoe het óók kon voelen, als je met de juiste persoon was. Ik hoefde er alleen maar aan te denken of ik voelde de kloppende zwaarte weer in mijn lichaam. Een dof, zeurend verlangen.

'Hup, Andreas!' schreeuwde Viktor opeens naast me en ik schrok op en keek schuldbewust naar de ijshockeybaan.

Ze deden kennelijk een soort aanvalsoefening daar op het ijs. Ik probeerde te zien achter welke helm Andreas zat, maar ik kon het niet met zekerheid zeggen.

Geen helm ter wereld zou Adam voor mij kunnen verbergen. Ik zou zijn manièr van bewegen herkennen, al was hij verkleed als Michelinmannetje.

Ik moest mijn nagels in mijn handpalmen boren en hard op mijn onderlip bijten. Kon ik nou echt geen halve minuut voorbij laten gaan zonder over Adam te dromen!? Ik had verkering met Andreas! Hij vertrouwde me. Hij wilde me. En hij was níet van Frida!

Ik raapte al mijn energie bij elkaar en probeerde het. Ik dwong mezelf naar de rest van de training te kijken en sloeg mijn armen om Andreas' nek toen hij fris gedoucht naar buiten kwam, met zijn sporttas aan een riem over zijn schouder. Bij het kruispunt met de Kungsstraat namen we afscheid van Viktor en ging ik met Andreas mee naar huis. De dozen en de kasten waren weg, maar verder was zijn kamer hetzelfde. De vensterbank stond vol cactussen en de ijshockeyposter van Peter Forsberg hing aan de muur. Het drong tot me door dat het minder dan een week geleden was dat ik hier was geweest. Onbegrijpelijk. Hoe kon er in een paar dagen zoveel gebeuren?

Andreas sloeg meteen zijn armen om me heen en vertelde hoeveel hij aan me had gedacht en toen hij me kuste, deed ik heel erg mijn best om hem terug te kussen, om mijn gedachten niet te laten afdwalen, ik probeerde aanwezig te blijven in de kamer en te voelen wat ik moest voelen. Zijn handen waren overal, hij had meer haast deze keer. Ik liet hem zijn gang gaan. In het begin probeerde ik zijn strelingen te beantwoorden, maar dat ging heel onhandig en het leek ook niet zoveel uit te maken. Hij had geen aanmoediging nodig. Na een tijdje werd het een beetje zweterig en bijna onaangenaam en toen hij mijn hand op zijn hardnekkig stijve piemel legde, streelde ik hem eigenlijk vooral om ervan af te zijn. Het werkte. Een poosje later liep ik door de koude, donkere herfst naar de Kärrhöksstraat. Eenmaal thuis trok ik mijn kleren uit en stapte onder de douche, ik zeepte me lang en zorgvuldig in en liet toen het hete water over mijn lichaam stromen totdat mijn huid begon te branden.

'Maar waarom?' vroeg Frida. 'Heeft hij met iemand anders gerotzooid?'

'Nee, hij is echt heel lief. Maar ik wil het gewoon niet. Ik ben niet verliefd op hem. Het voelt gewoon helemaal verkeerd.'

Frida sloeg haar arm om me heen.

'Nou, dan moet je het natuurlijk uitmaken. Ik dacht dat je hem leuk vond. Denk je dat hij het erg vindt?'

'Ik denk het wel. Een beetje. Maar ik kan er niet tegen als hij overal aan me zit met zijn handen.'

'Is hij er zo een?'

Ik haalde mijn schouders op. Ik voelde me gemeen. Het lag aan mij, niet aan Andreas.

'Eh,' zei ik. 'Niet echt. Niet meer dan normaal denk ik. Maar als je er geen zin in hebt...'

'... dan is het niet zo leuk,' vulde Frida aan. 'Wanneer ga je het hem vertellen? Vandaag?'

Ik knikte. Ieder uur dat ik voorbij liet gaan, zou het alleen maar erger maken. Ik kon het maar beter zo gauw mogelijk tegen hem zeggen.

'Ik... was bang dat jij het misschien... dat jij het niet leuk zou vinden,' zei ik. 'Ik bedoel, we zouden toch met z'n vieren dingen gaan doen en zo...'

Frida glimlachte.

'Dat was gewoon maar een ideetje van me. En ik heb trouwens Adam nog steeds niet zover gekregen dat hij begrijpt wat goed voor hem is. Maar ik ga straks een nieuwe poging doen!'

Ze wapperde met de tekstmap in haar hand. We hadden

meteen na de kleine pauze Engels en ik had net de scènes met haar geoefend die we vandaag zouden gaan repeteren. Haar tekst zat er perfect in. Alle anderen, inclusief Romeo, lazen nog steeds van het script.

Tijdens de les zou ik natuurlijk niet de kans krijgen om met Andreas te praten. Maar misschien in de grote pauze. Ik hoefde er niet langer over na te denken. Het was niet zo dat ik de hele nacht piekerend wakker had gelegen. Ik was zo uitgeput na al die slapeloze uren van de afgelopen nachten dat ik bijna bewusteloos was toen ik in bed kroop. Maar ondanks de lange douche had ik me nog steeds vies gevoeld, alsof de handen van Andreas onuitwisbare sporen hadden achtergelaten op mijn lichaam, en ik besloot het enige te doen dat ik kón doen. Ik moest het uitmaken. Toen was ik weggezonken in een moeras van dromen en flarden van herinneringen die zich af en toe leken te bundelen en me naar de oppervlakte duwden, net lang genoeg om me om te draaien in bed, op de klok te kijken en te voelen hoe zwaar mijn hoofd was, waarna ik weer naar beneden werd gezogen. Het was niet echt slapen. Ik zou waarschijnlijk nooit meer normaal kunnen slapen.

Adam had een donkergrijze trui en een zwarte spijkerbroek aan. Als hij in het script keek om te lezen, viel zijn haar steeds over zijn voorhoofd en hij streek het met een geïrriteerd gebaar weg. Ik was jaloers op zijn haar, dat steeds die hand mocht voelen, en ik was jaloers op zijn hand die steeds maar door dat haar mocht strijken. Het was een ware kwelling om naar hem te kijken en toch kon ik het niet laten. Tijdens de repetities kon ik naar hem kijken zoveel als ik wilde zonder dat het opviel. Het zou zelfs vreemd zijn als ik níet naar hem keek terwijl hij Romeo speelde.

Degenen die geen rol hadden in het stuk, mochten naar de bibliotheek om kleding en interieurs uit de zeventiende eeuw op te zoeken, zodat we een geloofwaardig decor konden maken, maar degenen die maar een paar regels tekst hadden, hadden niet zoveel te doen. Het was de bedoeling dat we zouden helpen bij de regie en dat we onze mening zouden geven over de interpretatie van de tekst, maar we zaten voornamelijk toe te kijken. Alfred regisseerde toch zoals hij zelf wilde.

Maar Andreas, die Mercutio speelde, en Anton die Benvolio was, kregen niet veel rust. Ze hadden bijna evenveel tekst als Romeo en Julia. Andreas was behoorlijk goed. Hij deed echt zijn best. Anton was de eerste paar keer heel vervelend geweest, maar toen Frida een keer tegen hem was uitgevallen, was hij ermee opgehouden. Nu speelde hij weer bijna overdreven, maar hij probeerde het tenminste.

Sebbe moest een monnik voorstellen. Hij had een belachelijke pruik met een kale schedel en een krans van nephaar gekocht die hij telkens als hij iets moest zeggen over zijn eigen bos krullen trok. Hij zag er eerder uit als een clown dan als een monnik. Alleen de rode neus ontbrak nog.

Adam was niet geconcentreerd en snel geïrriteerd. Hij joeg ongeduldig door zijn tekst heen en keek steeds naar de klok alsof hij zich afvroeg of het uur nóg niet voorbij was. Toen Mercutio, nadat hij zijn tekst had gezegd, voor Romeo bleef staan in plaats van af te gaan, zoals in het script stond, prikte Romeo hem ongeduldig met zijn tekstmap in zijn borst.

'Je moet nu van het toneel af,' zei hij. 'Maar dat is zeker heel onnatuurlijk voor jou, hè?'

Misschien was het als grapje bedoeld, maar de klank van zijn stem maakte dat het alleen maar onaardig klonk. Alfred kuchte afkeurend.

'We repeteren juist omdat we het moeten leren,' zei hij. 'Niemand verwacht van jullie dat jullie het al helemaal kennen.'

Andreas keek Adam eerder verbaasd dan boos aan en hij liep zonder te antwoorden het toneel af. Hij liet zich een beetje beteuterd op een stoel vallen en bladerde wat in zijn papieren.

Ik keek naar Adam en hij keek naar mij, een korte blik vol verwarde gevoelens, toen keek hij weer naar zijn tekstmap.

Toen het uur was afgelopen, liep ik samen met Andreas en Frida naar de kantine. We waren allemaal stil, alsof we elk in onze eigen luchtbel liepen. Frida dacht waarschijnlijk aan Adam, maar ze kon er niet over praten als Andreas erbij was. Ik had geen idee waar Andreas aan dacht, maar hij zei ook niet veel en zelf kon ik eigenlijk niets bedenken om te zeggen voordat ik de kans kreeg om te zeggen wat ik moest zeggen.

Ik had opeens haast, alsof ik het al veel eerder had moeten doen, en toch voelde ik me ook vreemd verdrietig. Een van Romeo's tekstregels was in mijn hoofd blijven hangen. Het leek wel of het over ons ging. Niet alleen over hem en mij, maar over ons allemaal.

'Is love a tender thing?' zei Romeo. 'It is too rough, too rude, too boisterous, and it pricks like thorn.'

Rauw, wreed, onstuimig, messcherp en stekelig was precies wat liefde was. Helemaal niet vriendelijk, aangenaam en met een roze randje. Het deed gewoon iedereen pijn. Frida was verdrietig, ik was verdrietig, Adam was verdrietig en over enkele ogenblikken zou Andreas het ook zijn. Er zou zo'n vet zwart kader met een waarschuwingstekst op de liefde moeten staan: '**Pas op! Sterk verslavend. Het gebruik van dit product kan mensen in je omgeving schaden.**'

We aten lasagne. Dat wil zeggen, Andreas en Frida aten. Ik zat zelf alleen een beetje te roeren in de snotterige saus met stukjes pasta op mijn bord. Ik probeerde te bedenken hoe ik het zou zeggen. Hoe ik hem moest uitleggen waaróm ik het uitmaakte.

Frida stond als eerste op.

'Ik fiets even naar huis,' zei ze. 'Ik ben mijn wiskundeboeken vergeten.'

Ze keek me aan met een blik die me sterkte wenste. Toen ging ze.

Ik begon opeens te zweten. Ik was bijna misselijk. Heel even wilde ik terugkrabbelen, maar toen kneep ik onder de tafel mijn handen in elkaar en nam een aanloopje. Andreas had net het laatste restje ketchup van zijn bord geschraapt.

'Zullen we even naar buiten gaan?' vroeg ik. 'Ik wil even met je praten.'

Hij knikte glimlachend.

'Ja, natuurlijk. Zijn we eindelijk een keer alleen.'

Dat maakte het er niet gemakkelijker op. Mijn hersenen hielpen ook niet echt mee, want terwijl we het schoolplein overstaken en de straat in liepen, herinnerden ze me constant aan alle lieve dingen die Andreas tegen me had gezegd, over hoe leuk hij me vond en hoe lief ik ben als ik lach en hoe hij naar me verlangde. Hij had vaak gezegd dat hij verliefd op mij was, maar ik had nooit gedaan alsof ik verliefd op hem was. Wat zou het makkelijk zijn als ik gewoon mijn hele pakket met gevoelens van Adam op Andreas kon overhevelen. Dan zou alles meteen zijn opgelost. Want dan kon Adam zijn pakket overhevelen op Frida en dan konden we de komende zomer allemaal samen op interrail naar Brussel.

Eigenlijk is liefde erger dan drank. Ik bedoel, als je alcoholist bent, maakt het toch niet uit of je jenever of whisky drinkt? Als je het ene niet kunt krijgen, is het andere net zo goed.

'Waar denk je aan?' vroeg Andreas.

'Aan drank,' zei ik.

'Wat?'

'Andreas,' zei ik, 'ik vind je echt heel leuk, je bent lief en knap en zo, maar...'

Hij keek afwachtend. Ongerust. Ik wilde hem geen verdriet doen. Dit had hij niet verdiend. Maar ik kon kennelijk niet anders dan verwoesting om me heen verspreiden. Mijn voetstappen op de aarde verteerden en doodden.

'... ik ben niet verliefd op je,' ging ik verder. 'Ik wil... het uitmaken.'

De woorden drongen langzaam tot hem door en deden hun verwoestende werk in zijn binnenste. Het leek wel of ik het kon zien.

'Dat weet ik wel,' zei hij. 'Dat je niet echt verliefd op me bent, maar... dat is toch niet zo erg. Ik bedoel, kunnen we niet toch bij elkaar blijven? We kunnen het toch rustig aan doen met... nou ja, met seks en zo, als jij dat wilt. Gewoon alleen bij elkaar zijn. Misschien komt het nog wel. Misschien verander je wel. Of, ik bedoel... als je me toch wel een beetje leuk vindt?'

Het deed mij ook pijn. Zoveel pijn dat ik twijfelde of ik er wel goed aan deed. Hij zag de twijfel in mijn ogen en dat gaf hem hoop.

'We kunnen het toch nog een poosje proberen?' zei hij.

Ik dwong mezelf om nee te schudden.

'Dat wil ik niet,' zei ik. 'Je moet niet aandringen. Het zal niet veranderen.'

Hij bleef stilstaan en ik bleef ook staan en ik zag dat zijn blik veranderd was. Bijna zwart. Ik dacht dat hij me ging slaan. Ik wilde dat hij dat deed. Dat had ik liever dan dat hij me smeekte. Maar hij raakte me niet aan. Hij liep gewoon weg. Niet naar school, maar de stad in.

Toen de les na de pauze weer begon, was Andreas er niet.

Ik wilde alleen maar naar huis om te huilen. Frida sloeg haar arm om me heen en ik bedacht dat ik haar niet verdiende. Iemand zou haar moeten vertellen hoe ik eigenlijk was. Dat ik haar had verraden, meer nog dan ik Andreas had verraden.

Als ik ook maar het minste verantwoordelijkheidsgevoel had, zou ik de wereld verlossen van Katrina Kaspersson. Een kogel door mijn hoofd, honderd slaaptabletten of een paar flinke sneden in mijn polsen. Maar het probleem was dat je echt dood moest willen om de moed te hebben om het zelf te doen en ik was weliswaar onoverkomelijk verdrietig en werd vreselijk gekweld door mijn geweten, maar de brandstof waar ik op dit moment op liep, heette Adam en hij had gezegd dat hij van me hield. Ik kon hem dan misschien niet krijgen, maar ik wilde hem wel zien en zijn stem horen en zijn waar hij was.

En híj leefde.

Er zijn heel veel oude romans geschreven over vrouwen die twintig, dertig jaar lang van een man houden, zonder enige hoop dat ze hem ooit zullen krijgen. Jane Eyre, Scarlett O'Hara en dat soort figuren. Ze lijden standvastig en in stilte. Ik besloot ook zo'n vrouw te worden. Ik zou leren leven met mijn verlangen en ook zo bleek en sterk en mooi worden. Over tien jaar zouden Frida en Adam twee lieve kindertjes hebben en in een mooi huis wonen en dan zou ik op hun terras zitten en theedrinken en aanbieden om op hun kinderen te passen en hun kleren te wassen, alleen omdat ik dan stiekem met mijn handen over zijn gedragen overhemden kon strijken. Pas als hij op zijn sterfbed lag, zou Adam begrijpen dat ik mijn hele leven van hem had gehouden, dat die vrouw met haar grijze haren die in het flakkerende licht van de kaarsen bij hem waakte, al haar kansen op een eigen gezinsleven had opgeofferd voor haar trouwe liefde voor hem.

Als ik daaraan dacht, sprongen de tranen in mijn ogen.

Maar ik kwam er al snel achter dat die vrouwen die in stilte leden en zich opofferden, waarschijnlijk heel anders in elkaar zaten dan ik. Mijn verlangen was anders dan dat van hen. Ik zou nooit alleen maar kunnen borduren en tegelijkertijd verlangen. Ik kon niet eens stilzitten en verlangen, ik moest ronddwalen als een verdoemde geest. Mijn verlangen was luidruchtig. Het veroorzaakte een hoop tumult in mijn binnenste en ik hoorde niet wat mensen tegen me zeiden, begreep niet waar de leraren op school het over hadden of wat de woorden in mijn schoolboeken betekenden.

Het enige dat echt goed ging, was lopen, lopen en nog eens lopen, kriskras door de stad, samen met Tarzan. Ik ontweek de parken, vooral het Videbergspark. In de parken lagen overal de tranen op de loer. Parken deden pijn.

Misschien is er een reden dat dat soort vrouwen alleen in *oude* romans voorkomt. Wij die nu leven, zitten misschien anders in elkaar, wij zijn misschien niet zo geschikt om esthetisch en in stilte te lijden. Misschien hadden ze vroeger minder hormonen, of dunner bloed of zo. Hun kwelling leek voornamelijk te bestaan uit een toestand van lichte pijn in hun hart, niet uit een verscheurende pijn die door je hele lijf ging. Het leek in niets op mijn verlangen naar Adam. Als zij bloosden, deden ze dat beheerst en charmant, ze werden niet rood als een kreeft, zoals ik. En er stond ook nooit iets in die boeken over dat ze puistjes hadden, of een vette huid of roos. Roos had ik trouwens ook niet, maar af en toe dook er wel eens een puistje op en dat maakte mijn huid natuurlijk een stuk minder perzikachtig. Ik had ook nog nooit ergens gelezen dat ze hun hoepelrokken optilden en naar de wc gingen. Als hun lichamen zo onlichamelijk waren, was hun lust en hun verlangen misschien ook van een meer etherische soort en daarmee misschien gemakkelijker zo'n twintig, dertig jaar lang stilzwijgend vol te houden.

Mijn dagen waren een ware kwelling. Mijn nachten waren een nog ergere kwelling.

Een van de moeilijkste dingen was dat ik niet met Frida kon praten over wat me de hele tijd bezighield, het enige waar mijn gedachten zich vrijwillig op wilden concentreren. We hadden het steeds over wat hij tegen haar had gezegd of niet gezegd, hoe hij naar haar had gekeken en wat zij had gevoeld, maar binnen in me droeg ik alles bij me wat hij tegen mij had gezegd, zijn mond, zijn handen, de verbondenheid die ik had gevoeld als we met elkaar praatten, onze gedachten die steeds in elkaar leken te haken en elkaar meevoerden en dat alles kon ik met niemand anders delen, en al helemaal niet met Frida. Het was ongeveer alsof ik een uitslaande brand probeerde te verbergen door de

gordijnen dicht te doen. Ze merkte natuurlijk wel dat er iets veranderd was. Af en toe vroeg ze wat er aan de hand was. Of ik
depri was of boos op haar.

In mijn paniek gaf ik van alles de schuld. Kasper, mijn moeder, Maria, dat ik moe was, of verkouden, of dat ik huiswerk
had of moest werken in de studio. Vooral het werk in de studio
was een goede uitvlucht. Ik hielp Kasper bijna iedere dag en
Frida wist niet precies wanneer ik klaar was, omdat ik geen vaste
werktijden had. Daarom kon ik lange wandelingen maken zonder dat ik hoefde uit te leggen waarom ik niet bij haar was. Ik
had het nodig om hard en veel te lopen in mijn eentje. Het was
een soort uitlaatklep. Als ik niet kon lopen, zou ik uiteenspatten.

Op een vrijdag liep ik met Tarzan helemaal naar het westen
van de stad. Zoals al zoveel avonden was ik langs Adams huis
gelopen en had ik naar boven gekeken, naar de ramen met de
gebroken witte linnen gordijnen. Ik vroeg me af of een van de
ramen ernaast van zijn kamer was, waar ik niet binnen was
geweest tijdens mijn enige bezoek aan hun flat, en of het dan de
kamer met de houten luxaflex was of de kamer met de donkerblauwe gordijnen. Ik durfde er nooit lang stil te blijven staan
voor het geval hij toevallig naar beneden zou kijken of zelfs door
de deur naar buiten zou komen. Maar toch liepen mijn benen
altijd iets te langzaam weer door, alsof ik hoopte dat hij zou
komen.

Die avond had ik Camilla de planten water zien geven en ik
had snel gezorgd dat ik uit het zicht verdween. Stel je voor dat ze
tegen Adam zou zeggen dat ik daar rondhing. Pijnlijk.

In plaats van terug te lopen door de Storstraat, nam ik een
kortere weg naar het westen, over Lilla Torg, en toen stond ik
ineens een beetje verbaasd in de Vedstraat en keek omhoog naar
het appartement van Annabel Torstensson. Er was eigenlijk geen
enkele reden waarom ik niet naar boven zou gaan om te vragen
hoe het met Maria's buik ging. Het was bijna vier weken geleden

dat ik haar voor het laatst had gezien, dus hij zou toch wel wat gegroeid zijn?

Maria was blij.

Ze omhelsde me en zette thee en ik ging bij haar op de bank zitten en bleef daar tot over twaalven. Haar buik was inderdaad gegroeid. Maria had een tuinbroek gekocht waarin ze nog een heleboel ruimte overhad en tijdens het praten streek ze af en toe met haar hand over haar buik, alsof ze die kleine wilde laten weten dat ze haar kindje niet was vergeten omdat ze bezoek had. De baby was eigenlijk steeds in haar gedachten, ook als ze het over totaal andere dingen had, en ik dacht aan Ingrid en vroeg me af of zij ooit op die manier over haar dikke buik had gestreken, of dat die haar alleen maar in de weg gezeten en geïrriteerd had.

Ik was er helemaal niet naartoe gegaan om over Adam te praten. Dat geloof ik tenminste niet. Maar het gebeurde toch. Net zoals Adam toen die keer alles wat ik binnen had gehouden had losgemaakt door te vragen: 'Wie is Maria?', maakte Maria nu alles los door haar theebeker op het tafeltje tussen ons in te zetten en te vragen: 'Hoe is het met Adam?'

Het was denk ik iets over negenen toen ze dat vroeg, en toen ik was uitgepraat en uitgehuild, was het dus over twaalven. Maria had al die tijd geluisterd en me alleen af en toe onderbroken om een vraag te stellen als ze mijn onsamenhangende verhaal niet kon volgen.

'Dus jij denkt dat wát je ook doet, je iedereen verdriet zult doen,' zei Maria.

Ik knikte. Mijn ogen voelden aan als schuurpapier na al dat huilen.

'Maar dat klopt niet helemaal,' ging ze verder. 'Want als jij en Adam bij elkaar zouden zijn, zou Frida de enige ongelukkige zijn. Nu zijn jullie alledrie ongelukkig, hoewel Frida misschien ongelukkiger zou zijn als twee van jullie gelukkig zouden zijn.

Dus je werkt volgens een soort shared poverty theorie.'

'Volgens een wat?' vroeg ik in de war gebracht.

'Shared poverty,' herhaalde Maria. 'Dat is iets wat ze hebben bedacht in een aantal overbevolkte landen in Azië. Dat heeft Annabel me verteld. Ze nemen bij elk bedrijf veel meer mensen in dienst dan ze nodig hebben en ze betalen zo laag mogelijke lonen om zoveel mogelijk mensen in dienst te kunnen hebben. Ze vinden het beter dat veel mensen zo arm zijn dat ze het net redden, dan dat sommigen rijk zijn en anderen verhongeren.'

Daar moest ik lang over nadenken. Het leek wel of mijn hersenen opgebrand waren nadat er wekenlang een uitslaande brand had gewoed. Maar toen knikte ik.

'Ik vind het wel goed bedacht. Je deelt het goede, maar ook het slechte.'

Maria haalde haar schouders op.

'Misschien. Maar ik vraag me af of het wel zo goed werkt als het om liefde en vriendschap gaat. Dat soort dingen kun je toch niet meten en eerlijk verdelen, zoals geld. Als Frida en jij echt zulke goede vriendinnen zijn als je zegt, zou jullie vriendschap het overleven als Adam en jij iets met elkaar kregen. Als jij zou durven. Als zij echt net zoveel om jou geeft als jij om haar. Als ze jou respecteert.'

Ik schudde mijn hoofd.

'Zoiets dóe je niet tegen je vriendin,' zei ik. 'En zeker niet tegen een vriendin als Frida. Alles wat jij nu zegt, dat zijn gewoon woorden. In de werkelijkheid is het heel anders.'

Ik keek op de klok. Kasper zou nu wel bijna de politie bellen.

'Ik moet weg,' zei ik en ik stond op van de bank. 'Bedankt voor de thee.'

Maria stond ook op. Ze liep met me mee naar de gang.

'Zeg, Katrina,' zei ze. 'Wat is er eigenlijk zo bijzonder aan Frida?'

Ik glimlachte even.

'Ze is aardig, attent, lief, knap en trouw. Ze is grappig, slim en heel goed op school, ze heeft een perfecte familie, heel veel vrienden en vriendinnen, bergen geld en een perfect leven.'

Maria glimlachte terug. Ze raakte zachtjes mijn schouder aan.

'Nou,' zei ze, 'dan vind ik helemáál dat jij Adam moet krijgen.'

Ik keek haar een paar seconden aan, toen trok ik mijn schoenen aan en deed Tarzan zijn riem om. Haar woorden dwarrelden als kriebelende donsveertjes door mijn lijf.

Maria boog zich over een kastje en schreef iets op een blocnote die bij de telefoon lag. Toen scheurde ze het blaadje eraf en gaf het aan mij.

'Bel maar als er iets is,' zei ze. 'Je mag altijd komen als je wilt praten. Ik mis jullie. Allemaal.'

'Hou jij net zoveel van Kasper als ik van Adam?' vroeg ik.

Maria glimlachte even.

'Ik weet niet of je de ene liefde met de andere kunt vergelijken,' zei ze. 'Maar ik hou heel erg veel van Kasper.'

Ze was zo mooi met haar ronde buikje. Er was ook iets met haar ogen. Iets nieuws. Of iets wat ik nooit eerder had gezien.

'Ik wil graag nog eens komen,' zei ik. 'Als het mag.'

'Dat zei ik toch,' zei Maria.

Toen liep ik het donker in. Het rook naar winter.

Die dinsdag hadden we een geschiedenisproefwerk. Ik had de halve nacht met het boek voor mijn neus gezeten en er was nauwelijks een woord blijven hangen. En zo ging het met alle vakken. Mijn cijfers zouden echt rampzalig slecht zijn en dat kwam door Adams blauwgrijze ogen. En door zijn stem en zijn handen. En zijn nek.

Ik liep meteen aan het begin van de kleine pauze de trap op naar de klas om te proberen nog even wat te leren. In de gang op de bovenste verdieping waren een soort nissen bij de ramen waarin je kon zitten en het was er altijd stil en rustig in de pauzes. Als je maar niet uit het raam ging zitten kijken, was het een prima plek om nog even iets te leren.

Ik wist mijn gedachten een paar minuten te concentreren op mijn boek en las de eerste paragrafen, maar toen gleed mijn blik naar buiten. Je kon veel zien van hierboven. Ons hele schoolplein, de platte daken van de kantine en het gebouwtje van de conciërges en een groot stuk van de basisschool die naast onze school lag.

Op het speelplein van de basisschool was iets aan de hand. Er stond een hele groep kinderen bij elkaar. Eerst dacht ik dat ze een spel deden, maar toen zag ik dat er iemand in elkaar werd geslagen. Een jongen werd vastgehouden door een paar andere jongens en weer een paar anderen schopten en sloegen hem. Ik vroeg me net af of er dan helemaal geen leraar buiten was die kon ingrijpen, toen ik opeens die blauwe trui herkende. Het volgende moment zag ik Viktors bleke gezicht tussen alle broekspijpen en schoenen door. Ik werd ijskoud vanbinnen.

Ik had het gevoel alsof ik door teer of mul zand moest ploegen toen ik de gang door rende en de trappen afvloog, het was zo ontzettend ver de hele school door, langs alle kluisjes en door de deur naar buiten. Er stond een groepje uit mijn klas vlak bij de deur. Ik zag Frida, Sebbe, Adam en Andreas en ik schreeuwde in het voorbijgaan: 'Ze slaan Viktor in elkaar! Ze vermoorden hem!'

Ik hoorde de tranen in mijn stem. Ik draaide me niet om, maar ik hoorde rennende voetstappen achter me terwijl ik verder rende, ons schoolplein over, door het gangetje bij de kantine en de trappen naar het speelplein van de basisschool af. Toen ik bij het groepje kinderen was, hadden Andreas en Adam me ingehaald en vlak daarna kwam Frida er ook aan en ik trok aan jassen en haren en ik gaf een jongen die me uitschold een harde klap recht in zijn gezicht. Al na een paar seconden lag Viktor alleen op de grond en verdwenen zijn belagers rennend alle kanten op. Een vrouw met een donkerrode jas kwam met snelle passen en een boze blik aanlopen.

'Wat is hier aan de hand?' zei ze.

'Dat hoor jij te weten, kutwijf!' gilde ik uitzinnig van woede terwijl de tranen in mijn ogen sprongen zodat de vrouw en Viktor wazig werden.

'Het is haar broertje!' legde Frida hijgend uit. 'Hij werd in elkaar geslagen door een hele groep! Houden jullie de boel dan helemaal niet in de gaten hier?!'

Viktor was gaan zitten. Er liep een straaltje bloed uit zijn mondhoek en zijn ogen stonden raar. Die ogen maakten me bang. Het waren niet zijn ogen.

'Hij moet maar even mee naar de conciërge,' zei de vrouw. 'Soms loopt het wel eens uit de hand. Je kunt niet overal tegelijk zijn.'

'Het doet zo'n pijn,' fluisterde Viktor.

Ik zat op mijn knieën naast hem.

'Waar? Waar doet het het meest pijn?'

Hij streek een beetje vaag met zijn hand over zijn borst en buik.

'Vanbinnen,' zei hij.

Ik stond op.

'Hij moet naar het ziekenhuis!' zei ik.

'We gaan eerst naar de conciërge,' zei de vrouw met de donkerrode jas. 'Die verzorgt de eerste hulp hier op school en die bepaalt wat er verder gebeurt.'

Ik hapte naar lucht en moest me beheersen om haar geen klap in haar gezicht te geven.

'Hij moet naar het ziekenhuis! Ben je achterlijk of zo? Stom wijf!'

Naast me hoorde ik Adams stem. Ik draaide mijn hoofd naar hem toe en zag dat hij in Frida's mobieltje praatte. Hij bestelde een taxi naar het ziekenhuis. Zo snel ging dat. Hartelijk bedankt. Ik keek de vrouw hooghartig aan.

'Dit zal ik onthouden!' zei ze tegen mij.

'Ja, dat moet je vooral doen!' zei ik.

Een paar minuten later stonden we op de stoep voor het hek samen met Viktor en zijn nieuwe juf, die Veronika heette. Viktor zei niets, maar hij leek niet meer zoveel pijn te hebben. Ik wilde mijn arm om hem heen slaan, maar hij wurmde zich los.

'Ik ga wel met hem mee, mijn klas wordt zolang overgenomen,' zei Veronika. 'Gaan jullie maar weer naar je les.'

'Maar ik wil ook mee,' zei ik. 'Ik moet met Viktor mee!'

'Ik denk niet dat het ernstig is,' zei Veronika. 'Je kunt rustig weer naar je les gaan.'

Ik draaide Viktor naar me toe en probeerde zijn blik te vangen.

'Ze mogen jou geen pijn doen,' zei ik. 'Als ze je nog een keer slaan, vermoord ik ze, hoor je me?'

Viktor tilde zijn hoofd op en keek me aan.

'Ja hoor,' zei hij met kille stem. 'Daar wordt het vast beter van, als je door je zús moet worden geholpen!'

Ik staarde hem stom aan. Ik begreep er niets van. Ik voelde Veronika's hand op mijn schouder.

'Ik zorg wel dat het in orde komt,' zei ze. 'Het is de schok denk ik. Maak je maar niet ongerust.'

Er reed een donkerblauwe taxi de straat in en hij stopte voor ons langs de stoeprand. Ik keek merkwaardig verdoofd toe hoe Veronika en Viktor achterin stapten en hoe de auto met hen wegreed. Ik was leeg vanbinnen. Het voelde heel stil. Frida stak haar arm door de mijne en trok me mee. Even later zaten we aan onze tafel in lokaal A 3 2 met vier aan elkaar geniete vellen papier voor ons. Het geschiedenisproefwerk. Heel veel vragen waarvan ik me niet kon herinneren dat ik ooit het antwoord erop had geweten.

Pas toen we een tijdje in die ritselende stilte hadden gezeten die altijd ontstaat tijdens een proefwerk, trok de verlamming weg en langzaam begonnen de puzzelstukjes op hun plaats te vallen in mijn hoofd.

Viktors vreemde humeur.

De vraag of het stom was om boeken te lezen.

De verwondingen in zijn gezicht.

Zijn plotselinge keelpijn.

Zijn belangstelling voor ijshockey. Ik hoorde zijn stem nog in mijn hoofd: 'Wil je me leren hoe je iemand moet tackelen?'

Al die voortekenen die ik sinds eind augustus vlak onder mijn neus had gehad, en ik had het totaal niet begrepen, ik had de moeite niet genomen om alles bij elkaar op te tellen en te bedenken wat er aan de hand was.

Ik voelde opeens zo'n hevige misselijkheid opkomen dat ik naar de wc moest om over te geven. Ik haalde het net voordat mijn maag zich omdraaide en ik zat op mijn knieën voor de toiletpot terwijl mijn lichaam een eigen leven leek te leiden, het trok krampachtig samen en er kwam smerig geel slijm naar boven dat in de grijze afvoer kletterde. Ik bleef heel lang zo zitten, ik had het gevoel dat het een eeuwigheid duurde voordat mijn buikspieren zich eindelijk weer ontspanden en ik met trillende benen kon opstaan en zorgvuldig mijn mond spoelen en mijn gezicht natmaken voordat ik de gang weer inliep.

Ik keek net op en vroeg me af of ik nog terug zou gaan, toen de deur van lokaal A32 openging en Adam naar buiten kwam. Hij deed de deur achter zich dicht en zag me toen staan.

'Hoi,' zei hij zacht. 'Ik dacht dat je naar huis was gegaan.'

Ik schudde mijn hoofd.

'Ik voelde me niet lekker. Ben je al klaar?'

Hij haalde zijn schouders op.

'Ik kon me niet concentreren. Ik kon het net zo goed inleveren en weggaan. Hoe voel je je? Je ziet helemaal bleek. Wil je dat ik met je mee naar huis loop?'

Het werd me allemaal te veel. Ik kon niet meer nadenken, ik kon me even nergens meer iets van aantrekken, even niet wijs en verstandig zijn. Ik had zó naar hem verlangd, ik was door mijn voorraad zelfbeheersing heen. Toen Adam dat zei en me aankeek met zijn blauwgrijze ogen, stortte ik me regelrecht in zijn armen, ik wilde niets anders meer dan bij hem zijn, zijn geur inademen en heel, heel dicht bij hem zijn. Hij hield me heel stevig vast, zijn armen sloten me op in zijn warmte en er kwam een geluid uit zijn mond, een zucht of een snik en ik wist dat dat betekende dat hij ook naar mij had verlangd en ik voelde zijn lippen tegen mijn hals en mijn oor en mijn wang en zijn adem ging zacht door mijn haar. Even was niets anders meer belangrijk. Ik hoorde de deur van de klas open- en dichtgaan en dat was ook niet belangrijk. Niet voordat ik het blonde haar zag, een paar meter achter Adams schouder en het besef met een enorme klap tot me doordrong en ik begreep en snapte dat het Frida was.

Frida.

Natuurlijk was zij de volgende die naar buiten kwam. Dat had iedereen kunnen bedenken. Ze was goed in geschiedenis, ze wist vast meteen de antwoorden op alle vragen en als ze toch alles al had opgeschreven, had ze waarschijnlijk gedacht dat ze het risico wel kon nemen om het niet meer zo nauwkeurig na te kijken, en dat ze Adam misschien nog zou kunnen inhalen bij de kluisjes zodat ze even met hem alleen kon zijn en eindelijk iets met hem bereiken. Als ik mijn hersenen een beetje had gebruikt, had ik dat natuurlijk kunnen bedenken. Maar dat had ik dus niet gedaan. Ik had kortsluiting in mijn hersenen. Er was een zekering doorgebrand en mijn hersenen waren gewoon opgehouden met functioneren.

In paniek maakte ik me los uit Adams armen. Ik had Frida's ogen nog nooit zó wijd opengesperd gezien, zó kwetsbaar en het volgende moment zó zwart. 'Dat verklaart een heleboel!' zei ze en ze probeerde langs me heen te lopen.

'Frida,' zei ik, 'het is niet zo, het is niet wat je denkt, ik voelde me ellendig en hij wilde me troosten, hij kwam toevallig de klas uit en... Frida!'

Ze duwde me opzij en rende de gang door. Toen stopte ze opeens, draaide zich om en schreeuwde: 'Maar je moet wél kiezen! Dat begrijp je toch zeker wel? Het is hij of ik, Katrina!!!'

Frida stormde de trap af en verdween uit het zicht. Ik rende achter haar aan. Mijn hart bonkte zo hard dat het pijn deed en de tranen in mijn ogen maakten het bijna onmogelijk om de traptreden te zien. Frida's blonde haar verdween om de hoek en ik ging nog harder lopen, ik viel bijna maar wist mijn evenwicht te bewaren en kreeg haar snikkend te pakken in de gang naar de kluisjes. Ik pakte haar arm en hield haar vast.

'Ik heb toch al gekozen!' schreeuwde ik. 'Toe nou, Frida, ik héb toch gekozen!'

'Ja, dat zag ik!' schreeuwde Frida terug en ze probeerde zich los te rukken.

'Luister nou! Kun je niet eerst even naar me luisteren voordat je een conclusie trekt!'

Toen huilde ze. Ze dook niet in elkaar en probeerde het niet te verbergen zoals andere mensen doen, maar ze huilde met open ogen en opgeheven hoofd. De tranen liepen in een brede stroom over haar wangen.

'Denk je dat ik het niet begrijp?' snikte ze. 'Denk je dat ik niet begrijp waarom je 's avonds opeens geen tijd meer voor me had? Altijd maar: "ik moet werken in de studio"! Denk je dat ik het niet doorheb? Jezus, denk je dat ik gek ben of zo?!'

'Dat is helemaal niet zo!' piepte ik. 'Dat ís helemaal niet zo. Ik vind hem leuk, heel erg leuk, maar ik zou nooit zoiets doen tegen jou, dat snap je toch wel, zoiets zou ik nooit doen! Ik ben verliefd op hem, daar kan ik niets aan doen! Maar ik heb gekozen, Frida! Ik heb voor jou gekozen! Vraag maar aan Adam! Vraag het hem maar!'

Ze keek om, maar Adam was nergens te zien. De gang was naar beide kanten helemaal leeg.

'Je hebt gelogen,' zei ze. 'Je hebt tegen me gelogen. Dat moet wel!'

Ik knikte.

'Ik durfde het niet te vertellen... ik durfde het niet, ik wilde jou geen pijn doen. Maar nu lieg ik niet!'

'Hoe kan ik dat nou weten? Hoe moet ik dat in godsnaam weten?'

Ze rukte haar arm los, liep langs de lange rij kluisjes en ging naar buiten, met mij op haar hielen. Ik bad en ik smeekte, ik probeerde het uit te leggen, probeerde haar te vertellen hoe het zat, maar het werd een onsamenhangend, onbegrijpelijk en wanhopig verhaal.

We waren halverwege haar huis voordat ze weer iets zei. Opeens bleef ze stilstaan en keek me met rode ogen aan.

'Ik vergeef het je nooit,' zei ze zacht. 'Echt nooit! Hoor je me?'

'Ik kan er toch niets aan doen dat ik verliefd op hem ben geworden!' jammerde ik. 'Dat heb ik toch niet expres gedaan!'

'Idioot!' snauwde Frida. 'Ik vergeef het je nooit dat je het niet hebt verteld! Dat je me hebt laten hopen en dromen terwijl je al die tijd wist dat hij jou leuk vond! Begrijp je wel dat iedereen me zal uitlachen? Je hebt me volkomen belachelijk gemaakt, alleen om jezelf te beschermen! Weet iemand hier iets vanaf?! Heb je het tegen iemand gezegd?'

'Nee. Ja, tegen Maria. Maar niet tegen iemand van school.'

'Gelukkig voor je,' zei Frida. 'Daar bof je heel erg mee!'

Toen liep ze weer weg. Ik bleef staan en keek haar na. Voordat ze bij de volgende straathoek was, schreeuwde ik: 'En hoe denk je dat ík me voelde? Hoe denk je dat het voor míj was? Kun je voor één keertje niet eens aan iemand anders denken dan aan jezelf?!'

Mijn stem weerkaatste tussen de huizen. Frida bleef niet staan. Ze draaide zich niet om. Ze liep gewoon door. Ik bleef haar nakijken totdat ze om de hoek verdween en haar villawijk in liep, toen liet ik me op mijn hurken tegen een ruwe, grijze muur zakken en ik huilde met droge uithalen, alsof ik was bevangen door de kou.

Na een tijdje, een kwartier, of misschien een uur, ging ik achter haar aan. Mijn dijspieren deden pijn en mijn hele lijf was door en door stijf en koud.

Het witte huis leek groter dan eerst. Ik zag niemand bewegen achter de ramen, maar naast de oprit naar de garage stond Frida's oude handbeschilderde fiets. Ik trok het leren jasje uit, deed het zilveren kettinkje met het bergkristal af, stopte het in de linkerjaszak en hing het jasje over het mooie leren zadel.

Toen liep ik weg.

Ik dwaalde een beetje door de stad, alsof ik was vergeten waar ik woonde. De herfstwind was snijdend koud en ik rilde, het was fijn om het koud te hebben, alsof het een soort straf was, iets wat ik had verdiend. Pas toen het al lang en breed middag was, ging ik naar huis.

Op de bank in de woonkamer zaten Viktors juf en Kasper. Kasper zag er bleek, moe en oud uit. Ik schopte mijn schoenen uit en keek rond. Geen Viktor. Mijn hart, dat buiten in de kou stil leek te staan, begon weer te kloppen. Het bonkte keihard van angst.

'Is hij nog in het ziekenhuis?! Hoe is het met hem?'

'Het is niet ernstig,' zei Veronika. 'Hij is alleen een beetje beurs, zijn ribben doen pijn en hij heeft een scheurtje aan de binnenkant van zijn onderlip. Verder niets. Hij hoefde niet te blijven.'

Ik keek naar Kasper.

'Waar is hij?'

'Op zijn kamer,' zei Kasper. 'Ik denk dat we hem beter even met rust kunnen laten. Kom maar even bij ons zitten. Wil je thee? We hebben net thee gedronken.'

'Met rust laten?!' zei ik. 'Begrijp je dan niet dat je niet met rust gelaten wilt worden als je je rot voelt? Als je je rot voelt, heb je juist gezelschap nodig! Ik had je nodig toen ik erachter kwam dat je al die tijd contact had gehad met Ingrid, maar jij liet me met rust! Maria heeft je nodig, maar je laat haar met rust! Viktor heeft je nodig! Iemand met rust laten is gewoon laf, Kasper! Gewoon alleen maar laf. Verdomme, jij bent de enige die we hebben!'

Ik liep terug naar de gang en deed de deur van Viktors kamer open. Het was donker. De rolgordijnen waren naar beneden getrokken en het rook er naar natte kleren en naar Viktor.

Hij lag in elkaar gekropen op bed, op zijn zij met zijn kussen over zijn hoofd.

'Ga weg,' kwam zijn stem dof vanonder het kussen vandaan. 'Ga mijn kamer uit.'

'Nee,' zei ik. 'Dat ben ik absoluut niet van plan.'

Ik deed de deur dicht. Mijn ogen zochten automatisch punten van houvast in het donker. Langzaam wenden ze eraan.

'Jij hebt alles alleen maar erger gemaakt!' zei Viktor.

'Kan het nog erger dan?' vroeg ik. 'Kan het nog erger dan wat ik vandaag op het schoolplein zag? Hoe vaak hebben ze je in elkaar geslagen? Wachten ze je op als je naar huis gaat? Ben je daarom een paar keer eerder weggegaan van school? Hoe lang is dit al bezig? Het hele schooljaar al, hè? Er is vlak na de vakantie iets gebeurd, hè, of niet? De eerste dag al, toen Kasper en Maria ruzie hadden over haar nieuwe baan. Jij had het niet eens gemerkt. Tóen was er al iets gebeurd, ja toch?'

Het bleef stil onder het kussen.

Ik ging op het voeteneinde van zijn bed zitten, trok mijn benen op en leunde met mijn rug tegen de muur. Ik voelde dat ik door en door koud was, helemaal tot op het bot. Misschien zou ik in een heet bad weer kunnen ontdooien. In ieder geval mijn lichaam. Maar hoe ontdooi je je ziel?

Na een poosje begon Viktors lijf te schokken en er kwamen gedempte geluidjes vanonder het kussen vandaan. Eerst dacht ik dat hij huilde, maar toen hoorde ik dat hij lachte.

'Jullie leken wel een troep leeuwen,' grinnikte hij. 'Ze vlogen alle kanten op!'

'Ik heb in elk geval een van die jongens flink op zijn bek geslagen,' zei ik.

Viktor tilde het kussen op en keek me aan in het donker. Ik zag vaag zijn ogen glanzen.

'Wie dan?'

'Dat weet ik niet. Ik geloof dat hij blond haar had. Ik was zo ontzettend... ik wilde ze allemaal vermoorden! Ze hebben geluk gehad dat ze er als een haas vandoor gingen!'

Viktor bleef even stil. We hoorden ook geen stemmen meer uit de woonkamer komen. Beneden op straat sloeg een autoportier dicht. Daarna het langzaam wegstervende geluid van een motor.

'Ik ga er nooit meer heen,' zei Viktor. 'Ik weet zeker dat ze wraak zullen nemen.'

Ik wilde dat ik kon zeggen dat ik op hem zou letten, dat ik hem nooit uit het oog zou verliezen, dat ik de eerste die zou proberen hem iets te doen, levend zou villen, maar ik wist dat ik dat niet kon beloven. Hij moest daar in zijn eentje zijn en als hij eerder klaar was dan ik, moest hij ook in zijn eentje naar huis en vroeg of laat zouden ze hem ergens opwachten. De machteloosheid kronkelde als een slang door mijn borst, en slingerde zich rond de pilaar van haat. Ik wilde ook wraak nemen. Ik wilde hen een voor een opwachten en alle botten in hun lijf breken. Hoe kon iemand zó gemeen zijn dat hij Viktor wilde slaan? Hoe kon iemand hem in zijn gezicht schoppen als hij op de grond lag?!

Het duurde even voordat ik hem zover had dat hij wilde vertellen, maar uiteindelijk deed hij het toch.

Ik had gelijk. Al op de eerste schooldag na de vakantie was er iets gebeurd. Er was een nieuwe jongen in zijn klas gekomen op dezelfde dag dat Adam in mijn klas was gekomen. Maar de nieuwe jongen in Viktors klas was een ruwe gast. Hij heette Björn Svensson en hij had meteen de leiding genomen. Meteen tijdens de eerste lunchpauze had hij gevraagd of er ook boekenwurmen in de klas zaten en toen iemand Viktor had aangewezen, had

Björn gezegd dat Viktor er eerder uitzag als een 'leesluis'. En leesluizen waren de allerergste soort, had hij gezegd. Die verspreidden zich en je kreeg er jeuk van. Je moest ze vertrappen voordat ze zich massaal over de hele wereld verspreidden. Zijn klasgenootjes hadden gelachen. Ze hadden Viktor nog nooit eerder uitgelachen. Niet op die manier. Maar iedereen wilde vriendjes met Björn worden.

Toen was van het een het ander gekomen. Zelfs zijn oude vriendjes hadden hem in de steek gelaten. Peter en Jonatan, met wie Viktor al vanaf groep één had gespeeld. Ik was ontzettend kwaad op mezelf omdat ik me niet had afgevraagd waarom ze dit schooljaar nog helemaal niet bij ons waren geweest.

'Je had het moeten zeggen,' zei ik tegen Viktor. 'Je had het al veel eerder moeten zeggen!'

'Ik dacht dat ze wel weer op zouden houden,' zei Viktor. 'Dat ze vanzelf wel weer op zouden houden als ik ze gewoon negeerde.'

Viktors vorige juf, Eva, zou het zeker hebben gemerkt als er iets mis was. Ze zou zich hebben afgevraagd wat er was. Maar Veronika had zich niets afgevraagd. Ze had Viktor tenminste niets gevraagd. Ze was alleen geïrriteerd geweest als Viktor eerder naar huis was gegaan of niet naar buiten had willen gaan in de pauze. Als je aardig wilde zijn, zou je kunnen zeggen dat ze Viktor ook nog niet kende, dat ze niet wist hoe de klas daarvoor was geweest en dat ze daarom ook niet kon weten of er iets veranderd was, maar ik wilde helemaal niet aardig zijn. Ik wilde dat iemand hiervoor zou boeten. Iemand moest de verantwoordelijkheid op zich nemen.

De voortekenen maalden door mijn hoofd. Alles wat ik had gezien zonder het te begrijpen. Hoe kun je zo ontzettend alleen maar met jezelf bezig zijn? Hij had zelfs een keer geprobeerd om met me te praten en ik was gewoon weggegaan! Om naar een ijshockeytraining te gaan kijken! En toen Viktor zelf wilde gaan ijshockeyen, had ik dat ook nog eens gesaboteerd.

Kon ik dan helemaal niets goed doen? Ik had zelfs Viktor in de steek gelaten. Mijn eigen broertje, dat ik echt álles zou willen geven als ik kon.

Als íemand een luis was die vertrapt moest worden, dan was ik het wel.

Ik had Maria jarenlang gepest en als ik haar verdriet deed, deed ik Kasper ook verdriet. Ik had Adam, Andreas en Frida gekwetst en toen Viktor om hulp had geroepen, had ik het te druk gehad met andere dingen.

Voor zover ik wist, waren er maar zes mensen op de wereld die echt om me gaven.

Kasper. Maria. Viktor. Adam. Andreas. Frida.

Er schoot me een spreekwoord te binnen dat ik eens een keer had gehoord: 'Men plaagt wie men liefheeft.'

Belachelijk.

Dat had Ingrid vast bedacht. En ik was haar dochter. Hoe ik me daar ook aan probeerde te ontworstelen, hoeveel ik ook van mijn haar afknipte en hoe hard ik ook probeerde om een ander, beter mens te worden, ik was en bleef haar dochter. Een verrader.

Eigenlijk zou ik mijn tas moeten inpakken en vertrekken en bij haar in haar nieuwe flat in Brussel moeten gaan wonen. Dat hadden zij en ik allebei verdiend.

Na een uurtje begon Viktor te huilen in het donker.

Niet hardop. Hij huilde heel stil. We zaten dicht tegen elkaar aan op zijn bed en ik hield hem vast en voelde dat mijn trui nat werd van zijn tranen.

Viktor mocht de volgende dag thuisblijven van school.

Ik niet.

Ik kon niet echt een geldige reden bedenken om thuis te blijven. Ik kon toch niet tegen Kasper zeggen dat ik als de dood was dat iedereen wist hoe ik me tegenover Frida had gedragen en dat ze me nu allemaal zouden haten. Dat er een ijskoude wind door de hal zou gaan als ik binnenkwam en dat Frida achter een ondoordringbare muur van sympathisanten zou staan. Dat ik zou worden behandeld alsof ik lepra had. Ze hoefde het alleen maar aan Ellen en Rachel te vertellen. Zo'n nieuwtje zou zich als een lopend vuurtje verspreiden. Iedereen zou het weten.

Iedere stap die ik dichter bij school kwam, deed pijn, de angst zat als prikkeldraad in mijn lijf, het schuurde en schaafde bij iedere beweging en ik dacht aan Viktor die al vanaf augustus iedere dag met zo'n gevoel naar school was gegaan. Ik bedacht dat er mensen waren die jarenlang met zo'n gevoel liepen. Maar dat hielp me op dit moment niets. Ik probeerde te bedenken dat ik het had verdiend. Dat mijn straf een soort reinigend bad zou zijn voor alles waaraan ik schuld had. Maar ik wilde niet gereinigd worden. Ik was gewoon bang.

Het was koud buiten en ik liep langzaam. En toch zweette ik. Ik voelde het zweet onder mijn kleren langs mijn lijf stromen toen ik het schoolplein opliep.

Nog maar een minuut totdat de eerste les zou beginnen. Bij de kluisjes was het heel druk. Het gebruikelijke geroezemoes en af en toe een kreet of gelach. Gerammel van sleutels en sloten en gekletter van metalen deurtjes die open en dicht worden gedaan. Al die geluiden die zo bekend waren dat je ze normaal gesproken niet hoorde. Maar vandaag hoorde ik ze wel. Mijn oren waren akelig wakker en mijn ogen deden pijn van al die bewegingen. Rachel zocht iets in haar kluisje dat naast het mijne lag. Ik dwong mijn voeten om ernaartoe te lopen, en ik dwong mijn hand om mijn sleuteltje uit mijn zak te halen.

'Hoi!' zei Rachel neutraal toen ze me zag. 'Waar waren jullie gisteren opeens allemaal gebleven? Zijn jullie naar je broertje toe gegaan of zo?'

'Hoe bedoel je "jullie allemaal"…?' vroeg ik onzeker.

'Nou, jij en Frida en Adam natuurlijk! Andreas vertelde wat er met je broertje was gebeurd, dus we hebben tegen de leraren gezegd dat jullie vast naar het ziekenhuis waren gegaan om te kijken hoe het met hem ging.'

Mijn hart ging wild tekeer van opluchting. Het zag ernaar uit dat ze niets wist. Nog niet. Dan wist vast ook niemand anders het.

'Hij… mocht meteen weer naar huis,' zei ik. 'Hij had geen inwendig letsel. Dat dacht ik eerst wel omdat hij zei dat het vanbinnen pijn deed.'

'Wat fijn,' zei Rachel. 'Dat het niet erger was bedoel ik. Het was vast heel erg rot. Om te zien, bedoel ik. Dat ze hem in elkaar sloegen.'

Ik knikte. Ik voelde me een beetje duizelig.

Ellen kwam aanlopen met haar wiskundeboeken onder haar arm.

'Hoi,' zei ze. 'Is Frida ziek?'

'Ik weet het niet,' zei ik.

'Nou, dan is ze vast niet ziek. Komen jullie? We gaan bijna beginnen!'

Hakje deed net de deur van lokaal B15 open toen we de trappen op kwamen. Frida was er niet. En Adam ook niet. Na een lichte aarzeling ging ik zitten op de plek waar Frida en ik altijd zaten, de op een na achterste tafel bij het raam. Als ik ergens anders ging zitten, zou het opvallen. Tove fluisterde iets tegen Linda en ze keken allebei mijn kant op. Als Ellen en Rachel niets wisten, dan wisten Tove en Linda het vast ook niet, maar toch werd ik helemaal koud vanbinnen en voelde ik mijn handpalmen nat worden van het zweet.

'Eh ja,' zei Hakje terwijl hij over de rand van zijn leesbril naar ons keek, 'ik mis Frida en Adam... weet iemand waar ze zijn?'

Alle hoofden draaiden zich naar mij toe. Negenentwintig paar ogen. Als er iets met Frida was, dan zou ik dat wel weten. Zo was het gewoon.

Ik schudde mijn hoofd. Alle blikken draaiden weer terug. Hakje schreef iets in zijn map.

Toen ging de deur open en kwam Frida binnen.

Ze had een blauwe sjaal om haar hoofd gewikkeld. Er kwamen een paar blonde krullen onder vandaan die over haar voorhoofd vielen, terwijl de rest achter op haar hoofd bijeengehouden werd. Ze droeg een felblauwe tuniek die tot halverwege haar dijen kwam en een donkerblauwe maillot.

'Sorry,' zei ze tegen Hakje, die alleen verbaasd knikte.

Frida kwam nooit te laat. Ze spijbelde wel eens een enkel keertje, maar ze kwam nooit te laat.

Ik probeerde in elkaar te duiken en in de tafel te verdwijnen. Ik had het gevoel dat ik op een plaats zat die niet langer van mij was. Een plaats die ik niet langer verdiende. Ik durfde haar niet aan te kijken toen ze naar me toe kwam lopen en naast me ging zitten, maar ik rook de vage geur van appelshampoo en Pleasures en ik moest met mijn ogen knipperen om de tranen tegen te houden. Het leek wel of iemand iets uit me had weggerukt. Ik voelde een pijnlijke leegte vanbinnen.

Ik hoorde niets van de uitleg van Hakje en ik begreep niets van de getallen in mijn wiskundeboek. Ik zag niets anders dan dat blauw in mijn ooghoek en Adams lege tafel schuin voor ons.

En af en toe Frida's hand die cijfers op het ruitjespapier schreef.

Rachel draaide zich om en vroeg aan Frida of ze haar ergens mee kon helpen en Frida liet haar zien hoe het moest. Ik begroef mijn blik in het boek, en kroop weg tussen de symbolen en figuren om niet te worden gezien.

Toen de bel ging, had ik het gevoel dat ik een marathon had gelopen. Al mijn spieren deden pijn. Maar er lag geen eindstreep voor me. Alleen nóg een marathon. En daarna nóg een.

Ik treuzelde expres om Frida de kans te geven samen met Ellen en Rachel de klas uit te gaan, ik rommelde wat met papier en pennen en schoof omslachtig mijn stoel aan terwijl het klaslokaal leegliep, maar ze ging niet weg. Ze wachtte op me, net als anders. Ze bleef gewoon staan wachten tot ik kwam, zonder iets te zeggen en zonder me aan te kijken, en vervolgens liep ze naast me de gang door en de trap af. Ze was bleek. Haar gezicht stond verbeten. Eerst begreep ik niet waarom ze me beschermde, maar toen herinnerde ik me dat ze had gevraagd of iemand het wist van Adam, of ik het aan iemand had verteld en ik begreep dat ze misschien eerder zichzelf beschermde. Dat het voor haar net zo pijnlijk was als voor mij. Zij wilde ook niet dat iemand het te weten zou komen.

Ze had natuurlijk ook iets anders kunnen doen. Ze had makkelijk een deel van het verhaal kunnen vertellen als ze wraak had willen nemen. Ze had Rachel kunnen toevertrouwen dat ik het achter haar rug om had gedaan. Dat ik had geprobeerd Adam in te pikken. Dat ik dubbel spel had gespeeld. Dan zou Rachel het aan Ellen vertellen en Ellen aan Linda, die naast haar woonde, en dan zou morgen iedereen het weten. Als ze had gewild, had Frida mij gemakkelijk zwart kunnen maken. Maar zo was ze niet.

Als een schaduw liep ik naast haar naar de volgende les en daarna naar de kantine. Ik liet Ellen en Rachel praten. Hun stemmen vormden een dempende deken over het zwijgen tussen

Frida en mij. Maar het werd natuurlijk toch opgemerkt. Frida en ik hielden altijd contact met elkaar, al waren we samen met anderen. Kleine, korte opmerkingen die duidelijk maakten dat het toch 'wij' was. Nu was er alleen die schrijnende leegte. Af en toe keken Ellen en Rachel een beetje nieuwsgierig naar ons, maar ze wisten niet goed hoe ze het moesten vragen.

Na de grote pauze hadden we Engels.

Alfred had net met een plof zijn versleten aktetas op tafel gezet en maakte de gespen los, toen Frida naar hem toe liep en haar tekstmap voor hem neerlegde.

'Ik stop ermee,' zei ze. 'Je moet maar een andere Julia zoeken.'

Het werd doodstil in het lokaal. Degenen die nog niet zaten, bleven staan en keken elkaar verbaasd aan. Toen keken ze naar Frida.

'Wat zei je?' zei Alfred. 'Ben je gek geworden? Je kent je tekst helemaal uit je hoofd! Je kunt nú toch niet stoppen!'

'Jawel hoor,' zei Frida. 'Dat doe ik nu toch. Zoek maar iemand anders.'

Ze draaide zich om, liep de klas door en kwam naast me zitten. Ze keek om zich heen.

'Wat zitten jullie nou te staren?'

De klas draaide zich vol verwarring om naar Alfred, alsof ze verwachtten dat hij die vraag zou beantwoorden. Maar hij zag er net zo verdwaasd uit als zij. Toen pakte hij Frida's tekstmap van de tafel en woog hem op zijn hand.

'Weet je het zeker?' vroeg hij. 'Ik bedoel, kun je ook vertellen waaróm?' Frida keek hem koppig aan.

'Nee.'

Toen keek ze naar buiten en gaf geen antwoord meer op de vragen.

Alfred zuchtte.

'Nou, dan hebben we geen Romeo én geen Julia,' zei hij.

'Weet iemand waar Adam is?'

Niemand gaf antwoord en Alfred zuchtte nog een keer.

'Is hij vandaag wel op school geweest?'

Hier en daar werd nee geschud.

Ik zag dat Frida haar kaken op elkaar klemde en er onverschillig uit probeerde te zien. De spieren in haar kaken waren harde knopen onder haar lichte huid.

Na de les verdween ze. Ik zag haar niet bij de kluisjes toen we onze boeken omwisselden en ze stond ook niet voor Granlunds klas toen we daar stonden te wachten voor maatschappijleer. Snel, voordat Granlund eraan zou komen met zijn grote sleutelbos, glipte ik de trappen weer af. Ik keek in de toiletten bij de kluisjes en toen in die bij lokaal B19, waar we Engels hadden gehad, maar die waren geen van alle op slot. Ik had het gevoel dat ik zou moeten weten waar ze was, dat ik het zou weten als ik maar even rustig zou worden en nadacht.

Het was nu heel stil in de grote hal op de begane grond. Iedereen was zijn klas binnengegaan. Ik hoorde mijn eigen ademhaling. Denk na, Katrina! Denk nou even na!

Toen wist ik het.

Het regende. Ik haalde mijn jas uit mijn kluisje en trok hem aan, toen stak ik het schoolplein diagonaal over en liep het gangetje tussen de kantine en het gebouwtje van de conciërges door. Daar waren ze tegelijk met het nieuwe gebouwtje voor de conciërges begonnen met het bouwen van een voorraadhok, maar om de een of andere reden was dat nooit afgemaakt. Tegen de grauwe achterwand van de conciërgeloge, waarin geen ramen zaten, waren twee korte muren gemetseld. Er waren een paar balken op gelegd voor het dak, maar toen waren ze gestopt. Een van de conciërges had een grote dakplaat over de balken gelegd en soms werd daaronder wel eens iets opgeslagen. Dozen met oud papier bijvoorbeeld die moesten worden opgehaald. Er stond ook een langwerpige houten kist. Die stond daar al sinds we in de tweede zaten. Frida en ik hadden hem in het voorjaar tegen de muur geschoven en gebruikten hem wel eens als bank. Het was onze privéplek. Een eiland in de bruisende zee die de school was. Een bushokje waar we konden gaan zitten en wachten tot het leven zou afremmen en ons meenemen. Of een plekje dat de plaats van het café en warme chocolademelk moest innemen, als er onder schooltijd iets belangrijks te bespreken viel.

Frida zat met haar benen opgetrokken en haar armen om haar knieën geslagen. Haar wangen waren nat, maar ik wist niet of dat door de regen kwam of door de tranen of door beide. De regen kletterde op de dakplaat. Ze keek me niet aan toen ik binnenkwam, maar ze zat aan de kant van de kist waar ze altijd zat als we daar samen heen gingen om ongestoord te kunnen praten. Ik wist dat zij wist dat ik zou komen. Dat ze op me wachtte.

Ik ging naast haar zitten. De regen druppelde naar binnen op het betonnen vloertje, maar dicht tegen de muur aan was het droog.

'Ik snap niet hoe je zoiets hebt kunnen doen,' zei Frida. 'Als het nou Rachel was geweest... of wie dan ook. Maar jíj niet.'

'Ik was te laf,' zei ik. 'Het gebeurde gewoon en ik wist niet hoe ik het moest uitleggen. Het was niets... ik bedoel, we waren gewoon alleen vrienden...'

'Als jullie alleen vrienden waren, dan had je het toch kunnen vertellen,' zei Frida. 'Dus nu lieg je zeker weer.'

'Echt niet! We hebben alleen maar gepraat. Over zijn ouders en de mijne en... we hebben een heleboel dingen met elkaar gemeen.'

'Ach, wat schattig!'

'Het was belangrijk voor me! Hij... hij begreep alles en ik kon opeens praten over dingen waar ik...'

Ik stopte. Ik realiseerde me wat ik eigenlijk wilde zeggen. Maar het was al te laat. Frida draaide haar gezicht naar me toe en keek me aan en ze keek zó gekwetst en verdrietig dat het pijn deed.

'... waar je met mij niet over kon praten,' vulde ze aan.

'Jij kunt zoiets toch nooit begrijpen,' zei ik. 'Jij hebt alles! Alles is perfect bij jou! Jij kunt nooit begrijpen hoe het is om een moeder te hebben die je gewoon heeft gedumpt en ervandoor is gegaan, of dat je nooit geld hebt om iets te kopen, of dat je puistjes hebt of iets verkeerds doet... dat je mensen van wie je houdt pijn doet omdat je het zelf zo moeilijk hebt!'

'Dus dat je je zo tegen mij hebt gedragen, is allemaal de schuld van je moeder?! Bedoel je dat je zo ontzettend zielig bent dat je anderen gewoon maar kunt behandelen zoals je wilt? Dus iemand zoals jij is niet verantwoordelijk voor zijn eigen daden?'

Haar woorden kolkten door mijn binnenste. Er kwam een heleboel troep en bezinksel naar boven en veel van wat daar werd losgewoeld, wilde ik helemaal niet zien. Frida raakte me op de plek waar het het meest pijn deed. En misschien had ik dat wel verdiend.

'Nou, het is wel gemakkelijker om de verantwoordelijkheid voor je eigen daden op je te nemen als je weet hoe je in elkaar zit,' zei ik. 'Ik wist niet waarom ik altijd zo lullig tegen Maria deed. Nu weet ik het wel. Dat is geen excuus, maar daardoor kan ik nu tenminste wél aardig tegen haar zijn!'

'Denk je nou echt dat het zo geweldig is om mij te zijn?' vroeg Frida.

'Ja,' zei ik eerlijk. 'Behalve dan dat je mij als vriendin hebt misschien.'

'Denk je nou echt dat het leuk is om nooit te weten wie je echte vrienden zijn en wie gewoon in je buurt willen zijn omdat ze weten dat je ze op een pizza of een film kunt trakteren? Denk je nou echt dat het leuk is om nooit te weten of een jongen je alleen maar wil vanwege je uiterlijk of omdat hij je echt leuk vindt om wie je bent? Om nooit te weten wie er in je gezicht slijmen en je dan achter je rug een "vuile kapitalist" noemen?'

'Nu lijk je net Julia Roberts in "Notting Hill",' zei ik.

Frida's mondhoeken vertrokken onwillekeurig even tot een glimlach.

Toen ik dat glimlachje zag, kreeg ik weer wat lucht, ook al was het een bitter lachje. We konden nog steeds met elkaar praten. Ze zou het me misschien niet vergeven, maar ze zou tenminste luisteren.

'Dat met Adam,' zei ik, 'daar geef ik Ingrid in elk geval niet de schuld van. Ik was gewoon zó bang toen ik begreep dat ik verliefd op hem was. Ik had nooit gedacht... ik bedoel, ik wist toch dat jij hem wilde hebben en ik wist zo ontzettend zeker dat hij jou ook zou willen, ook al had hij dat zelf nog niet begrepen. Ik heb zelfs geprobeerd om... om hem jou aan te praten... terwijl ik zelf verliefd op hem was. Dus ik heb me niet zo slecht gedragen als je denkt. De eerste keer kwam ik hem toevallig tegen. Dat heb ik je ook verteld... weet je dat niet meer?'

'Ja, omdat ik zag dat er iets was!' zei Frida. 'Omdat hij naar je glimlachte en hoi zei, zomaar opeens! Anders had je er geen woord over gezegd!'

Ik gaf geen antwoord. Ze had gelijk. Ik begreep dat ze thuis op haar bed had gelegen en alle tekens was langsgelopen, alles wat ze had moeten zien. Precies zoals ik had gedaan na dat met Viktor. Het lijkt wel of je blind wordt als je denkt dat je iemand kent. Als je als vanzelfsprekend aanneemt dat je het wel zou weten als er iets te weten viel.

'Het maakt niet uit wat je zegt,' zei Frida. 'Je hebt echt iets veel te ergs gedaan.'

'Omdat ik bang was dat ik jou zou kwijtraken!' zei ik wanhopig. 'Omdat jij meer voor me betekent dan wat dan ook!'

Frida keek me aan en ik keek terug. Ze moest toch zien dat dit tenminste waar was.

'Ik wil je haten,' zei ze met een zucht. 'Ik probeer het echt.

Maar ik kan het niet.'

'Ik verdien jou niet,' zei ik.

'Jezus!' zei Frida. 'Je hebt te veel films gekeken. Zoiets zeg je toch niet!'

'Maar zo voelt het wel. Wat moet ik dán zeggen?'

'Sorry zou wel op zijn plaats zijn.'

'Sommige dingen zijn te groot om gewoon maar sorry voor te zeggen.'

'Probeer het eens!'

Ik keek naar haar profiel. Haar rechte neus, haar expressieve mond en haar blonde haar dat licht bewoog in de wind. Bij haar slapen waren nog een paar krullen onder de blauwe sjaal uit gesprongen. Ze had geen jas aan, terwijl het buiten niet veel warmer was dan acht graden, en je zag haar tepels onder de dunne stof van haar tuniek. Ik vroeg me af hoe ik ooit zonder haar zou kunnen leven. Hoe had ik zo godvergeten stom kunnen zijn om onze vriendschap op het spel te zetten.

'Sorry,' zei ik smekend.

Frida antwoordde niet. Ze fronste haar wenkbrauwen, alsof ze probeerde te voelen of ze me kon vergeven.

'En Adam dan?' zei ze. 'Wat doen we met Adam?'

Het deed me pijn om zijn naam te horen. Ik wist ook niet hoe ik zonder hém zou kunnen leven. Hoe kon je iemand opeens zó nodig hebben? Hoe kon je vanbinnen in brand staan omdat je iemand zó mist? Iemand die je nooit hebt gehad, en van wie je ook altijd hebt geweten dat je hem nooit zou krijgen?

'Ik denk dat hij er intussen wel genoeg van heeft gekregen,' zei ik. 'Ik heb hem gewoon weggeduwd en ben achter jou aan gerend.'

'Hij heeft er geen genoeg van,' zei Frida. 'Anders zou hij vandaag wel op school zijn geweest.'

'Hij is vast ziek.'

'Ach,' zei Frida. 'Natuurlijk niet. Hij is vast verdrietig en boos.'

'Dat is mijn specialiteit,' zei ik. 'Mensen verdrietig en boos maken.'

Frida keek me een paar lange seconden aan. Toen strekte ze haar armen naar me uit en we omklemden elkaar lang en hard en bijna wanhopig.

'Er is nog iets waarom het niet leuk is om mij te zijn,' zei ze.

'Wat dan?'

Ze snoof even. Veegde met haar mouw over haar gezicht.

'Je wordt er zo verwend van. Je raakt eraan gewend dat je altijd krijgt wat je wilt. Ik dacht ook dat Adam wel verliefd op me zou worden. Vroeg of laat.'

'Dat wordt hij ook wel. Vroeg of laat.'

'Hou toch op. Dat wordt hij helemaal niet. Maar jullie hoeven toch niet te gaan zoenen waar ik bij sta? In het begin tenminste?'

Kasper en Viktor moesten om vier uur op school zijn voor een bespreking met Viktors juf en nog een paar andere mensen. Ze trokken net hun jas en schoenen aan toen ik thuiskwam. Viktors onderlip was dik en hij liep een beetje in elkaar gedoken, alsof hij nog steeds pijn had. Hij keek me met angstige ogen aan.

'Wil je niet meegaan? Alsjeblieft?' zei hij.

Ik trok mijn jas weer aan.

'Maar voor hén hoef je toch niet bang te zijn?' zei ik.

'Dat ben ik ook niet,' zei hij. 'Ik ben alleen bang voor wat ze zullen beslissen.'

Dat was ik ook, maar dat zei ik niet. Tarzan draaide hoopvol rondjes om mijn benen.

'Is er al iemand met hem uit geweest?' vroeg ik.

'Eh... o ja... nee,' zei Kasper.

Ik zuchtte en pakte de riem van de haak.

'Dan moet hij ook maar mee. Ik bind hem wel vast bij school.'

Een halfuur later was ik weer terug waar ik vandaan was gekomen, maar dit keer in de basisschool. In de personeelskamer zaten de directeur, de vertrouwenspersoon, de vrouw die pleinwacht had gehad toen ik had gezien dat ze aan het vechten waren – zij was een soort mentor geloof ik – en Viktors juf Veronika.

De mentor begroette me overdreven vriendelijk en stelde zich voor als Gunilla, maar ik zag in haar ogen dat ze niet vergeten was dat ik haar 'kutwijf' had genoemd.

Ik dacht dat we waarschijnlijk het meest te vrezen hadden

van de directeur. Dat hij het allemaal zou afdoen als een 'uit de hand gelopen kwajongensstreek' en dat hij alleen zou voorstellen dat ze een terechtwijzing zouden krijgen en extra in de gaten gehouden zouden worden, maar ik had me vergist. Hij begon de bespreking met het uitdelen van folders en docenteninformatie over pesten en legde uit dat ze eerst met Viktor en de pestkoppen allemaal apart een gesprek zouden hebben, dat ze eerst zelf moesten vertellen hoe het kwam dat het zo gelopen was en dat ze het daarna met elkaar moesten bespreken. Het klonk helemaal niet zo stom.

Als Viktor het maar kon opbrengen.

Zelf dacht ik stiekem dat ik die Björn eens zou opzoeken en hem bij de eerste de beste gelegenheid tegen de muur zou drukken om hem te vertellen dat, als hij ooit weer zou proberen de klas tegen Viktor op te zetten, ik hem samen met mijn vrienden ergens zou opwachten en zijn kop zó erg zou verbouwen dat zijn eigen moeder hem niet meer zou herkennen als hij thuiskwam. *Als* hij al thuiskwam. Maar dat zei ik natuurlijk niet tijdens die bespreking. Dat was waarschijnlijk niet echt een geaccepteerde manier om een pestprobleem aan te pakken, maar het zou mijn behoefte aan wraak tenminste gedeeltelijk bevredigen. En misschien zou die Björn zich een beetje gedeisd houden terwijl de opvoedkundigen op een meer therapeutische manier met hem aan de slag gingen.

Heel ver op de achtergrond hoorde ik Kaspers stem zeggen dat wraak alleen maar weer om wederwraak vraagt, en terwijl de docenten de verschillende betrokken leerlingen bespraken, bedacht ik dat ik, als ik over twintig jaar een sollicitatiegesprek had voor mijn droombaan, erachter zou komen dat het nieuwe, blonde hoofd personeelszaken met wie ik het gesprek zou hebben, me op de een of andere manier bekend voorkwam en als ik dan zenuwachtig op het uiterste puntje van mijn stoel ging zitten, recht tegenover dat grote, glimmende bureau, zou ik opeens verschrikt begrijpen dat het hoofd personeelszaken niemand anders was dan Björn Svensson en hij zou me met een spottend lachje aankijken en beginnen met zijn vragen...

'... denk jij ook niet Katrina?'

De stem drong door in mijn hoofd en ik werd losgerukt uit mijn nachtmerrie en keek verbaasd rond.

'Wat?'

Gunilla glimlachte suikerzoet naar me.

'Denk jij ook niet dat we Viktors probleem kunnen oplossen als we er allemaal samen aan werken?'

'Ja hoor,' zei ik. 'Absoluut.'

Viktor zag er nog niet echt overtuigd uit. Ik zag de onrust als een opgejaagde kat heen en weer schieten in zijn ogen toen hij van de een naar de ander keek.

'Ja, dat moeten we zeker doen,' voegde ik er nog aan toe.

'Nou, zie je wel,' zei Veronika tegen Viktor. 'Je hebt die vechtersbaas van een zus van je in elk geval aan jouw kant.'

'Katrina vecht nooit,' zei Kasper.

'Nou...' zei Veronika. 'Björn Svensson had anders een behoorlijk dikke neus toen hij vandaag op school kwam.'

'Dan was hij vast verkouden,' zei ik en ik voelde tegelijkertijd een onrustig en een tevreden gevoel door me heen gaan.

Het was inderdaad Viktors grootste plaaggeest geweest die mij had uitgescholden en mijn vuist in zijn gezicht had gevoeld. Dus het sollicitatiegesprek was nu toch al verpest.

Viktor glimlachte even naar zijn voeten.

'Je moet anderen toch niet hetzelfde toewensen als jou is overkomen,' zei Gunilla beschuldigend tegen hem.

'We zijn ook maar mensen,' zei Veronika. 'En Katrina wilde alleen haar broertje beschermen. Dat vind ik heel goed. Maar we moeten natuurlijk proberen om dit met andere middelen op te lossen. Kom je morgen weer naar school, Viktor?'

Ik zag de angst in zijn ogen en ik wilde dat ik hem kon beschermen, dat hij nooit meer ergens bang voor hoefde te zijn, dat wenste ik zo vurig dat het bijna pijn deed. Dat kon ik niet. Maar het minste dat ik kon doen was voortaan goed opletten. Er zíjn.

We zeiden niet zoveel toen we naar huis liepen. Kasper had zijn hand op Viktors schouder gelegd. Hij zag er bezorgd en verward uit. Ik voelde me zo moe in mijn hoofd. Uitgeput. Er was veel te veel gebeurd in veel te korte tijd.

Omdat Tarzan bijna nog niet had gelopen, liet ik de anderen alleen verdergaan en maakte ik nog een extra ommetje door het plantsoentje achter de supermarkt. Daarna liep ik terug door de Köpmansstraat en daar bleef ik opeens staan voor de grote etalage van Expert; ik staarde, maar ik begreep niet meteen waarnaar. Het duurde even voordat het goed tot me doordrong.

Hij stond op een statief midden in de etalage.

Aan een van de poten was een oranje kaartje vastgemaakt waarop met zwarte viltstift was geschreven: 'Aanbieding voor de donkere herfstavonden! Telescoop, normaal 599,- euro, nu voor 500,- euro.'

Het bloed schoot razendsnel door mijn lijf. Mijn oren suisden. Ik had nog geen cent gekregen voor mijn werk in de studio. Hoeveel zou ik tegoed hebben? Viktor was al over twee weken jarig.

Ik pakte de riem stevig vast en rende half naar huis, terwijl Tarzan naast me huppelde.

De deur van Viktors kamer stond open. Hij lag op zijn rug op bed en las een stripboek. Kasper stond in de keuken bij het aanrecht pannenkoekenbeslag te maken. Ik ging naast hem staan.

'Wat krijg ik nog van je?' zei ik zacht.

'Wat?' vroeg Kasper.

'Wat krijg ik nog van je?' fluisterde ik. 'Geld! Het loon voor al het werk dat ik de afgelopen jaren voor je heb gedaan! Of tenminste de afgelopen vijf weken!'

'Jee, is het alweer zo lang?' zei Kasper.

Ik knikte.

'Het is paytime,' zei ik. 'Hoeveel is het?'

'Dat moet ik eerst uitrekenen.'

'Maar ongeveer?'

Hij stopte met het beslag kloppen en keek me verbaasd aan.

'Waar heb jij geld voor nodig?'

'Een sterrenkijker,' fluisterde ik. 'Voor Viktors verjaardag! Ze hebben er een in de aanbieding bij Expert in de Köpmansstraat.'

'Aha. En hoe duur is die "aanbieding" dan?'

'Vijfhonderd euro.'

Kasper staarde me een paar seconden aan, toen keek hij naar de schaal en begon weer te kloppen.

'Lieve help,' zei hij.

'Heb ik dat al bij elkaar?'

'Dat hoop ik toch werkelijk niet!'

Ik keek teleurgesteld naar het pannenkoekenbeslag dat ronddraaide in de plastic kom. Waar moest ik dat geld dán vandaan halen?

'Weet je, Katrina,' zei Kasper na een tijdje. 'We hebben allebei een slecht geweten. We hebben een heleboel niet gezien en begrepen dat we wel hadden moeten zien en begrijpen. Maar zoiets kun je niet goedmaken met dure cadeaus. We kunnen alleen proberen om het weer beter te maken voor Viktor door voortaan wél goed te kijken en te begrijpen.'

'Nee, gek,' zei ik. 'Ik wil die telescoop helemaal niet voor hem kopen omdat hij gepest is.'

'Weet je dat zeker? Waarom zou je anders zo'n ontzettend duur cadeau voor zijn verjaardag willen kopen?'

Ik voelde het een beetje prikken achter mijn oogleden toen ik dacht aan *Age of Empires II* en het Harry Potter-papier. Zo lang geleden alweer.

'Omdat ik zijn gezicht wil zien als hij het uitpakt,' zei ik.

Toen draaide ik me om en droop af naar mijn kamer.

Natuurlijk zou ik nooit vijfhonderd euro bij elkaar krijgen!

Zoveel geld had ik waarschijnlijk nog nooit gehad.

Maar ooit zou ik zo'n kijker voor hem kopen. Als ik een echte baan had. Als ik Björn Svensson niet in elkaar sloeg, zou hij me misschien vergeten en me toch die baan geven en dan zou Viktor zijn kijker krijgen. Maar tegen die tijd was hij waarschijnlijk al sterrenkundige en had hij al bijna de Nobelprijs gewonnen of zo.

Ik kon natuurlijk niet aan Frida vragen of ik geld van haar mocht lenen. Zeker nu niet. Had ik maar met Adam kunnen praten. Hij had misschien geen geld, maar hij zou vast wel een idee hebben. Iets slims bedenken. Een grote inzamelingsactie voor pestslachtoffers of zo. Dan zouden we samen de kijker gaan kopen en Adam zou erbij zijn op Viktors verjaardag en ik zou dicht tegen hem aan staan en kijken hoe Viktor het cadeau openmaakte. Ik zou zijn hand vasthouden en zijn geur opsnuiven...

Ik onderbrak mijn gedachten en beet hard op mijn lip. Ik was echt niet goed bij mijn hoofd!

Zodra er iets gebeurde, dacht ik aan Adam.

Zodra er níets gebeurde, dacht ik ook aan Adam.

Hoe verliefd kun je zijn?

In mijn hoofd doken de cijfers op. 16 32 51. Zou hij boos zijn? Zou hij wel met me willen praten als ik hem belde? Wat zou Frida ervan vinden? Dat ik me op hem stortte zodra ik de kans kreeg?

Zijn stem in de telefoon. Gewoon om hem een paar seconden lang heel dichtbij te horen. Ik kon toch zeggen dat ik alleen even wilde weten hoe het met hem ging. Of hij ziek was. Ik kon mijn excuses aanbieden voor gisteren. Dat was toch wel iets waarvoor je je excuses kon aanbieden?

De minuten gingen voorbij en ik bleef op mijn bed liggen en dacht na, ik wikte en woog, maar ik ging niet naar de telefoon om hem te bellen. Ik durfde niet.

Toen het tijd was om naar bed te gaan, kwam Viktor mijn

kamer binnen in zijn versleten pyjama met de ruimteschepen.

'Ik ben vergeten sorry te zeggen,' zei hij.

'Waarvoor in godsnaam?!'

'Voor wat ik gisteren zei... voordat we naar het ziekenhuis gingen. Ik was gewoon bang.'

'Het was alleen maar goed dat je dat zei, joh,' zei ik. 'Want toen begreep ik pas dat het niet de eerste keer was dat ze je in elkaar hadden geslagen, dat het al een hele tijd aan de gang was. Ik ben zo'n stomme idioot geweest dat ik het niet eerder heb begrepen, Viktor! Echt helemaal niet.'

Hij haalde zijn schouders op.

'Ik heb toch ook niets gezegd. Maar één keer wel bijna.'

'En toen ging ik gewoon weg,' zei ik. 'Naar de ijsbaan.'

'Weet je dat nog?'

Ik knikte.

'Helaas wel.'

Viktor nam me onderzoekend op. Zijn gezicht zag er scheef uit met die dikke onderlip en nog een blauwe zwelling boven zijn ene oog.

'Het is toch hún fout, hè?' zei hij toen. 'Zíj zijn toch niet goed bij hun hoofd?'

'Natuurlijk,' zei ik. 'Ze kunnen het niet uitstaan dat jij slimmer bent. Maar het zal nu wel veranderen.'

'Denk je?'

'Ja, dat denk ik. En... als het nog eens gebeurt, als ze ook maar een klein beetje onaardig tegen je doen, moet je het tegen mij zeggen. Heel duidelijk, zodat ik het begrijp, want ik ben ook niet zo slim als jij. Je moet het me duidelijk vertellen. Snap je dat?'

Viktor knikte gehoorzaam. Glimlachte een beetje scheef.

'Welterusten,' zei hij.

'Welterusten.'

Ik bleef op mijn bed liggen en keek naar het plafond. Nu was het te laat om Adam te bellen. Waarom had ik niet eerder gebeld? Dan had ik tenminste geweten hoe het zou zijn om morgen weer naar school te gaan. Of hij naar me zou kijken. Met me zou praten. Of net zou doen alsof ik niet bestond.

Het was al halftwaalf. Mijn hele lijf zat vol onrustige slangen, ze kronkelden alle kanten op. Na een poosje stond ik op en liep de gang in. Er kwam licht uit Kaspers slaapkamer. Kasper zat achter zijn bureau.

'Hoi,' zei ik. 'Ik kan niet slapen, ik ga nog even naar buiten.'

Hij draaide zich om.

'Nu nog?!'

'Alleen even een stukje lopen. Een beetje frisse lucht halen.'

'Neem Tarzan maar mee.'

Ik knikte en deed Tarzan zijn riem om. Hij geeuwde demonstratief voordat hij met me mee de trappen afliep, de herfstnacht in. De straten waren nat, maar het regende niet meer. Er was een kille wind voor in de plaats gekomen en ik liep stevig door om het niet te koud te krijgen. Bruine, natte bladeren kleefden onder mijn schoenen. Het werd geen lange wandeling. Het had toch geen zin. Hoeveel ik ook ronddoolde, ik zou toch niet kunnen slapen vannacht. Na nog geen twintig minuten draaide ik om en ging weer naar huis. Toen ik vanuit de Järnvägsstraat onze straat insloeg, zag ik dat er een gestalte in de portiek tegenover de onze stond. Een rokende gestalte. Toen hij aan de sigaret trok, gloeide die plotseling op en ik herkende de ongeduldige beweging waarmee hij de askegel aftikte.

Ik had hem al een hele tijd niet gezien. Nieuwsgierig liep ik verder aan zijn kant van de straat. Hij was ouder dan ik had gedacht, tegen de veertig, mager en klein. Toen ik dichterbij kwam met Tarzan, deed hij opeens een stap naar achteren, naar de deur.

'Ik ben een beetje bang voor honden,' zei hij verontschuldigend.

'Hij doet niks,' zei ik.

'Dat zeggen ze allemaal,' zei de roker.

Ik hield Tarzan bij hem weg. Hij wilde altijd graag snuffelen aan de mensen met wie ik praatte.

'Rookt u niet meer bij het open raam?' zei ik.

Hij keek me verbaasd aan en ik glimlachte even.

'Ik zie u wel eens zitten,' zei ik. ''s Nachts.'

Ik knikte veelbetekenend naar het raam waar hij altijd zat.

'Ja, eh... nou, ik ben zo'n beetje gestopt met daar zitten staren. Daar los je toch ook niets mee op.'

'Wat voor niets?'

Hij grijnsde een beetje verlegen. Hij had lange, smalle, gelige voortanden. Precies zoals ik me had voorgesteld.

'Ach,' zei hij. 'Vrouwen en zo.'

'Ik *wist* het,' zei ik. 'Hebben ze groene gordijnen?'

'Wat?'

Ik lachte.

'Nee, niks. Tot ziens.'

Toen ging ik ons huis binnen.

Kasper was nog wakker. Toen hij me de gang in hoorde komen, kwam hij zijn slaapkamer uit. Hij wenkte me samenzweerderig naar zich toe. Ik trok mijn schoenen uit en liep achter hem aan naar zijn verlichte bureau. Hij wees op een blocnote met berekeningen die hij vast alleen zelf begreep.

'Ik ben je vierhonderdvijfenzestig euro schuldig,' zei hij. 'De rest kun je als voorschot krijgen.'

Toen ik de volgende ochtend op school kwam, stond Frida bij mijn kluisje. Over haar ene schouder hing het bruine leren jasje.

'Het is ontzettend onbeleefd om cadeaus terug te geven,' zei ze. 'Maar jij hebt natuurlijk geen moeder die je opvoedt.'

'Ik dacht...' mompelde ik, maar verder kon ik niets zeggen omdat Frida het jasje zonder verdere omhaal naar me toe gooide en ik in een reflex mijn handen uitstak en het opving.

Ik voelde in de zak. Het kettinkje zat er nog in.

'Komt hij vandaag?' vroeg Frida.

'Dat... dat weet ik niet.'

'Heb je hem niet gebeld?'

Ik schudde mijn hoofd.

'Sufferd,' zei Frida. 'Als jij niet achter hem aan gaat, dan doe ik het, hoor. Het is maar dat je het weet.'

Ik hield het kristal omhoog aan het kettinkje en liet het voor mijn gezicht heen en weer bungelen.

'Als je het als pendel wilt gebruiken,' zei ik, 'en er iets aan wilt vragen...'

'Ja?'

'Hoe weet je dan wat het antwoord is?'

Frida haalde haar schouders op.

'Geen idee.'

Ze voelde even aan het kristal om haar eigen hals en ik deed het mijne ook om. Ik had het gevoel dat we langzaam, op de tast, weer dichter bij elkaar kwamen. We bewogen ons voorzichtig over een open wond heen.

Adam kwam niet. Zijn tafel bleef les na les leeg en toen we vrij waren, gaf Frida me een bemoedigend klopje op mijn rug. Het kwam misschien niet zo opgewekt en natuurlijk over als ze graag wilde, maar ze bedoelde het goed.

'Nu ga je naar huis en je knapt je een beetje op,' zei ze. 'Endan ga je naar zijn huis en bel je aan. Lukt dat, denk je?'

Ik knikte gehoorzaam.

'En vanavond bel je mij en dan vertel je me alles,' ging Frida verder. 'Maar geen ranzige details over hoe hij zoent en zo.'

'Hou op,' zei ik.

Frida zuchtte.

'Nou ja, ik probeer het tenminste,' zei ze.

'Dat weet ik,' zei ik.

Ruim een halfuur later had ik de hele inhoud van mijn kast leeggehaald en besloten dat ik mijn zwarte top met lange mouwen en mijn zwarte broek zou aandoen. Het stond mooi, maar ook een beetje droevig. Ik deed wat make-up op voor de badkamerspiegel, maar haalde toen alles er weer af. Ik had het gevoel dat ik gewoon mezelf moest zijn. Zonder masker.

De weg naar zijn huis voelde bekend onder mijn voeten. Ik was daar zoveel avonden naartoe gelopen en langs zijn huis geslopen als een verliefde kat. Maar deze keer was het anders. Deze keer zou ik niet stiekem voorbij sluipen, niet vluchten als ik iemand achter de ramen met de gebroken witte linnen gordijnen zag. Deze keer zou ik naar binnen gaan.

Bij de voordeur bleef ik staan. Ik keek omhoog. Stel je voor dat hij *echt* ziek was. Dat hij helemaal niet verdrietig en boos was, maar gewoon snipverkouden. Zou hij dan bezoek willen hebben van een in het zwart gekleed, berouwvol wezen als ik?

Opeens had ik het gevoel dat het risico dat ik me gewoon zou omdraaien en naar huis zou gaan, iedere seconde dat ik daar bleef staan groter werd. Over een halve minuut zou het al te laat zijn. Mijn gedachten en mijn lafheid zouden me hebben vastgebonden en naar huis gesleurd, naar mijn kamer en al het gepie-ker dat daar was opgespaard. Ik klemde mijn kiezen op elkaar, toetste 2821 in, en hoorde het klikje dat bevestigde dat het de juiste code was. Niet nadenken. Gewoon de lift instappen, op de vijfde drukken en weer uitstappen, het portaal inlopen en aanbellen.

Camilla deed open. Ze had haar haar losjes opgestoken in haar nek en verwelkomde me met haar stralende witte glimlach.

'Katrina! Hallo!'

'Hallo,' zei ik zenuwachtig. 'Is Adam... ziek?'

Het volgende moment vervloekte ik mezelf. Stel je voor dat hij helemaal niet thuis was. Stel je voor dat hij tegen zijn moeder had gezegd dat hij naar school was en dat ik hem nu verraden had. Maar Camilla schudde rustig haar hoofd.

'Nee, hij spijbelt gewoon.'

Ik staarde haar waarschijnlijk stomverbaasd aan, want opeens lachte ze.

'We spelen open kaart naar elkaar in dit gezin,' zei ze. 'Ik neem aan dat hij een goede reden heeft als hij zegt dat hij niet naar school wil. Kom binnen.'

Ik had nog nooit van zo'n moeder gehoord. Was ze de meest begripvolle moeder ter wereld of had ze gewoon geen verant-woordelijkheidsgevoel? Daar moest ik even over nadenken. Maar niet nu. Nu durfde ik even helemaal niet na te denken. Ik had mijn handen vol aan het uittrekken van mijn schoenen en mijn stijve, zenuwachtige benen naar binnen te laten lopen. Camilla knikte naar een dichte deur.

'Hij is op zijn kamer,' zei ze.

Ik voelde de paniek in mijn buik omhoog fladderen als een verschrikte kraai en ik wilde net zeggen dat ik wel een andere keer terug zou komen, snel mijn schoenen weer aantrekken en naar huis rennen, toen Camilla op Adams deur klopte en hem zonder antwoord af te wachten opendeed. Was er dan niet één volwassene die begreep waarom je eigenlijk op een deur klopte?

'Er is iemand voor je,' zei ze.

Toen verdween ze discreet naar de lichte woonkamer en ik staarde naar binnen in een kleine kamer met de blauwe gordijnen en een bureau met een computer erop. Achter de computer zat Adam. Op het beeldscherm ging de rit door een grotachtige tunnel nog een paar seconden door, toen stond alles abrupt stil en verscheen de tekst 'paused' midden op het beeldscherm. Adam draaide zich om en keek me aan en opeens was ik alles wat ik wilde zeggen kwijt. Een van Viktors zwarte gaten had zich in mijn hoofd geopend en alle woorden opgeslokt. Slurp.

'Ben jij het?' zei Adam.

'Ja,' zei ik.

Sprankelende conversatie. Het zag ernaar uit dat Adam zich ook niet direct een Oscar Wilde voelde op het moment. Ik keek onrustig om. Ik vroeg me af of Camilla om de hoek stond met haar oren wijd uitgespreid als de vleugels van een vlinder.

'Mag ik… binnenkomen?'

Adam knikte.

Ik stapte over de drempel en deed de deur achter me dicht. De kamer was behangen met een krijtstreepbehang, zoals een ouderwets herenkostuum. Het bed was niet opgemaakt. Een dik dekbed hing half op de grond; ik werd er verlegen van. Adam volgde mijn blik, maar hij zei niets.

'Ik wilde je eerst bellen,' begon ik, 'maar… ik wist niet of je… eh, ik wilde sorry zeggen… voor gisteren bedoel ik.'

Hij haalde zijn schouders op.

'Ik wilde helemaal niet tussen jou en je vriendin komen. En zij is duidelijk veel belangrijker voor je.'

'Het is goed nu,' zei ik vlug. 'Met Frida bedoel ik.'

'O. Nou, mooi.'

Hij klonk niet erg enthousiast. Er was een muur tussen ons in. Ik kon niet zien wat hij dacht.

'Ik heb alles aan haar verteld,' probeerde ik. 'Ze vindt het heel lullig, maar... we zijn tenminste weer vrienden.'

Het klonk heel kinderachtig. Het was totaal niet wat ik eigenlijk wilde zeggen.

'O,' zei Adam weer.

Hij was niet bepaald behulpzaam. Maar misschien had ik ook geen hulp verdiend. Ik wilde dat ik zo verstandig was geweest om thuis te blijven. Wat deed ik hier? Hij wilde duidelijk liever dat ik heel ergens anders was.

'Waarom was je niet op school?' vroeg ik.

Hij aarzelde. Keek me aan met die blauwgrijze ogen van hem.

'Ik wil niet,' zei hij toen. 'Ik kan er niet meer tegen. Al dat gedoe met Frida en jou en dat klotetoneelstuk, ik kan er gewoon niet meer tegen, en...'

Hij stopte opeens, alsof hij al veel te veel had gezegd.

'Maar... het is goed nu,' zei ik nog een keer. 'Met Frida. En het toneelstuk... Frida is ermee gestopt. Ze wil niet meer meedoen.'

'Ik ook niet,' zei Adam. 'Laten ze maar een andere Romeo zoeken.'

'Wat zal Alfred daar blij mee zijn,' zei ik. 'Hij was helemaal in de war toen Frida zei dat ze niet langer Julia wilde spelen. Zo'n beetje als Romeo, wanneer hij zegt: "I have lost myself, I am not here..."'

'... this is not Romeo, he's some other where,' vulde Adam aan. 'Ken je mijn teksten ook uit je hoofd? Misschien moet jij maar Romeo én Julia spelen.'

Ik knikte.

'Dan kan ik steeds wisselen tussen een heren- en een dameshoed,' zei ik en ik zette mijn hoogste Juliastem op: 'Art thou not Romeo and a Montague?'

Daarna deed ik vlug een stap opzij, maakte een buiging en liet mijn stem zakken:

'Neither, fair saint, if either thee dislike!'

Adam lachte even en zijn lach maakte me licht en vrolijk van geluk.

'De enige tekst die ik niet ken, is mijn eigen tekst,' zei ik vlug. 'Die van Julia ken ik omdat ik Frida ongeveer vijfhonderd keer heb overhoord, en die van Romeo ken ik omdat echt alles wat jij zegt in mijn hoofd blijft hangen.'

Dat laatste floepte er per ongeluk uit en ik zweeg verlegen. Adam keek naar zijn handen.

'Weet je wat ik gisteren heb gedaan?'

Hij keek weer op. Ik schudde mijn hoofd.

'Ik ben bij mijn hond op bezoek geweest. Ik ben gewoon naar dat huis toe gegaan en ik heb aangebeld en toen die man open- deed kwam Dombo aanrennen om te kijken wie het was…'

'Hij herkende je zeker wel?'

Adam knikte en ik zag aan zijn ogen dat hij niet over dat bezoekje kon vertellen. Nog niet. Ik wilde dat ik erbij was geweest en het had gezien.

'Waren ze boos? Zijn nieuwe eigenaren bedoel ik?'

'Nee. Ze zeiden dat ik nog wel eens langs mocht komen. Ze hebben wel eens een hondenoppas voor hem nodig. Iemand die met hem uitgaat als ze weg zijn en zo…'

'Leuk,' zei ik. 'Misschien kunnen we samen gaan…? Ik bedoel, de honden zouden vriendjes kunnen worden en wij… Als je…'

Verder kwam ik niet. De vraag bleef onafgemaakt tussen ons in hangen, maar ik wist dat hij wist wat ik wilde weten.

Adam zuchtte.

'Het wordt gewoon nooit wat,' zei hij. 'Als Frida met haar vingers knipt, duw je mij weg en ren je naar haar toe. Zoiets wil ik niet nog een keer meemaken.'

Opeens voelde ik me zó wanhopig.

'Waarom kun je in vredesnaam geen vriendje en een beste

vriendin tegelijk hebben?' gilde ik bijna. 'Eerst wil Andreas dat ik kies, dan wil Frida dat ik kies en nu begin jij ook al.'

Adam schoot overeind van zijn stoel.

'Ik heb je nooit gevraagd om te kiezen! Je hád al gekozen, dat heb je zelf gezegd! Die hele kutschool kon het horen toen jij naar Frida schreeuwde dat je haar had gekozen! Dus nu krijg je eindelijk je zin!'

'Wat had ik dán moeten zeggen?! Ik kon toch niet weten dat ze het goed zou vinden dat... dat jij en ik... Maar ze vindt het wél goed! Alles is nu oké!'

'O, bedankt, lieve Frida! Moet ik me soms op de grond werpen en haar voeten kussen? Stel je voor dat ze opeens van gedachten verandert? Dan weet ik in ieder geval wat ik aan jou heb!'

'Hou op!!!'

Adam sloeg hard tegen een stapel boeken en schriften op zijn bureau zodat alles door elkaar op de grond belandde.

'Jij weet niet wat het is om zo ontzettend verliefd te zijn!'

'Jawel,' zei ik. 'Reken maar dat ik dat wél weet!'

Hij zei niets. Streek met zijn handen over zijn gezicht. Toen hij weer opkeek, stonden zijn ogen anders.

'Echt?'

'Nou en of.'

'Doet het bij jou ook zo'n pijn?'

Ik knikte.

Toen was hij opeens bij me en ik sloeg mijn armen om zijn nek en voelde dat de muur tussen ons eindelijk wegsmolt in de warmte van onze lichamen. Hij kuste me, pakte me bij mijn haar en hield mijn gezicht vlak bij het zijne en we kusten heel lang en heel dicht tegen elkaar aan en ieder vezeltje van mijn lichaam richtte zich op hem en strekte zich naar hem uit. Niet stoppen, dacht ik. Niet loslaten, laat me nooit meer los.

'Katrina,' fluisterde hij, 'hebben jij en Andreas... hebben jullie het gedaan? Ben je met hem naar bed geweest?'

Ik schudde mijn hoofd. Wat Andreas en ik hadden gedaan, had hier helemaal niets mee te maken, dat hoorde thuis in een andere wereld, dat was hier totaal niet mee te vergelijken. Dat wilde ik zeggen, maar mijn mond gehoorzaamde niet, die wilde niet praten. Die wilde alleen maar meer Adam proeven. Ik zocht zijn naakte huid onder zijn trui, streelde over zijn rug en omhoog naar zijn schouders. Adam kreunde zacht en probeerde mijn handen vast te pakken.

'Mijn moeder kan ieder moment binnenkomen... ik weet zeker dat ze barst van nieuwsgierigheid daar in de kamer... Jij weet niet hoeveel ik aan je heb gedacht, hoe erg ik naar je heb verlangd... hou op, anders word ik gek...!'

Ik giechelde opgewonden.

'Wat doe je dan? Als je gek wordt?'

'Dat weet ik niet. Ik ben nog nooit zó gek geweest.'

Ik hief mijn gezicht op naar het zijne en keek recht in zijn blauwgrijze ogen.

'Ik ook niet,' zei ik. 'Maar ik denk dat ik het ieder moment kan worden.'

Die avond haalde ik het briefje met Maria's telefoonnummer tevoorschijn en legde het voor Kaspers neus op de keukentafel. Viktor was al naar bed.

'Bellen,' zei ik. 'Nu.'

Kasper keek niet-begrijpend naar het papiertje.

'Is dat...?'

'Maria's handschrift, ja. Haar telefoonnummer.'

'Dit moet je even uitleggen.'

'Bel nou maar,' zei ik nog een keer. 'Ik wacht hier.'

'Daar moet ik even over nadenken,' zei hij. 'Daar moeten we het morgen maar eens over hebben.'

'Het is levensgevaarlijk om na te denken,' zei ik.

Kasper zat een paar seconden heel stil naar het papiertje te kijken, toen stond hij op en liep naar de gang. Hij deed de deur achter zich dicht.

Ik bleef aan de keukentafel zitten.

Het werd een hele lange zit. Ik verlangde alweer naar Adam, maar het was een nieuw soort verlangen. Een zingend, warm, zacht zoemend verlangen. Als Kasper eindelijk klaar was, zou ik hem bellen en morgen was het vrijdag en dan konden we veel langer bij elkaar zijn, ik kon eerst even de stad in gaan met Frida en daarna met Adam afspreken, het was allemaal niet makkelijk, maar het moest kunnen, iedereen wilde het en we moesten het samen voor elkaar zien te krijgen. Af en toe hoorde ik Kaspers mompelende stem. Na bijna een uur kwam hij de keuken weer binnen en hij was veranderd. Het was iets in zijn gezicht en zijn houding. Hij was weer een klein beetje de oude Kasper.

'En?' zei ik. 'Komt ze terug?'

'Nee,' zei hij. 'Zo makkelijk gaat dat niet. Maar we hebben morgen afgesproken voor de lunch en dat is denk ik een goed begin.'

Ik zag Maria's ronde buikje voor me en moest even glimlachen.

Je zult de verrassing van je leven krijgen, papaatje! dacht ik.

Maar ik zei niets.